le Guide du **routard**

Directeur de collection

Philippe GLOAGUEN

Cofondateurs

Philippe GLOAGUEN et Michel DUVAL

Réd

Di

Flor

Di eur de routard.com

Yves COUPRIE

Rédaction

Yves COUPRIE, Olivier PAGE,
Véronique de CHARDON, Amanda KERAVEL,
Isabelle AL SUBAIHI, Anne-Caroline DUMAS,
Carole BORDES, Bénédicte BAZAILLE,
André PONCELET, Jérôme de GUBERNATIS,
Marie BURIN DES ROZIERS et Thierry BROUARD

PARIS BALADES

2001
2002

Hachette

Hors-d'œuvre

Le *GDR*, ce n'est pas comme le bon vin, il vieillit mal. On ne veut pas pousser à la consommation, mais évitez de partir avec une édition ancienne. D'une année sur l'autre, les modifications atteignent et dépassent souvent les 40 %.

Chaque année, en juin ou juillet, de nombreux lecteurs se plaignent de voir certains de nos titres épuisés. À cette époque, en effet, nous n'effectuons aucune réimpression. Ces ouvrages risqueraient d'être encore en vente au moment de la publication de la nouvelle édition. Donc, si vous voulez nos guides, achetez-les dès leur parution. Voilà.

Nos ouvrages sont les guides touristiques de langue française le plus souvent révisés. Malgré notre souci de présenter des livres très réactualisés, nous ne pouvons être tenus pour responsables des adresses qui disparaissent accidentellement ou qui changent tout à coup de nature (nouveaux propriétaires, rénovations immobilières brutales, faillites, incendies...). Lorsque ce type d'incidents intervient en cours d'année, nous sollicitons bien sûr votre indulgence. En outre, un certain nombre de nos adresses se révèlent plus « fragiles » parce que justement plus sympas ! Elles réservent plus de surprises qu'un patron traditionnel dans une affaire sans saveur qui ronronne sans histoire.

www.routard.com

NOUVEAU : les temps changent, après 4 ans de bons et loyaux services, le web du Routard laisse la place à ***routard.com,*** notre portail voyage, à partir de Pâques 2001. Tout pour préparer votre voyage en ligne, de A comme argent à Z comme Zanzibar : des fiches pratiques sur 130 destinations (y compris les régions françaises), nos tuyaux perso pour voyager, des cartes et des photos sur chaque pays, des infos météo et santé, la possibilité de réserver en ligne son visa, son vol sec, son séjour, son hébergement ou sa voiture. En prime, *routard mag* véritable magazine en ligne, propose interviews de voyageurs, reportages, carnets de routes, événements culturels, programmes télé, produits nomades, fêtes et infos du monde. Et bien sûr : des concours, des chats, des petites annonces, une boutique de produits voyages...

– Un grand merci à *Hertz*, notre partenaire, qui facilite le travail de nos enquêteurs, en France et à l'étranger. Central de réservations : ☎ 01-39-38-38-38.

TABLE DES MATIÈRES

LA PRISE DE LA BASTILLE ET LA RÉVOLUTION DANS LE MARAIS

LA RÉVOLUTION FRANÇAISE AU QUARTIER LATIN

LA RÉVOLUTION FRANÇAISE AU PALAIS ROYAL

LA RÉVOLUTION FRANÇAISE AUTOUR DU LOUVRE ET DES TUILERIES

LE PARIS ÉGYPTIEN

LA COMMUNE DE PARIS À MONTMARTRE

LE PARIS DES ÉCRIVAINS : LES QUARTIERS DU LUXEMBOURG ET DE L'ODÉON

LE PARIS COQUIN ET LIBERTIN : RIVE DROITE

LE PARIS COQUIN ET LIBERTIN : DES TUILERIES À MONTPARNASSE

LE PARIS DES PASSAGES LES PLUS INSOLITES ET MYSTÉRIEUX

LE PARIS CRIMINEL, GLAUQUE ET MORBIDE : DU SQUARE LOUVOIS À LA PLACE MAUBERT

LE PARIS CRIMINEL, GLAUQUE ET MORBIDE : DU LOUVRE AU MARAIS

LE PARIS EXISTENTIALISTE : SAINT-GERMAIN-DES-PRÉS

LE PARIS DE LA BOHÈME : MONTPARNASSE, MONTSOURIS ET ALENTOURS

À TRAVERS L'ARCHITECTURE CONTEMPORAINE (Autour du bassin de la Villette)

À TRAVERS L'ARCHITECTURE CONTEMPORAINE (Cité des Sciences – Parc de la Villette – Archives de Paris)

À TRAVERS L'ARCHITECTURE CONTEMPORAINE (Belleville – Ménilmontant)

LE PARIS ASIATIQUE – LE « CHINATOWN » DU XIIIe

MAI 68 AU QUARTIER LATIN

Balades

1. Le Paris gallo-romain
2. Le Paris médiéval : île de la Cité et rive gauche
3. Le Paris médiéval : rive droite
4. Le Paris de l'alchimie
5. La prise de la Bastille et la Révolution dans le Marais
6. La Révolution française au Quartier latin
7. La Révolution française au Palais Royal
8. La Révolution française autour du Louvre et des Tuileries
9. Le Paris égyptien
10. La Commune de Paris à Montmartre
11. Le Paris des écrivains : les quartiers du Luxembourg et de l'Odéon
12. Le Paris coquin et libertin : rive droite
13. Le Paris coquin et libertin : des Tuileries à Montparnasse
14. Le Paris des passages les plus insolites et mystérieux
15. Le Paris criminel : du square Louvois à la place Maubert
16. Le Paris criminel du Louvre et du Marais
17. Le Paris existentialiste : Saint-Germain-des-Prés
18. Le Paris de la bohème : Montparnasse, Montsouris et alentours
19. À travers l'architecture contemporaine (autour du bassin de la Villette)
20. À travers l'architecture contemporaine (Cité des Sciences - Parc de la Villette - Archives de Paris)
21. À travers l'architecture contemporaine (Belleville - Ménilmontant)
22. Le Paris asiatique
23. Mai 68 au Quartier latin

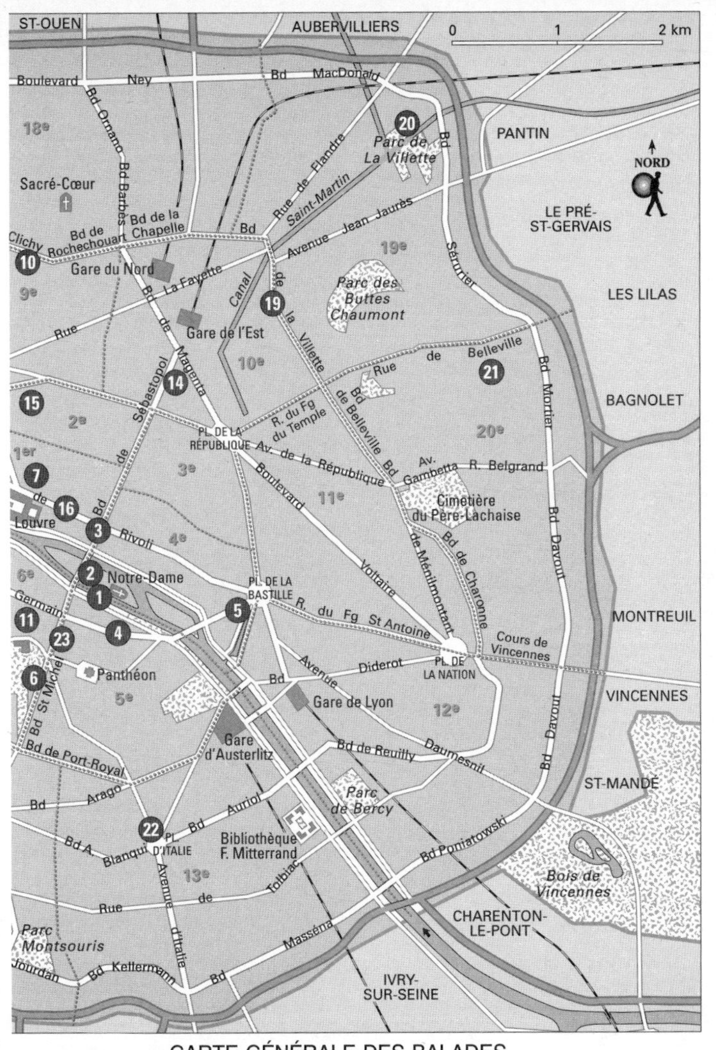

CARTE GÉNÉRALE DES BALADES

LES GUIDES DU ROUTARD 2001-2002

(dates de parution sur le 36-15, code ROUTARD)

France

- Alpes
- Alsace, Vosges
- Aquitaine
- **Ardèche, Drôme (nouveauté)**
- Auvergne, Limousin
- Banlieues de Paris
- Bourgogne, Franche-Comté
- Bretagne Nord
- Bretagne Sud
- Châteaux de la Loire
- Corse
- Côte d'Azur
- Hôtels et restos de France
- Junior à Paris et ses environs
- Languedoc-Roussillon
- Lyon et ses environs
- Midi-Pyrénées
- Nord, Pas-de-Calais
- Normandie
- Paris
- Paris à vélo
- **Paris balades (nouveauté)**
- **Paris casse-croûte (nouveauté)**
- Paris exotique
- **Paris la nuit (juin 2001)**
- Pays basque (France, Espagne)
- Pays de la Loire
- Poitou-Charentes
- Provence
- Restos et bistrots de Paris
- Le Routard des amoureux à Paris
- Tables et chambres à la campagne
- Vins à moins de 50 F
- Week-ends autour de Paris

Amériques

- Argentine, Chili et île de Pâques
- Brésil
- Californie et Seattle
- Canada Ouest et Ontario
- Cuba
- **Équateur (nouveauté)**
- États-Unis, côte Est
- Floride, Louisiane
- Guadeloupe, Saint-Martin, Saint-Barth
- Martinique, Dominique, Sainte-Lucie
- Mexique, Belize, Guatemala
- New York
- Parcs nationaux de l'Ouest américain et Las Vegas
- **Pérou, Bolivie (nouveauté)**
- Québec et Provinces maritimes
- Rép. dominicaine (Saint-Domingue)

Asie

- Birmanie
- **Chine : de Pékin au Yunnan (avril 2001)**
- Inde du Nord
- Inde du Sud
- Indonésie
- Israël
- Istanbul
- Jordanie, Syrie, Yémen
- Laos, Cambodge
- Malaisie, Singapour
- Népal, Tibet
- Sri Lanka (Ceylan)
- Thaïlande
- Turquie
- Vietnam

Europe

- Allemagne
- Amsterdam
- **Andorre, Catalogne (nouveauté)**
- Angleterre, pays de Galles
- Athènes et les îles grecques
- Autriche
- **Baléares (nouveauté)**
- Belgique
- Écosse
- Espagne du Centre
- Espagne du Sud, Andalousie
- Finlande, Islande
- Grèce continentale
- Hongrie, Roumanie, Bulgarie
- Irlande
- Italie du Nord
- Italie du Sud, Rome
- Londres
- Norvège, Suède, Danemark
- Pologne, République tchèque, Slovaquie
- Portugal
- Prague
- Sicile
- Suisse
- Toscane, Ombrie
- Venise

Afrique

- Afrique noire
  Mauritanie
  Mali
  Burkina Faso
  Niger
  Côte-d'Ivoire
  Togo
  Bénin
- Égypte
- Île Maurice, Rodrigues
- Kenya, Tanzanie et Zanzibar
- Madagascar
- **Marrakech et ses environs (nouveauté)**
- Maroc
- Réunion
- Sénégal, Gambie
- Tunisie

et bien sûr...

- Le Guide de l'expat
- Humanitaire
- Internet
- Des Métiers pour globe-trotters

LA CHARTE DU ROUTARD

À l'étranger, l'étranger c'est nous ! Avec ce dicton en tête, les bonnes attitudes coulent de source.

– ***Les us et coutumes du pays***

Respecter les coutumes ou croyances qui semblent parfois surprenantes. Certains comportements très simples, comme la discrétion et l'humilité, permettent souvent d'éviter les impairs. Observer les attitudes des autres pour s'y conformer est souvent suffisant. S'informer des traditions religieuses est toujours passionnant. Une tenue vestimentaire sans provocation, un sourire, quelques mots dans la langue locale sont autant de gestes simples qui permettent d'échanger et de créer une relation vraie. Tous ces petits gestes constituent déjà un pas vers l'autre. Et ce pas, c'est à nous visiteurs de le faire. Mots de passe : la tolérance et le droit à la différence.

– ***Visiteur/visité : un rapport de force déséquilibré***

Le passé colonial ou le simple fossé économique peut entraîner parfois inconsciemment des tensions dues à l'argent. La différence de pouvoir d'achat est énorme entre gens du Nord et du Sud. Ne pas exhiber ostensiblement son argent. Éviter les grosses coupures, que beaucoup n'ont jamais eues entre les mains.

– ***Le tourisme sexuel***

Il est inadmissible que des Occidentaux utilisent leurs moyens financiers pour profiter sexuellement de la pauvreté. De nouvelles lois permettent désormais de poursuivre et de juger dans leur pays d'origine ceux qui se rendent coupables d'abus sexuels, notamment sur les mineurs des deux sexes. C'est à la conscience personnelle et au simple respect humain que nous faisons appel. Combattre de tels comportements est une démarche fondamentale. Boycottez les établissements favorisant ce genre de relations.

– ***Photo ou pas photo ?***

Renseignez-vous sur le type de rapport que les habitants entretiennent avec la photo. Certains peuples considèrent que la photo vole l'âme. Alors, contentez-vous des paysages, ou bien créez un dialogue avant de demander l'autorisation. Ne tentez pas de passer outre. Dans les pays où la photo est la bienvenue, n'hésitez pas à prendre l'adresse de votre sujet et à lui envoyer vraiment la photo. Un objet magique : laissez-lui une photo Polaroïd.

– ***À chacun son costume***

Vouloir comprendre un pays pour mieux l'apprécier est une démarche louable. En revanche, il est parfois bon de conserver une certaine distanciation (on n'a pas dit distance), en sachant rester à sa place. Il n'est pas nécessaire de porter un costume berbère pour montrer qu'on aime le pays. L'idée même de « singer » les locaux est mal perçue. De même, les tenues dénudées sont souvent gênantes.

LA CHARTE DU ROUTARD (suite)

– ***À chacun son rythme***
Les voyageurs sont toujours trop pressés. Or, on ne peut ni tout voir, ni tout faire. Savoir accepter les imprévus, souvent plus riches en souvenirs que les périples trop bien huilés. Les meilleurs rapports humains naissent avec du temps et non de l'argent. Prendre le temps. Le temps de sourire, de parler, de communiquer, tout simplement. Voilà le secret d'un voyage réussi.
– ***Éviter les attitudes moralisatrices***
Le routard « donneur de leçons » agace vite. Évitez de donner votre avis sur tout, à n'importe qui et n'importe quand. Observer, comparer, prendre le temps de s'informer avant de proférer des opinions à l'emporte-pièce. Et en profiter pour écouter, c'est une règle d'or.
– ***Le pittoresque frelaté***
Dénoncer les entreprises touristiques qui traitent les peuples autochtones de manière dégradante ou humiliante et refuser les excursions qui jettent en pâture les populations locales à la curiosité malsaine. De même, ne pas encourager les spectacles touristiques préfabriqués qui dénaturent les cultures traditionnelles et pervertissent les habitants.

Direction : Isabelle Jeuge-Maynart
Contrôle de gestion : Dominique Thiolat et Martine Leroy
Direction éditoriale : Catherine Marquet
Édition : Catherine Julhe, Anne-Sophie de Précourt, Peggy Dion et Carine Girac
Préparation-lecture : Nicolas Veysman
Cartographie : Cyrille Suss et Fabrice Le Goff
Fabrication : Gérard Piassale et Laurence Ledru
Direction artistique : Emmanuel Le Vallois
Direction des ventes : Francis Lang
Direction commerciale : Michel Goujon, Cécile Boyer, Dominique Nouvel, Dana Lichiardopol et Sylvie Rocland
Informatique éditoriale : Lionel Barth
Relations presse : Danielle Magne, Martine Levens et Maureen Browne
Régie publicitaire : Florence Brunel et Monique Marceau
Service publicitaire : Frédérique Larvor et Marguerite Musso

NOUVEAUTÉ

CHINE : DE PÉKIN AU YUNNAN (avril 2001)

Depuis Tintin et *Le Lotus Bleu*, on rêve de la Chine. Avec l'ouverture économique de l'empire du Milieu et la baisse des tarifs aériens, voyager librement et en routard dans cet immense pays est désormais une réalité à la portée de tous. Un peu de yin, un peu de yang et en route pour le Tao ! La Grande Muraille, la Cité interdite de Pékin, le palais d'Été, l'armée impériale en terre cuite de Xian, les paysages d'estampes de Guilin, Shanghai, la trépidante vitrine en pleine explosion et aussi Hong Kong, le grand port du Sud, Canton et la Rivière des Perles sans oublier Macao, la ville des casinos et du jeu. Avec notre coup de cœur : le Yunnan, la grande province du Sud-Ouest, « Au sud des Nuages », une région montagneuse, sauvage, habitée par de nombreuses minorités ethniques. Toute la Chine ne tiendra pas dans un seul *Guide du routard*, mais un seul routard peut tenir à la Chine plus qu'à nul autre pays.

PARIS CASSE-CROÛTE (paru)

Parce qu'un mauvais sandwich, c'est un scandale ! Pourtant on n'a pas tous les jours envie de se mettre vraiment à table. Et puis, les McDo et autres fast-foods de la grande distribution n'ont jamais été notre tasse de thé. Parce que les vrais casse-dalle, les bons vieux casse-croûte, ça se mérite. Nous nous devions donc d'aller jeter un œil sur toutes les boulangeries, sur tous les bars à vin et autres sandwicheries de la capitale, des plus connus aux plus anonymes. Voici ce qui se fait de mieux à Paname, pour casser une graine sympa, le nez au vent ou sur une fesse, entre deux courses ou deux musées, tranquille à une terrasse ou à l'ombre d'un square. Alors, à la santé des jambons-beurre, falafels et autres tartines périgourdines, à vos marques, prêt, bon appétit !

Pour cet ouvrage, nous tenons à remercier tout particulièrement :

Jean-Luc Bitton
François Caradec
Jean-Paul Clébert
Marine Doisy
Lucien Jetwab

Nous tenons à remercier également Mathilde de Boisgrollier, François Chauvin, Gavin's Clemente-Ruiz, Grégory Dalex, Michèle Georget, Fabrice Jahan de Lestang, Pierrick Jégu, Géraldine Lemauf-Beauvois, Bernard-Pierre Molin, Jean Omnes, Patrick de Panthou, Jean-Sébastien Petitdemange, Benjamin Pinet, Anne Poinsot et Alexandra Sémon pour leur collaboration régulière.

Et pour cette chouette collection, plein d'amis nous ont aidés :

Cécile Abdesselam
Isabelle Alvaresse
Didier Angelo
Marie-Josée Anselme
Philippe Bellenger
Laurence de Bélizal
Cécile Bigeon
Yann Bochet
Anne Boddaert
Philippe Bordet et Edwige Bellemain
Gérard Bouchu
Nathalie Boyer
Benoît Cacheux et Laure Beaufils
Guillaume de Calan
Danièle Canard
Jean-Paul Chantraine
Bénédicte Charmetant
Franck Chouteau
Sandrine Copitch
Christian dal Corso
Maria-Elena et Serge Corvest
Sandrine Couprie
Franck David
Laurent Debéthune
Agnès Debiage
Monica Diaz
Tovi et Ahmet Diler
Raphaëlle Duroselle
Sophie Duval
Flora Etter
Hervé Eveillard
Pierre Fayet
Didier Farsy
Alain Fisch
Carole Fouque
Dominique Gacoin
Bruno Gallois
Cécile Gauneau
Adélie Genestar
Alain Gernez
David Giason
Adrien Gloaguen et Côme Perpère
Hubert Gloaguen
Olivier Gomez et Sylvain Mazet
Isabelle Grégoire
Jean-Marc Guermont
Xavier Haudiquet
Claude Hervé-Bazin
Bernard Houlat
Christian Inchauste
Carine Isambert
Catherine Jarrige
François Jouffa
Sandrine Kolau
Jacques Lanzmann
Vincent Launstorfer
Raymond et Carine Lehideux
Jean-Claude et Florence Lemoine
Valérie Loth
Jean-Luc Mathion
Pierre Mendiharat
Xavier de Moulins
Alain Nierga et Cécile Fischer
Michel Ogrinz et Emmanuel Goulin
Franck Olivier
Alain et Hélène Pallier
Martine Partrat
J.-V. Patin
Odile Paugam et Didier Jehanno
Bernard Personnaz
Jean-Alexis Pougatch
Michel Puysségur
Jean-Luc Rigolet
Guillaume de Rocquemaurel
Philippe Rouin
Benjamin Rousseau
Martine Rousso
Ludovic Sabot
Jean-Luc et Antigone Schilling
Guillaume Soubrié
Régis Tettamanzi
Marie Thoris et Julien Colard
Thu-Hoa-Bui
Christophe Trognon
Isabelle Verfaillie
Stéphanie Villard
Isabelle Vivarès
Solange Vivier

INTRODUCTION

Balades insolites à Paris

Ville des Lumières, ville éternelle, Paris restera le paradis des piétons! Chaque rue de la vieille Lutèce raconte des histoires, petites ou grandes, sordides ou magnifiques, mais toujours passionnantes. « Les rues chantent, les pierres parlent, les maisons suintent l'histoire, la gloire et la romance », écrivait Henry Miller. Les cours, les ruelles, les pavés, les barricades et les quais de Paname connurent les plus belles histoires d'amour, les idées politiques les plus folles et les plus grands mouvements littéraires et artistiques. Suivez ce guide sur les traces des fantômes du passé, dans les pas des personnalités qui ont fait l'histoire de ce pays. Pour cela, nous vous avons concocté des balades thématiques, pour que vous puissiez choisir les sujets qui vous passionnent le plus. Il y en aura pour tous les goûts, tous les fantasmes : pour les férus d'histoire, des parcours révolutionnaires, 1789, Commune de Paris ou... mai 68! En direction des passionnés d'architecture moderne, des itinéraires pointus livrant les plus intéressantes réalisations des architectes contemporains. Et où l'on s'apercevra que là aussi, bien des choses ont évolué extrêmement positivement. Pour nos lecteurs, lectrices, pétris de littérature, des balades dans le Paris existentialiste ou sur les pas et les fonds de verre des écrivains américains qui joyeusement adoptèrent à une époque notre ville.
Sans oublier, pour pimenter un peu l'histoire, quelques itinéraires dans le Paris coquin et libertin ou pour les amateurs de frissons et ambiances glauques, quelques grandes affaires criminelles...
Pourtant, nous direz-vous, Paris a bien changé, a trop changé. Surtout après les excès antireligieux de la Révolution française, les grands programmes d'urbanisme du XIXe siècle, les massacres architecturaux du baron (on va encore nous traiter d'anti-haussmaniens primaires!), la violente spéculation immobilière des années 1960-1980 et son cortège de lamentables destructions (et ça continue encore, même si c'est plus soft!)... Bref, malgré tout cela, malgré tous ces mauvais coups, il subsiste dans tous les quartiers de Paris, des coins qui respirent encore, des bouts, des vestiges, parfois un lambeau d'histoire qu'on peut relier plus facilement qu'on l'imaginait. « Nous sommes les mal-contents de la raison. Nous voyons des mondes dans les manoirs vides, d'éclatants soleils dans les arbres nus. Le monde n'est pas donné, il s'invente. Imaginer, maître-mot »

écrivait Xavier Grall. Eh oui! cette imagination sera souvent sollicitée quand les signes, les témoignages physiques ne seront pas au rendez-vous. Alors, restera cependant une atmosphère, des échos, des couleurs, des odeurs, des p'tites choses indéfinissables qu'on s'amusera à relier entre elles. Et puis, on a remarqué qu'il subsiste souvent un dernier détail architectural, un ultime témoignage qui a échappé aux iconoclastes et qui possédera un fort pouvoir d'évocation. Un vrai miracle souvent. Avec quelques anecdotes historiques ou inédites, on va vous aider à reconstituer des ambiances, faire revivre l'histoire. En espérant que vous aurez le même plaisir à réaliser ces balades que l'on a eu à les expérimenter. La recette se révèle finalement simple : beaucoup d'imagination et de sensibilité, une bonne capacité d'interprétation et de reconstitution mentale... Nul doute que toute la mémoire des lieux et des événements va rappliquer au galop. Bienvenu dans un Paris qui vous surprendra et vous enchantera toujours!

LE PARIS GALLO-ROMAIN

BALADE N° 1 : 3 km – 2 h.

Un peu d'histoire

Au commencement était une île au milieu de la Seine. C'est là que nos ancêtres les Gaulois, une peuplade celtique nommée les *Parisii,* s'installèrent vers le milieu du IIIe siècle av. J.-C. pour construire l'*oppidum* (agglomération fortifiée) de Lutèce. Grâce au commerce fluvial les *Parisii* connaissent une remarquable prospérité économique et artistique. Lors de la conquête romaine, César trop occupé à Gergovie avec Vercingétorix, confie à son fidèle lieutenant Labiénus la prise de Lutèce. Malgré la résistance farouche des valeureux Gaulois, au printemps 52 av. J.-C., Labiénus remporte la bataille de Lutèce. Après la perte de son indépendance, comme toute la Gaule (toute ? non ! Un village peuplé d'irréductibles Gaulois résiste...), Lutèce devient gallo-romaine. La romanisation se fait en douceur. Rome n'étouffe pas la culture gauloise mais la laisse s'épanouir tout en l'enrichissant. Ce mélange culturel donnera naissance à la civilisation gallo-romaine qui durera jusqu'à la grande invasion germanique de 406-407. À l'instar des autres villes gauloises, Lutèce sous l'occupation romaine connaît un fort développement urbain. Les Romains construisent une ville nouvelle sur la rive gauche de l'île de la Cité. Les rives marécageuses de la Seine obligent les conquérants à bâtir sur les hauteurs. La ville qui s'étendait sur 45 ha et comptait environ 8 000 habitants (soit 150 habitants en moyenne à l'hectare !) se développe principalement autour de la butte Sainte-Geneviève. La ville est un vaste chantier en construction d'où s'élèvent les quartiers d'habitation et les grands édifices publics romains : thermes, aqueducs, forum, temples, arènes et amphithéâtres. À Paris, les vestiges visibles de cette urbanisation romaine sont rares. S'ils ne sont pas nombreux, les sites gallo-romains parisiens sont spectaculaires et superbement restaurés. Ils méritent qu'on s'y attarde. Bonne promenade dans ce Paris antique qui s'appelait Lutèce !

Départ

Début de l'itinéraire au ***métro Cité*** *(plan, **1**)* : 3 km environ. Compter 2 h de balade, voire plus si vous visitez les sites.

À voir

★ ***La crypte archéologique de Notre-Dame*** *(plan,* ***2****)* **:** sur l'île de la Cité, face à la Préfecture de police, au fond du parvis. L'entrée de la crypte (10 h à 18 h, tous les jours sauf le lundi) est indiquée par le moulage d'un des blocs du pilier des Nautes, cette corporation de bateliers dont les navires transportaient les marchandises entre l'île et la rive. Ici se trouve le berceau de Paris. Descendez les escaliers qui mènent à la crypte. Les dalles que vous foulez à l'intérieur font partie des vestiges gallo-romains découverts en 1965, lors de la construction d'un parking souterrain. Vous avez les pieds dans l'eau ! prévient la dame de la billetterie. Le pavé est celui des quais du port aménagé sur le bord de l'île au Ier siècle, où venaient accoster les bateaux des Nautes. La crypte a été construite en 1980 par la ville de Paris pour abriter les vestiges qui auraient trop restreint la surface du parvis, si on les avait laissés à l'air libre. Ouvrage de ce type unique au monde (117 m de longueur, 24 m de largeur) qui permet d'observer *in situ* les restes de l'architecture du passé. Avant le guichet, à travers une glace, la vision des ruines gallo-romaines baignant dans une lumière bleuâtre est impressionnante. On aperçoit les vestiges d'un petit édifice de bains et de son hypocauste (fourneau souterrain conducteur d'air chaud). Après la billetterie, des dioramas évoquent l'histoire de Paris depuis ses origines. Des grandes maquettes représentent le parvis de Notre-Dame et la crypte. Les vestiges architecturaux (fondations, caves et sous-sols) qui jalonnent la crypte permettent au visiteur une véritable remontée dans le temps, de la Lutèce gallo-romaine jusqu'au Paris médiéval.

★ ***Les thermes du musée de Cluny*** *(plan,* ***3****)* **:** entrée au 6, place Paul-Painlevé. En sortant de la crypte, traversez le pont au Double qui relie l'île de la Cité à la rive gauche, puis suivre la rue Dante pour rejoindre l'angle des boulevards Saint-Germain et Saint-Michel. Depuis septembre 2000, le visiteur peut désormais accéder à l'entrée du musée en traversant un jardin d'inspiration médiévale. Remonter le boulevard Saint-Michel jusqu'à l'angle de la rue Sommerard où le promeneur peut déjà admirer à l'air libre des pans des vestiges des thermes qui occupaient un quadrilatère de 100 m de long sur 65 m de large ! Suivre la rue Sommerard jusqu'à l'entrée du musée dont la visite est fortement recommandée (ouvert de 9 h 15 à 17 h 45, tous les jours sauf le mardi). Fondé en 1843, le musée abrite non seulement l'un des plus prestigieux monuments gallo-romains visibles à Paris, les thermes du nord, dits de Cluny ; mais également l'hôtel des abbés de Cluny et ses superbes collections médiévales dont la fameuse tenture de *La dame à la licorne*. La réputation des thermes de Cluny, construits à la fin du IIe ou au début

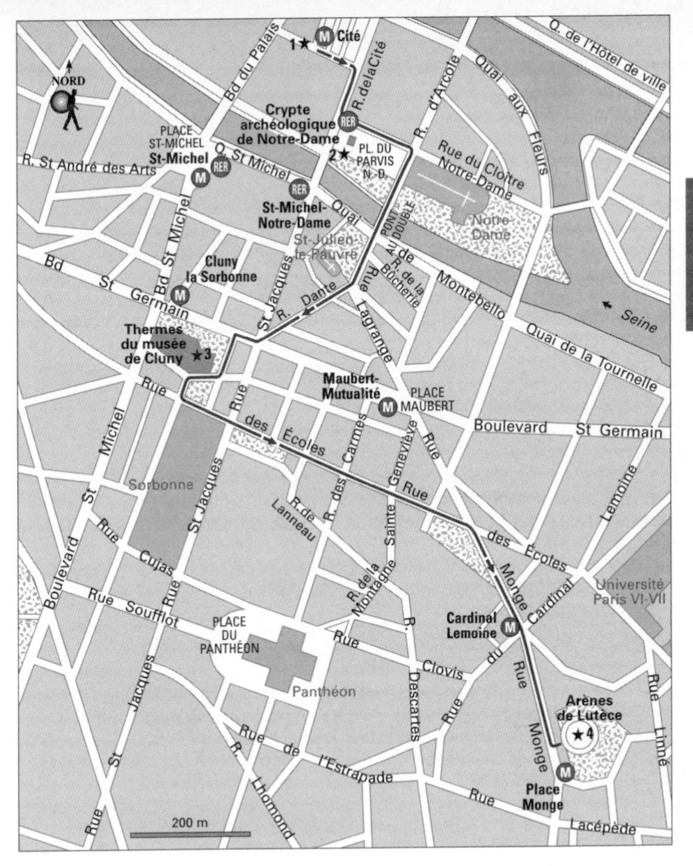

LE PARIS GALLO-ROMAIN

★ **À voir**

2 La crypte archéologique de Notre-Dame

3 Les thermes du musée de Cluny

4 Les arènes de Lutèce

du IIIe siècle, est dû à leur remarquable état de conservation. La grande salle des bains froids, le *frigidarium*, avec sa voûte de 14 m de hauteur, est quasiment intacte. Il est facile d'imaginer l'ambiance de calme et de volupté qui devait régner dans ces ensembles thermaux, centres d'hygiène et de loisirs, où pour un prix modique les habitants de Lutèce se prélassaient de longues heures durant. Le fonctionnement des thermes, invention romaine, rappelle celui du hammam. Le client thermal passait successivement de la salle froide, le *frigidarium*, à la salle tiède, le *tepidarium*, avant de séjourner dans la grande salle chauffée par le sol et les murs, le *caldarium*. Le visiteur pouvait ensuite se rafraîchir dans les jardins tout en assistant – *Mens sana in corpore sano* – à un concert ou à une conférence. Après les plaisirs du bain, dirigeons nos pas vers un autre haut lieu des loisirs gallo-romains : l'amphithéâtre.

★ ***Les arènes de Lutèce*** *(plan, 4)* **:** rue Monge, square des arènes de Lutèce. En sortant du musée, prendre la rue des Écoles, puis remontez la rue Monge jusqu'aux arènes. Des arbres dissimulent ce lieu magnifique, véritable havre de paix au cœur de la ville. Placez-vous au centre de la piste des arènes (souvent occupé par d'apparents paisibles joueurs de boules mais parieurs invétérés...), le frisson est assuré tant la restauration parfaite est évocatrice. On a l'impression d'entendre le bruissement de la foule des spectateurs sur les gradins et le feulement des fauves en attente dans les cages... Dans ce type de monument, théâtre-amphithéâtre, très répandu en Gaule, les jeux du cirque côtoyaient ceux de la comédie, avec au centre l'arène de terre battue et en retrait la scène de théâtre, longue de plus de 40 m. L'édifice mesurait 130 m de long sur 100 m de large. Les gradins pouvaient accueillir jusqu'à 18 000 spectateurs! Construites au Ier siècle, les arènes de Lutèce offraient au public les cruels combats de gladiateurs (interdits en 406) et d'animaux, mais aussi des pièces de théâtre (tragédies et comédies du répertoire romain), spectacles de mimes, d'acrobates et de danses. Les vestiges des arènes furent découverts en 1869 par l'archéologue Vacquer. L'amphithéâtre à peine restauré faillit disparaître sous les pioches des démolisseurs pour la Compagnie des omnibus qui voulait y construire un dépôt. Un comité des Arènes fut créé dont le président d'honneur était un certain Victor Hugo qui envoya une lettre au président du Conseil municipal :

Monsieur le Président,

Il n'est pas possible que Paris, la ville de l'avenir, renonce à la preuve vivante qu'elle a été la ville du passé. Le passé amène l'avenir. Les Arènes sont l'antique marque de la grande ville. Elles sont un monument unique. Le Conseil municipal qui les détruirait se détruirait en quelque sorte lui-même. Conservez les Arènes de Lutèce. Conservez-les à tout prix. Vous ferez une action utile et, ce qui vaut mieux, vous donnerez un grand exemple. Je vous serre les mains.

Victor Hugo

Quelques jours plus tard, le Conseil municipal fait l'acquisition du terrain sur lequel se trouvent les arènes. L'édifice est classé monument historique. Un conseil au promeneur : visitez le site tôt le matin ou en fin de journée. Les rayons du soleil levant ou couchant (orientation souhaitée par les architectes de l'époque) qui caressent les pierres des gradins rendent le lieu encore plus magique. Horaires d'accès : 8 h à 22 h l'été et 8 h à 18 h l'hiver.

Fin de la balade

Voilà, on ne vous emmène pas à Alésia, rues de Gergovie ou Vercingétorix dans le XIVe... c'est trop loin et ne peut, de toute façon, faire l'objet d'un parcours, vu l'absence de vestiges. En revanche, peut-être peut-on espérer un jour voir les restes de l'aqueduc gallo-romain découverts récemment, à l'occasion de l'opération immobilière de la ZAC Montsouris. À condition qu'ils ne disparaissent pas bien sûr sous l'action de pelleteuses voraces (pléonasme?), anticipant un quelconque classement du site. En attendant, prions mes bien chers frères et engouffrons-nous dans le ***métro Monge***.

LE PARIS MÉDIÉVAL : ÎLE DE LA CITÉ ET RIVE GAUCHE

BALADE N° 2 : 5 km – 3 à 4 h.

Un peu d'histoire

Le Moyen Âge : que cette période de l'histoire n'a-t-elle charrié de fantasmes, alimentés par une vision revue et corrigée dans les images d'Épinal, les vieux manuels de la IIIe République ou les feuilletons télévisés (ah ! « Thierry la Fronde » !) ! Les promenades que nous proposons n'ont pas la prétention de l'érudition scientifique, juste de donner à voir, d'inciter à explorer – de faire rêver aussi : les vestiges ont quelque chose de romantique, les traces du passé au milieu du tissu urbain sont une fenêtre ouverte sur la ville avant la ville, un voyage dans le temps... Certains noms de rues n'ont pas changé depuis sept cents ans, quand bien même les maisons qui bordaient celles-ci au XIVe siècle ont disparu.
Faites de plâtre et de bois, matériaux par essence fragiles, elles n'auront pas résisté aux Normands, aux inondations, aux incendies, à l'affairisme et... au baron Haussmann. Subsistent du Moyen Âge, au sens féodal du terme, c'est-à-dire, *grosso modo*, du XIe à la fin du XVe siècle, principalement les restes de fortifications (l'enceinte de Philippe Auguste et celle de Charles V), des constructions, souvent encastrées dans des édifices plus tardifs, essentiellement royales ou religieuses, et c'est presque tout. Et pourtant ce n'est pas rien : l'émotion n'est pas absente quand on découvre un vestige dissimulé chargé d'histoire (et quelle histoire !). Elle l'est encore moins devant des chefs-d'œuvre incomparables de l'architecture religieuse... que le monde entier nous envie (sauf peut-être nos voisins italiens, qui sont hors concours !). Hardi ! Notre bonne ville en ses murs nous attend : gaillardement, explorons-la !
Paris au Moyen Âge se découpe en trois entités : la ***Cité***, siège du pouvoir ; ***l'Université***, sur la rive gauche ; la ***ville,*** sur la rive droite. Si changements il y eut, nous les évoquerons à leur place. Nous avons donc divisé notre circuit en deux balades, d'inégale longueur. Les musées et sites payants sont mentionnés pour mémoire, mais leur coût se cumule et ils s'ajoutent, en durée, à celle de la promenade.

Départ

Au début était le commencement : à cheval, à pied ou en métro, le départ est station ***Cité*** *(plan, **1**).*

LA CITÉ

★ ***La Conciergerie*** *(plan, **2**) :* empruntons le boulevard du Palais sur la droite et avançons-nous sur le pont au Change (ancien Pont-aux-Changeurs, occupé par les maisons des orfèvres et des changeurs, reconstruit depuis) et retournons-nous. Pas mal, non ? C'est la Conciergerie, avec sa tour de l'Horloge, dont la base date de Philippe le Bel, et ses trois tours, dans l'ordre, de César, d'Argent et Bonbec. C'était là le siège du pouvoir, le palais royal, avant que le roi Charles V ne déménage au Louvre, plus confortable, mais aussi plus sûr (il arrivait, mais oui, que les manants se révoltent...). Voir le 2e itinéraire (rive droite).
Il est possible de visiter l'extraordinaire salle des gens d'armes, aux dimensions imposantes (70 m de long sur près de 30 de large), ainsi que les impressionnantes cuisines attenantes, toutes du XIVe siècle (tous les jours de 10 h à 17 h, d'octobre à mars, et de 9 h 30 à 18 h 30, d'avril à septembre, 35 F, soit 5,4 €, billet jumelé avec la Sainte-Chapelle, 50 F, soit 7,6 €), néanmoins en partie visibles de la rue, en contrebas (le quai a été surélevé depuis, on avait souvent les pieds dans l'eau alors).

★ ***La Sainte-Chapelle*** *(plan, **3**) :* quelques mètres plus loin, sur le boulevard du Palais, accès à la Sainte-Chapelle, à l'intérieur du Palais de justice (mêmes horaires et tarifs que la Conciergerie). Une splendeur. Construite par saint Louis pour abriter des reliques sacrées (notamment la couronne d'épines d'un juif au fort charisme crucifié par les Romains) acquises lors des croisades, elle se compose de deux étages : le rez-de-chaussée, pour les habitants du palais, et l'étage supérieur, dévolu au souverain, qui y avait accès depuis ses appartements par une galerie. Toute de légèreté, l'architecture de pierre y met en valeur les parois de vitraux extraordinaires. Les peintures sont principalement une restitution fidèle du XIXe siècle. C'est en ressortant, dans la cour du Palais de justice, qu'on a la plus belle vue sur l'édifice.

★ Empruntons en face la rue de Lutèce, traversons la rue de la Cité et débouchons sur la ***place du Parvis... de Notre-Dame***. Jetons un œil dessus, mais sans oublier que ce n'est pas le point de vue des bâtisseurs de la cathédrale, mais la vision du baron Haussmann qui, là encore – plus qu'ailleurs peut-être –, a détruit l'environnement d'un monument, constitué d'un lacis de constructions anciennes, pour en faire une vaste pers-

★ **À voir**

- **2** La Conciergerie
- **3** La Sainte-Chapelle
- **4** La crypte archéologique
- **5** Notre-Dame de Paris
- **6** Maison ancienne
- **7** Pont de l'Archevêché
- **8** Collège des Bernardins
- **9** L'arche de la Bièvre
- **10** Collège Jean-Lemoine
- **11** Vestige de l'enceinte de Philippe Auguste
- **12** Vestige de l'enceinte
- **13** Lycée Henri-IV
- **14** Chapelle du collège de Dormans-Beauvais
- **15** Rue Galande
- **16** L'église Saint-Julien-le-Pauvre
- **17** L'église Saint-Séverin
- **18** La chapelle des Mathurins (vestige)
- **19** Musée national du Moyen Âge
- **20** Couvent des Cordeliers
- **21** La Cour du Commerce-Saint-André
- **22** Vestige de l'enceinte
- **23** L'abbaye de Saint-Germain-des-Prés

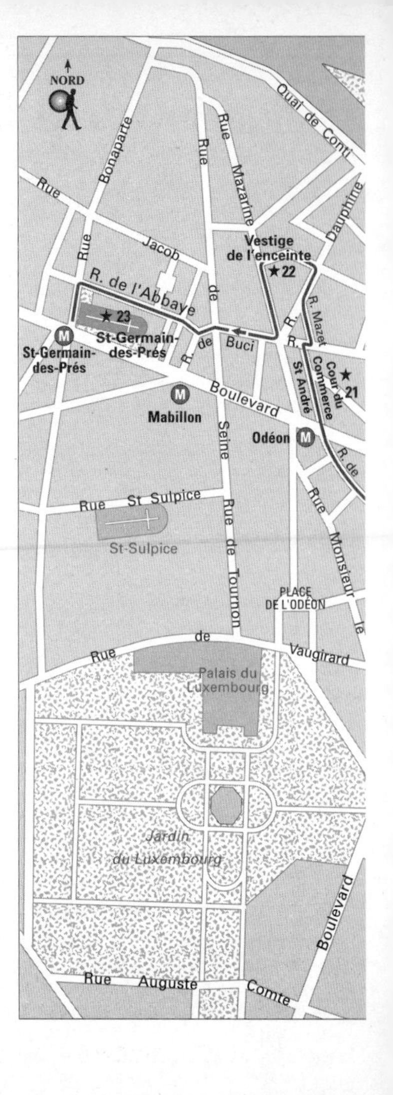

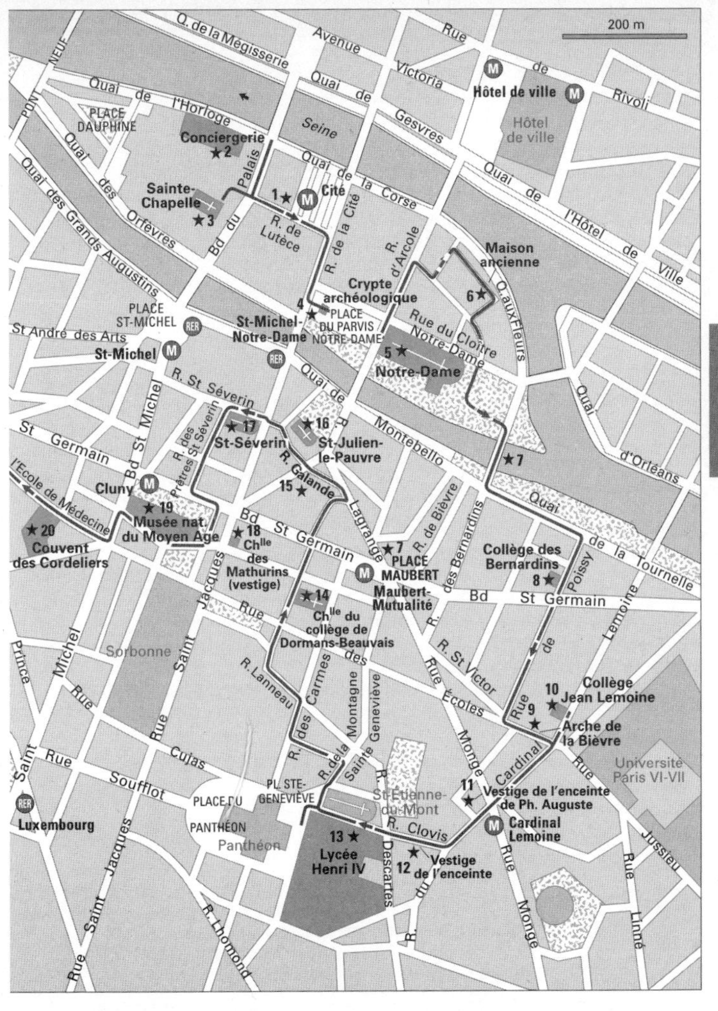

LE PARIS MÉDIÉVAL : ÎLE DE LA CITÉ ET RIVE GAUCHE

pective qui en réduit le caractère ô combien impressionnant. Notre-Dame doit se regarder du pied de ses tours – ce n'est pas Esmeralda qui dira le contraire !

★ N'hésitons pas à descendre les quelques marches qui mènent à la ***crypte archéologique*** (*plan, **4*** ; tous les jours sauf lundi, de 10 h à 18 h, 33 F ou 5 €), pour découvrir des traces superposées ou enchevêtrées de constructions civiles et religieuses aussi bien gallo-romaines que médiévales. Exhumées lors du creusement d'un inévitable parking, heureusement mises en valeur, il s'y dégage une émotion certaine à imaginer la vie dans cette rue Neuve-Notre-Dame du XIIe siècle...

★ ***Notre-Dame***, justement *(plan, **5**)*, joyau de l'architecture religieuse médiévale, construite du XIIe au XIVe siècle, achevée (!) par Viollet-le-Duc au XIXe, qui se confond dans notre imaginaire avec la création de Hugo (Victor), écrivain français. Quasimodo et Gina Lollobrigida..., les tours, la cloche, le pilori pour les voleurs, mais aussi le droit d'asile pour les démunis et les proscrits... Notre-Dame, donc, point de repère de notre itinéraire. Ne pas hésiter à grimper en haut des tours (du lundi au jeudi, de 9 h 30 à 19 h 30, du vendredi au dimanche, de 9 h 30 à 22 h 30 ; 35 F ou 5,3 €), à visiter la cathédrale et à voir son spectaculaire trésor (du lundi au samedi, de 9 h 30 à 11 h 30 et de 13 h à 17 h 30).

★ Empruntons la rue d'Arcole, tournons à droite dans la ***rue Chanoinesse*** (qui abrita les amours – coupables, forcément coupables – d'Héloïse et Abélard) et immédiatement à gauche dans la ***rue de la Colombe***, puis à droite dans la ***rue des Ursins***. Nous avons là une idée de ce qu'étaient les ruelles entourant la cathédrale. Signalons une curiosité : la maison qui fait l'angle au n° 1-3 de la rue *(plan, **6**)* est une « vraie-fausse » demeure médiévale, habilement reconstituée par l'architecte Fernand Pouillon, avant d'être habitée par un seigneur féodal richissime, l'Aga Khan...

★ Poursuivons par la ***rue des Chantres***, pour déboucher sur le square Jean-XXIII, d'où la vue n'est pas sans intérêt, avant de traverser le pont de l'Archevêché *(plan, **7**)* et de rejoindre le quai de la Tournelle.

L'UNIVERSITÉ, RIVE GAUCHE

★ Celui-ci doit son nom au château du même nom, qui complétait l'enceinte de Philippe Auguste. Empruntons la rue de Poissy. Au n° 24, est visible de la rue le réfectoire du ***collège des Bernardins*** *(plan, **8**)*, datant du XIVe siècle, qui surmonte une immense salle voûtée, en partie comblée pour prévenir les inondations.

★ Tournons à gauche dans la rue des Écoles, après avoir jeté un œil à la très ancienne rue Saint-Victor. Sous le bureau de poste qui fait l'angle avec la ***rue du Cardinal-Lemoine*** *(plan, **9**)*, se trouve ***l'arche*** spectaculaire qui laissait passer le canal de la Bièvre à travers l'enceinte de Philippe Auguste (toujours elle, mais nous la retrouverons encore de place en place ; normal, elle faisait le tour de la cité, afin de la protéger). Il est possible de voir l'arche le premier mercredi de chaque mois (rendez-vous dans le bureau de poste) avec un conférencier de l'Association pour la sauvegarde et la mise en valeur du Paris historique, adhésion modique.

★ Au ***n° 28 bis***, rue du Cardinal-Lemoine, vers la Seine, au fond de la cour *(plan, **10**)*, emplacement du ***collège*** fondé en 1302 par Jean Lemoine, légat du pape Boniface VIII (ne pas confondre avec l'entrée des artistes du Paradis latin, qui n'est là que depuis un siècle !). Signalons au passage que la rue des Fossés-Saint-Bernard, parallèle au tracé de l'enceinte, tire son nom des fossés creusés vers 1360 pour en renforcer les défenses.

★ Entreprenons l'ascension de la montagne Sainte-Geneviève. Dans ce périmètre, de nombreux vestiges de ***l'enceinte de Philippe Auguste*** ont été conservés, pas toujours bien visibles, ni même accessibles (immeubles à code, jardins privatifs ; chic, non ?, « le mur du fond est du XIIIe »...). En plus du morceau enchâssé dans la vilaine caserne de pompiers, à droite rue Jacques-Henri-Lartigue *(plan, **11**)*, les deux portions les plus intéressantes se trouvent rue Clovis, entre le n° 3 et le n° 5, et surtout dans la cour de l'HLM du n° 7 *(plan, **12**)*, où le chemin de ronde est en parfait état.

★ Allez, on continue, le long de la rue Clovis, pour dépasser le lycée Henri-IV *(plan, **13**)* et prendre du recul dans la rue Clotilde, à l'arrière du Panthéon. De là, on peut voir, hélas seulement de l'extérieur, le clocher, dit « tour de Clovis » (XIIe-XVe siècles), et le réfectoire (en partie du XIIe siècle), seuls restes de l'ancienne et importante ***abbaye Sainte-Geneviève***.

★ Amorçons la descente, par les rues de la Montagne-Sainte-Geneviève, Laplace, Valette (toutes trois très anciennes) et Lanneau, pour arriver dans la rue Jean-de-Beauvais. Traversons la rue des Écoles, descendons quelques marches. Nous voici, au n° 9 *bis (plan, **14**)*, devant la ***chapelle du collège de Dormans-Beauvais***, fondé en 1370, et dont la façade a été remaniée sans élégance, mais qui a conservé sa flèche d'origine. Signalons que la chapelle appartient à la Roumanie et qu'elle est une des églises orthodoxes de Paris (accessible dimanche matin, forte odeur d'encens, comme dans les églises au Moyen Âge...).

★ Poursuivons par la rue des Anglais, du nom des étudiants de la « langue angloise » qui l'habitaient aux XIIIe-XIVe siècles, et tournons à gauche dans la ***rue Galande*** *(plan, **15**),* ancienne voie romaine au tracé sinueux, qui doit son appellation à la propriété de Mathilde de Garlande, et qui prit son nom... en 1202. Au ***n° 42***, bas-relief du XIVᵉ siècle représentant saint Julien l'Hospitalier – la plus vieille ***enseigne*** de Paris, dit-on. Plus loin, dans les salles de l'Auberge des Deux Signes (hélas actuellement fermée), subsistent des vestiges de la chapelle Saint-Blaise (XIVᵉ siècle), les celliers de l'ancien prieuré de Saint-Julien-le-Pauvre, des voûtes d'arête du XIIIᵉ siècle, un vieux puits... À l'arrière de ***Saint-Julien-le-Pauvre*** *(plan, **16**),* justement, signalons la rue du Fouarre, qui tire son nom de la paille (*fouarre* en vieux français) sur laquelle s'asseyaient les *escholiers.* La présence de ribaudes, les désordres amenèrent les autorités à en fermer l'accès la nuit par des chaînes, en 1358. L'église attenante*, Saint-Julien* donc, est fort ancienne (1160-1180). Bien qu'elle ait été en partie complétée et reconstruite, l'influence romane est encore nettement perceptible. Admirable décor sculpté, les chapiteaux de colonnes principalement. Puits du XIIᵉ siècle. Une particularité : elle est aujourd'hui dédiée au rite grec-catholique.

★ ***L'église Saint-Séverin*** *(plan, **17**)* **:** traversons maintenant la rue Saint-Jacques, l'une des plus anciennes voies de circulation de la capitale, avant même l'arrivée des Romains. Contournons l'église Saint-Séverin par la rue du même nom et la rue des Prêtres-Saint-Séverin. Construite au XIIIᵉ siècle, l'église fut agrandie et achevée tout au long des XIVᵉ et XVᵉ siècles, et constitue, malgré ses éléments disparates, un magnifique résumé de l'architecture gothique. Sur le côté, et dans la rue de la Parcheminerie (nom du XIVᵉ), ancien cimetière et restes des galeries (en partie reconstruites) qui abritaient les charniers (on y entassait les ossements extraits périodiquement des fosses communes, pour gagner de la place, mais aussi pour rappeler aux pécheurs qu'ils sont bien peu de chose...).

★ Remontons la rue Boutebrie (au XIVᵉ siècle : rue des Enlumineurs), traversons le boulevard Saint-Germain (attention aux palefrois et autres carrioles) et contournons, après nous y être promené et reposé, le jardin du... Moyen Âge, en remontant la rue de Cluny. Au n° 7 *(plan, **18**),* on peut voir un reste d'arcade de la ***chapelle des Mathurins*** (XIIIᵉ siècle).

★ ***Le musée national du... Moyen Âge*** *(plan, **19**)* **:** tournons à droite et nous voici, n° 6, place Paul-Painlevé, devant le musée national du... Moyen Âge (thermes et hôtel de Cluny, *plan, **19**).* Pas de doute, nous sommes en plein dans notre sujet. À visiter, bien sûr (tous les jours, sauf le mardi, de 9 h 45 à 17 h 45, 20 F ou 3 €). Signalons cependant que, si les thermes sont gallo-romains, l'hôtel des abbés de Cluny date, lui, de la fin du XVᵉ siècle, mélange d'architecture défensive médiévale et d'élégante construction Renaissance. Dans la cour, très beau puits. À l'intérieur, collections exceptionnelles, dont quelques chefs-d'œuvre comme la tapisserie de la Dame à la licorne, des objets religieux, des sculptures, mais aussi d'émouvants objets domestiques qui permettent d'imaginer certains aspects de la vie quotidienne. Passionnant.

★ ***Le jardin médiéval :*** il pousse allègrement dans le square longeant le boulevard Saint-Germain et est ouvert au public depuis septembre 2000. Sur 5 000 m², découvrez la ***forêt de la Licorne***, la terrasse et ses quatre carrés (le « ménagier », les plantes médicinales, le jardin céleste et le « jardin d'Amour »)... puis vous continuerez cette balade bucolique, à deux pas, square Paul-Painlevé, où vous attend un autre mignon jardin médiéval.

★ Traversons le ***boulevard Saint-Michel,*** qui a éventré d'un grand coup d'épée, d'un seul, le lacis de ruelles et venelles dont les tracés et les noms nous viennent tout droit des XIIe-XIIIe siècles : rue de la Harpe, rue Hautefeuille, rue de l'Hirondelle, rue Serpente... Par la rue de l'École-de-Médecine (vers 1300 : rue des Cordèles), on arrive, au n° 15, au réfectoire du grand ***Couvent des Cordeliers*** *(plan, **20**).* Commencé dans la seconde moitié du XIVe siècle, ce bâtiment ne fut achevé qu'au tout début du XVIe siècle. Le couvent – de l'ordre des franciscains – auquel il appartenait occupa une place prépondérante dans l'histoire, religieuse d'abord, mais surtout révolutionnaire, en abritant les séances du fameux Club des Cordeliers (voir l'itinéraire n° 6, « La Révolution française dans les Ve-VIe arrondissements »).

★ Poursuivons dans la rue de l'École-de-Médecine, retraversons le boulevard Saint-Germain et pénétrons dans la ***cour du Commerce Saint-André*** *(plan, **21**).* Au n° 4, dans les locaux de la Maison de la Catalogne, nous retrouvons, sérieusement restaurée, une tour de notre bonne vieille enceinte de Philippe Auguste. Celle-ci avait deux portes, une côté campagne donc, une côté ville, aujourd'hui dans la délicieuse cour de Rohan, attenante. Des chambres – circulaires, bien évidemment – y ont même été aménagées.

★ Quittons le passage, suivons la rue André-Mazet, ancienne rue de la Contrescarpe, rue Dauphine, et glissons-nous dans le charmant, bien que très rénové, ***passage Dauphine.*** Dans les différents bâtiments, encastrés, subsistent des vestiges de notre enceinte. Les plus accessibles – les plus spectaculaires aussi –, bien que l'endroit soit tout sauf propice à la promenade, sont situés dans le parking à gauche ***rue Mazarine*** *(plan, **22**).* Avec ceux qui auraient survécu à l'oxyde de carbone, continuons en tournant à droite dans la rue de Buci, la rue Bourbon-le-Château et abordons le territoire de l'***abbaye de Saint-Germain-des-Prés*** *(plan, **23**).* Pour l'essentiel construite entre le Xe et le XIIe siècle, elle était alors pourvue de deux autres tours, arasées au XIXe. On n'a aujourd'hui qu'une faible idée de l'étendue de son domaine, délimité, dans sa partie bâtie, par des fossés mis en eau (située hors les murs, l'abbaye devait assurer sa propre défense). De la chapelle de la Vierge, il ne reste que quelques vestiges visibles dans le petit square archéologique, au coin de la place. De même, il est quelquefois possible de voir un mur du réfectoire (du XIIIe siècle) au n° 16, rue de l'Abbaye, très surprenant à cet endroit. Après la visite de l'église, aux modestes dimensions intérieures, fin de la balade.

Fin de la balade

Retour par le ***métro***, station... ***Saint-Germain-des-Prés***.

LE PARIS MÉDIÉVAL : RIVE DROITE

BALADE N° 3 : 7 km – 4 h.

Départ

Retrouvons-nous à la sortie du métro ***place du Châtelet*** *(plan, **1**)*.

À voir

★ La ***place du Châtelet*** doit son nom au petit château fort en pierre qui assurait la défense du Grand-Pont (actuel pont au Change) et contrôlait l'accès à la Cité. Approchons-nous de la ***tour Saint-Jacques*** *(plan, **2**)* et n'hésitons pas à admirer les derniers feux du style gothique au tout début de la Renaissance. En fait, il s'agit de l'ancien clocher de l'église Saint-Jacques-de-la-Boucherie (construite dans les toutes premières années du XVIe siècle) qui dominait le quartier des tueurs et autres écorcheurs, la Grande-Boucherie.

★ ***L'église Saint-Merri*** *(plan, **3**) :* remontons, par les rues de la Tacherie (rue de la Juiverie en 1261) et Saint-Bon, jusqu'à la rue de la Verrerie (ainsi nommée dès le XIIe siècle) et l'église Saint-Merri. Construite en pleine Renaissance (entre 1510 et 1610), elle accuse néanmoins tous les traits de l'architecture gothique et mérite de figurer dans notre parcours. Après l'avoir visitée, bien sûr, quittons-la par la rue des Lombards, ainsi nommée dès 1322 en raison de ses nombreux habitants banquiers et autres usuriers originaires de ce qui n'était pas encore l'Italie. Boccace, l'auteur du *Décaméron*, y naquit en 1311. Empruntons à gauche, sur quelques mètres, la rue Saint-Denis, ancienne voie royale par excellence, qui conduisait à Notre-Dame les-souverains-qui-ont-fait-la-France – avant que leurs dépouilles mortelles n'aillent reposer en la basilique dionysienne – et la rue des Lavandières-Sainte-Opportune, habitée, elle, dès 1244, par de simples... lavandières.

★ ***L'église Saint-Germain-l'Auxerrois*** *(plan, **4**) :* tournons à droite et, par les vieilles rues Jean-Lantier, Bertin-Poirée (en traversant prudem-

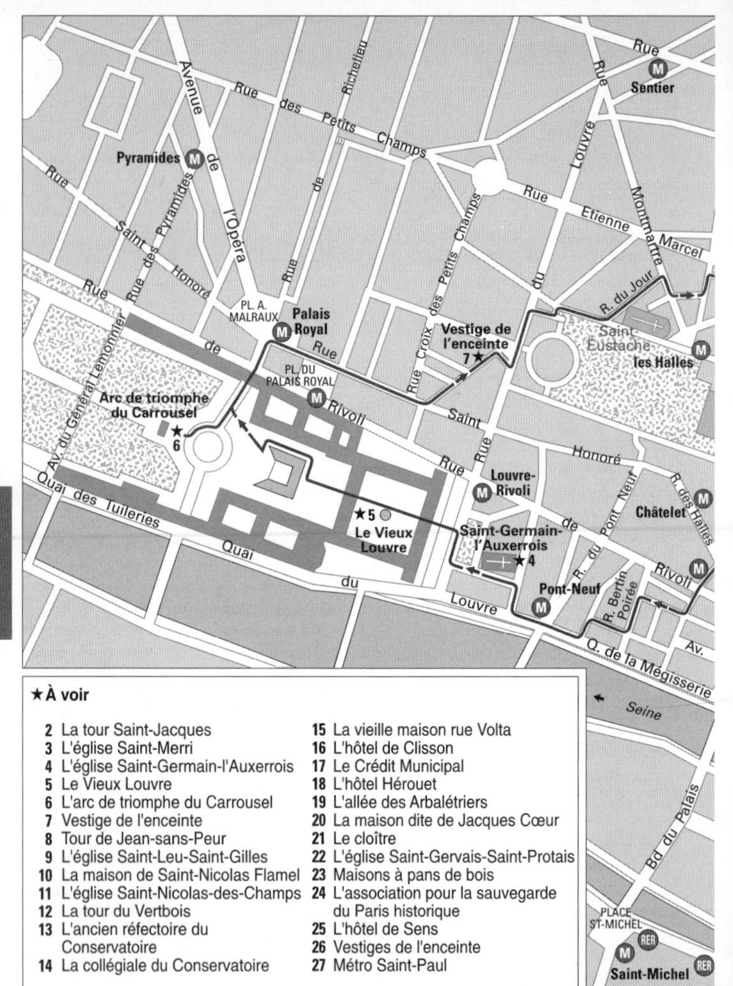

Rue
Sentier
Avenue de l'Opéra
Rue des Petits Champs
Rue de Richelieu
Pyramides
Rue Saint Honoré
Rue des Pyramides
Rue du Louvre
Rue Etienne Marcel
Rue Montmartre
Rue Croix des Petits Champs
R. du Jour
Saint-Eustache
les Halles
PL. A. MALRAUX
Palais Royal
Rue de Rivoli
PL. DU PALAIS ROYAL
Vestige de l'enceinte
7 ★
Av. du Général Lemonnier
Arc de triomphe du Carrousel
★ 6
Saint
Honoré
Rue
Louvre-Rivoli
Rue du Pont Neuf
R. des Halles
Châtelet
Quai des Tuileries
★5
Le Vieux Louvre
Saint-Germain-l'Auxerrois
★4
Quai du Louvre
R. de Rivoli
Pont-Neuf
R. Bertin Poirée
Av.
Q. de la Mégisserie
Seine
Bd du Palais
PLACE ST-MICHEL
RER
Saint-Michel
★ À voir
2 La tour Saint-Jacques
3 L'église Saint-Merri
4 L'église Saint-Germain-l'Auxerrois
5 Le Vieux Louvre
6 L'arc de triomphe du Carrousel
7 Vestige de l'enceinte
8 Tour de Jean-sans-Peur
9 L'église Saint-Leu-Saint-Gilles
10 La maison de Saint-Nicolas Flamel
11 L'église Saint-Nicolas-des-Champs
12 La tour du Vertbois
13 L'ancien réfectoire du Conservatoire
14 La collégiale du Conservatoire
15 La vieille maison rue Volta
16 L'hôtel de Clisson
17 Le Crédit Municipal
18 L'hôtel Hérouet
19 L'allée des Arbalétriers
20 La maison dite de Jacques Cœur
21 Le cloître
22 L'église Saint-Gervais-Saint-Protais
23 Maisons à pans de bois
24 L'association pour la sauvegarde du Paris historique
25 L'hôtel de Sens
26 Vestiges de l'enceinte
27 Métro Saint-Paul

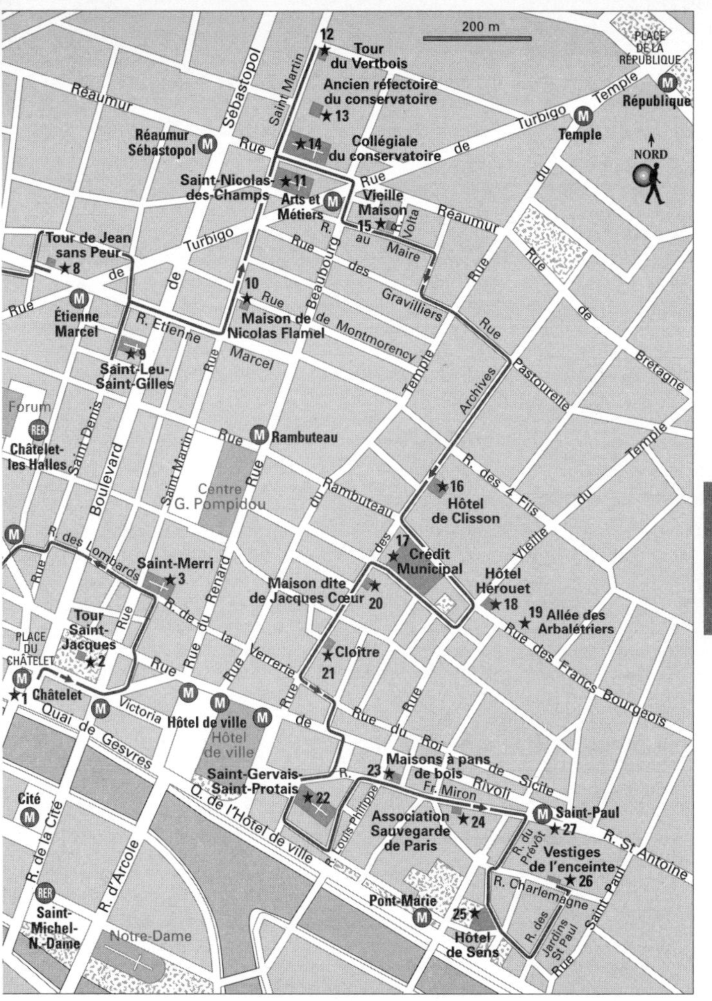

PARIS MÉDIÉVAL (RIVE DROITE)

ment les rues du Pont-Neuf et de la Monnaie), de l'Arbre-Sec et des Prêtres-Saint-Germain-l'Auxerrois, arrivons sur le parvis de l'église du même nom. Bien que complétée plus tardivement, elle date principalement des XIIe-XVe siècles. Signalons que ses cloches donnèrent le signal des massacres de la Saint-Barthélemy, le 24 août 1572 – il n'est pas interdit de s'en souvenir... Le beffroi attenant, lui, est un pastiche du XIXe siècle, ainsi que la mairie.

★ ***Le Vieux Louvre*** *(plan, **5**)* **:** nous arrivons maintenant à proximité du château royal, pas cette construction tardive et disparate, avec sa colonnade, sa cour Carrée, ses ailes Denon, Sully et Richelieu, sa « Joconde » et sa « Vénus » de Milo, non, nous voulons parler du Vieux Louvre, construit par Philippe Auguste comme ouvrage de défense, extérieur à son enceinte, agrandi et agrémenté par Charles V, et dont les spectaculaires vestiges, parfaitement conservés et superbement mis en valeur à l'occasion de l'aménagement du Grand Louvre, impressionnent et émeuvent. L'accès nécessite malheureusement l'achat d'un billet, aux jours et heures d'ouverture habituels du musée : 45 F (6,9 €) et 26 F (4 €) après 15 h et le dimanche. À défaut, il est possible de voir (gratuitement) des vestiges importants de l'escarpe et de la contrescarpe (défenses) de l'enceinte que Charles V fit construire pour étendre les limites de la ville. Pour cela, allons directement à l'escalier qui mène à la galerie commerciale du Carrousel du Louvre, à droite de l'arc de triomphe... du ***Carrousel*** *(plan, **6**)*.

★ Rejoignons, après avoir traversé le pavillon de Rohan, la rue Saint-Honoré, au tracé fort ancien, et tournons à gauche, dans la rue Jean-Jacques-Rousseau, qui longe l'emplacement extérieur de... l'***enceinte de Philippe Auguste***, encore elle, dont nous trouverons une trace curieuse, une empreinte en creux, immédiatement à droite, au n° 11, rue du Louvre *(plan, **7**)*.

★ ***La tour de Jean-sans-Peur*** *(plan, **8**)* **:** poursuivons jusqu'à la rue Coquillière, du nom d'un riche bourgeois du XIIIe siècle, et la rue du Jour (ancienne rue du Séjour – champêtre – du roi Charles V), qui suit l'ancien chemin de ronde intérieur du rempart. À droite, dans la rue Montmartre (déjà ainsi nommée en 1200), et puis, en zig-zag, le passage de la Reine-de-Hongrie, quelques mètres de la rue Montorgueil et la rue Mauconseil (dont les tracés remontent au XIIIe siècle), et enfin la rue Française. Nous arrivons à la tour de Jean-sans-Peur, n° 20, rue Étienne-Marcel. Construite en 1409-1411, elle aurait servi à la protection du duc de Bourgogne après qu'il eut fait assassiner son cousin, le duc d'Orléans, allié aux Armagnac. « Courageux », mais pas téméraire, le duc de Bourgogne ! En tout cas, visite instructive d'un rare exemple parisien d'architecture médiévale fortifiée, d'autant qu'on retrouve ici une tour restaurée – dans laquelle on pénètre – de notre bon vieux rempart. À signaler, en haut de l'escalier, une extraordinaire sculpture de pierre représentant des branches de chêne emmêlées et symbolisant la puissance des ducs de Bourgogne. Trop puissants, ces ducs!

★ Bon, nous reprenons la rue Française, à droite la rue Tiquetonne, habitée dès 1292 par un boulanger nommé... Quiquetonne, et qui suit le tracé extérieur du rempart. Nous retrouvons notre bonne vieille rue Saint-Denys, que nous redescendons jusqu'au n° 92, où se trouve depuis 1320 (avec restaurations du XIXe siècle cependant) l'***église Saint-Leu-Saint-Gilles*** *(plan, **9**)*. Quelques mètres plus loin, la rue que croise la rue Saint-Denis est celle de la Grande-Truanderie. Ça ne s'invente pas! Le nom ne date pas non plus d'hier : il a à voir avec la fameuse Cour des miracles, celle où, le soir venu, les « aveugles » voyaient, les « paralytiques » marchaient, les « muets » parlaient, et où chaque jour se renouvelait son lot de « miracles »...

★ Revenons sur nos pas jusqu'à la rue Étienne-Marcel et à droite dans la rue aux Ours, au tracé médiéval et dont le nom vient en fait des oies (*oues* en vieux français) qu'on y faisait rôtir. Remontons sur la gauche la rue Saint-Martin, très vieil axe qui prolonge celui formé par la rue Saint-Jacques et dont le nom provient du prieuré de Saint-Martin-des-Champs. Dans la première rue à droite, celle de Montmorency, au n° 51 *(plan, **10**)*, se trouve la ***maison du riche alchimiste Nicolas Flamel***, aujourd'hui reconnue comme la plus ancienne maison de Paris (1407). En fait, louée au rez-de-chaussée, elle abritait gratuitement dans les étages – en échange d'une prière pour les trépassés – laboureurs et pauvres hères. Étonnante inscription gothique qui court sur la façade.

★ Revenons rue Saint-Martin, où, au n° 254, nous rencontrons tout d'abord ***l'église Saint-Nicolas-des-Champs*** *(plan, **11**)* fondée au XIIe siècle, mais entièrement reconstruite au XVe et agrandie ultérieurement, qui, entourée de maisons campagnardes, était la paroisse des paysans et des serviteurs du prieuré.

★ ***Prieuré de Saint-Martin-des-Champs.*** Nous pénétrons plus avant sur le domaine de celui-ci, qui était ceint d'un mur défensif (nous sommes hors du rempart) dont on peut notamment voir une ***tour*** à l'angle de la ***rue du Vertbois*** *(plan, **12**)*, restée célèbre grâce à Victor Hugo, qui sut empêcher sa démolition par un propos bien senti : « Démolir la tour? Non. Démolir l'architecte? Oui. (...) Sur pied la tour. À terre l'architecte! » Bravo, Victor! Que n'étais-tu là lors de la démolition des Halles... Revenons sur nos pas et pénétrons dans le ***Conservatoire national des arts et métiers***. À droite, depuis la cour, on peut apercevoir l'ancien ***réfectoire*** *(plan, **13**)*, chef-d'œuvre absolu de l'architecture au temps de saint Louis, construit entre 1230 et 1240, et qui a conservé son unité. Il est malheureusement difficile de le voir (il abrite la bibliothèque du CNAM), et les visiteurs, même discrets, ne seraient pas les bienvenus... Ressortons, et, en empruntant la rue Réaumur, jetons un œil sur la ***collégiale*** désaffectée des XIIe-XIIIe siècles *(plan, **14**),* romane par son aspect extérieur, mais qui présente, à l'intérieur, parmi les premières ogives de style gothique. Restaurées au XIXe siècle et lors de la rénovation du Musée des arts et métiers (ouvert tous les jours, sauf le lundi, de 10 h à 18 heures, 35 F ou 5,3 €), les peintures de la nef sont spectaculaires. Quant à l'exposition des véhicules anciens qui s'y trouvent, si elle a gagné en modernité, elle a malheureusement perdu en charme et en poésie...

★ Descendons la rue Beaubourg et tournons à gauche dans la vieille rue au Maire (qui date de 1280 et doit son nom au bailli du domaine rural du prieuré) et encore à gauche dans la ***rue Volta***. Au n° 3 *(plan, **15**),* se trouve la maison qui passa longtemps pour la plus vieille maison de Paris. En fait, malgré ses colombages, elle est postérieure à celle de la rue de Montmorency. Dommage, on aurait pu s'y laisser prendre... Allez, on reprend la rue au Maire, la rue des Vertus (habitée en son temps, est-il besoin de le préciser, par moultes ribaudes, filles de joye et autres femmes folieuses de leur corps...), la rue des Gravilliers (1250), Pastourelle (1330), des Archives (à cet endroit, ancienne rue de la Porte-du-Chaume), où nous tournons à droite. Au n° 58, portail, encastré, de l'ancien ***hôtel de Clisson,*** (vers 1380 ; *plan, **16***), compagnon d'armes de Du Guesclin qui réprima avec férocité (en 1383) la révolte populaire des Maillotins (ainsi appelés à cause des maillets dont ils s'étaient armés). La lutte des classes, quoi !

★ Continuons notre chemin, et tournons à gauche dans la ***rue des Francs-Bourgeois*** (ainsi appelée en raison de la présence d'une « maison d'aumône » ouverte aux pauvres exempts de taxes, en 1334). Aux n° 55 et 57 *bis,* dans la ***cour du Mont-de-Piété*** (du *Crédit municipal* aujourd'hui ; *plan, **17**),* tracé au sol et vestige vilainement réédifié de notre bonne vieille enceinte. Plus loin, au n° 42 *(plan, **18**),* nous pouvons admirer l'élégante tour d'angle de l'***hôtel Hérouet*** (construit vers 1500). Si nous poussons jusqu'au n° 38 *(plan, **19**),* n'hésitons pas à jeter un œil à l'ancienne ***allée des Arbalétriers,*** qui conduisait, hors de l'enceinte, au terrain d'exercice d'y ceux. Bien étroite, façades à encorbellement, atmosphère médiévale à souhait. C'est là, où à proximité immédiate, que fut assassiné le duc d'Orléans, le 23 novembre 1407, sur l'ordre probable de Jean-sans-Peur. Faisons attention, on n'est jamais trop prudent...

★ Par la rue Vieille-du-Temple (ainsi nommée dès 1270, en raison de la proximité du premier établissement des Templiers, actuelle rue Lobau) et, à droite, la rue des Blancs-Manteaux (du nom des moines mendiants qui y furent installés par saint Louis en 1258), retrouvons la rue des Archives.

Aux n° 38-42 *(plan, **20**)*, ***maison dite « de Jacques Cœur »***, érigée vers 1440, étonnante en raison de sa construction, peu usuelle pour l'époque, en brique et pierre. Plus bas dans la rue, aux n° 38-42 *(plan, **21**)*, le seul ***cloître*** conservé intact à Paris, achevé en 1427. Il n'est pas inutile de rappeler qu'il a été construit au-dessus d'une « chapelle expiatoire », érigée en réparation d'une profanation d'hostie prétendument commise par le juif Jonathas – de l'hostie aurait coulé du sang, elle aurait refusé de brûler, et même de bouillir dans de l'eau, changée en sang. Le pauvre, lui, il ne refusa pas de brûler dans l' « île aux Juifs » (à l'emplacement actuel du square du Vert-Galant) : on y voyait mieux les bûchers, des deux côtés de la Seine! Philippe le Bel, quant à lui, confisqua les biens et la maison : toujours ça de pris... Le tour des Templiers viendrait bientôt...

★ Allez, on continue. À gauche, rue de la Verrerie, des Mauvais-Garçons (ancienne rue Chartron en 1300, mais surtout peuplée de « mauvaises » filles), traversée, périlleuse, de la rue de Rivoli, place Baudoyer, à droite début de la rue François-Miron (en 1300, rue du Cimetière-Saint-Gervais), rue de Brosse, à gauche rue de l'Hôtel-de-Ville (ancienne rue de la Mortellerie au XIIIe siècle, c'est-à-dire des maçons et autres gâcheurs de mortier). À gauche, dans la rue des Barres (nom attesté en 1152, peut-être à cause d'une barrière de la vieille enceinte), point de vue fort intéressant sur l'***église Saint-Gervais-Saint-Protais*** *(plan, **22**)*, commencée au XVe siècle (une partie du clocher notamment), mais achevée au XVIIe.

★ Nous retournons dans la rue François-Miron, où, aux n° 11-13 *(plan, **23**)*, à l'angle de la rue Cloche-Perce (datant de 1250, mais dont le nom est plus tardif – perce (perse) voulant dire « bleue »), nous apercevons deux anciennes ***maisons à pans de bois,*** probablement du XVe siècle. De nombreuses fois remaniées et restaurées, elles évoquent à bon droit le Paris médiéval que nous arpentons... Au n° 44 de la même rue *(plan, **24**)*, où nous n'hésiterons pas à rentrer (c'est ouvert tous les jours, de 14 h à 18 h), se trouve, accessible au public (nous sommes dans les locaux de l'***Association pour la sauvegarde et la mise en valeur du Paris historique***), une cave dont la voûte en ogives repose sur six colonnes. Construite au XIIIe siècle, elle servait de cellier à la maison de ville de l'abbaye d'Ourscamp, près de Noyon. Ne pas hésiter à demander à voir la cour à pans de bois très bien restaurée par l'association.

★ ***L'hôtel de Sens*** *(plan, **25**)* **:** empruntons sur la droite la rue du Prévôt (ancienne rue Percée dès le XIIIe siècle) et la rue du Figuier (au nom et au tracé aussi anciens), pour apercevoir, au n° 1 *(plan, **25**)*, l'hôtel des archevêques de Sens (pour partie bibliothèque, pour partie musée des arts décoratifs), construit essentiellement de 1500 à 1507, donc au début de la Renaissance, mais dont la structure, mi-civile mi-militaire, et le style en partie encore gothique l'inscrivent sans conteste dans le paysage médiéval de la capitale.

★ Par la rue de l'Ave-Maria, nous rejoignons la rue des Jardins-Saint-Paul, où se trouve la partie la plus visible et la plus intéressante de notre bonne vieille ***enceinte de Philippe Auguste***, avec ses deux tours, dont celle de la rue Charlemagne *(plan, **26**;* ancienne rue des Poulies-Saint-Paul au XIIIe siècle) défendait la poterne Saint-Paul.

Fin de la balade

Ici s'achève notre itinéraire. Retour par le ***métro Saint-Paul*** *(plan, **27**)* ou Sully-Morland, près duquel nous pouvons voir un vestige, déplacé, d'une tour du château qui défendait la partie orientale de l'enceinte de Charles V. La ***bastille Saint-Antoine*** – plus connue ultérieurement sous l'appellation de « Bastille » – devait faire une entrée fracassante dans l'Histoire, mais c'est une autre... histoire, une autre balade aussi...

LE PARIS DE L'ALCHIMIE

BALADE N° 4 : 5 km – 3 à 4 h.

Un peu d'histoire

Partons sur les traces des alchimistes parisiens, ces « faiseurs d'or » qui, dans leurs laboratoires clandestins, penchés sur leurs grimoires et alambics, éclairés par le foyer ardent des fours, consacraient leur vie à retrouver le secret des secrets : la transmutation des métaux ou l'art de changer le plomb en or. Avant cette promenade ésotérique, un peu d'histoire ! Étymologiquement, le mot alchimie vient de l'arabe *al-kymyâ*, qui lui-même est un dérivé du mot égyptien Khem (la « terre noire »), nom qui désignait l'Égypte antique. L'alchimie, définie communément comme « l'art de faire de l'or » est la pratique et l'application de la philosophie hermétique, du dieu grec Hermès, inventeur de toutes les sciences. La mise en pratique des théories de cette doctrine secrète avait pour but d'obtenir la fameuse pierre philosophale. Les propriétés magiques de cette pierre permettaient aux alchimistes d'opérer la transmutation des métaux en or ou en argent. La pierre liquéfiée devenait également un élixir de longue vie, la *Panacée* remède miraculeux et universel agissant sur toutes les maladies, assurant à son heureux possesseur une vie quasi éternelle. On comprend pourquoi rois et empereurs s'intéressèrent à cette science occulte, condamnée malgré tout par les théologiens, et dont certains de ses adeptes furent brûlés durant l'Inquisition. Pour le véritable alchimiste, la transmutation des métaux n'est pas une fin en soi (même si la richesse subite permit à certains d'aider les pauvres) mais un moyen de s'élever spirituellement au-dessus de la condition ordinaire de l'homme. L'adepte de l'alchimie profonde recherche avant tout à se purifier physiquement et moralement jusqu'à atteindre un état de sainteté, proche de l'illumination du *nirvana* bouddhique. Venu d'Orient (Alexandrie et Byzance), l'alchimie prend son essor en Occident au XIIe siècle. En France, l'alchimie est à son apogée au XIIIe siècle avec l'achèvement de Notre-Dame de Paris dont les ornementations sont pour les alchimistes une allégorie de l'art suprême. L'île de la Cité et le Marais seront jusqu'au XVIIIe siècle le creuset de l'alchimie parisienne.

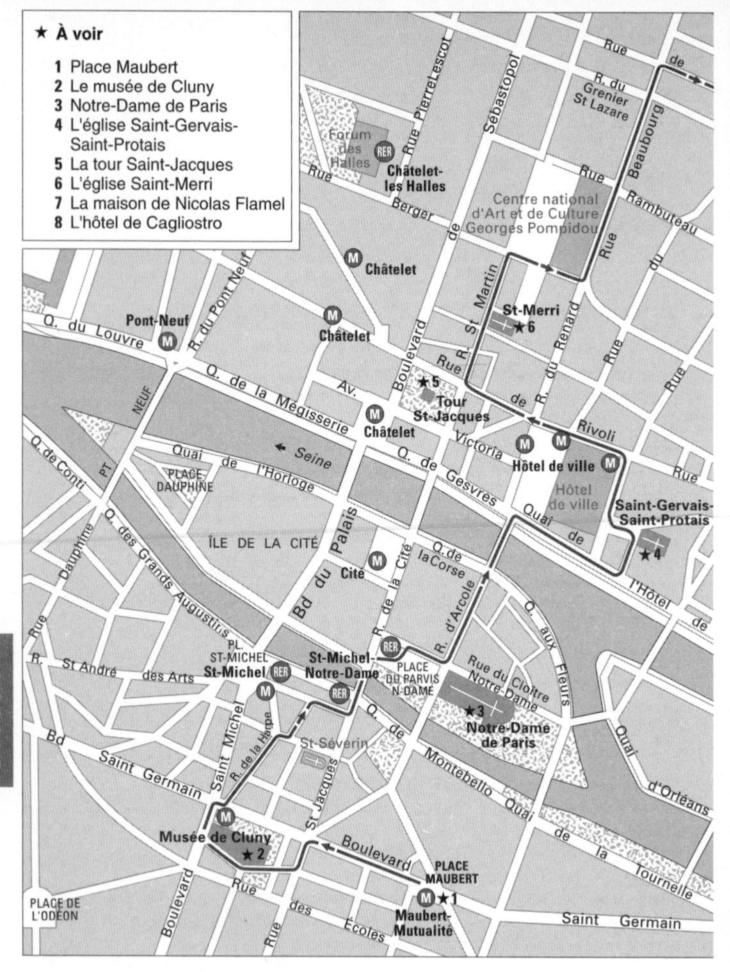
★ À voir
1 Place Maubert
2 Le musée de Cluny
3 Notre-Dame de Paris
4 L'église Saint-Gervais-Saint-Protais
5 La tour Saint-Jacques
6 L'église Saint-Merri
7 La maison de Nicolas Flamel
8 L'hôtel de Cagliostro
Forum des Halles
RER
Châtelet-les Halles
Rue Pierre Lescot
Sébastopol
R. du Grenier St Lazare
Rue de Beaubourg
Rue Berger
Centre national d'Art et de Culture Georges Pompidou
Rue Rambuteau
Châtelet
Pont-Neuf
R. du Pont Neuf
Q. du Louvre
R. St Martin
St-Merri
★6
R. du Renard
Boulevard de Sébastopol
Rue de Rivoli
Q. de la Mégisserie
Av. Victoria
★5
Tour St-Jacques
PT NEUF
Q. de Conti
Quai de l'Horloge
Seine
Q. de Gesvres
Hôtel de ville
PLACE DAUPHINE
Saint-Gervais-Saint-Protais
★4
Quai de l'Hôtel de Ville
Rue Dauphine
Q. des Grands Augustins
ÎLE DE LA CITÉ
Bd du Palais
Cité
Q. de la Corse
R. de la Cité
R. d'Arcole
Q. aux Fleurs
R. St André des Arts
PL. ST-MICHEL
St-Michel
St-Michel-Notre-Dame
PLACE DU PARVIS N-DAME
Rue du Cloître Notre-Dame
★3
Notre-Dame de Paris
Bd Saint Germain
Boulevard Saint Michel
R. de la Harpe
St-Séverin
Rue St Jacques
Q. de Montebello
Quai d'Orléans
Quai de la Tournelle
Musée de Cluny
★2
Boulevard Saint Germain
PLACE MAUBERT
★1
Maubert-Mutualité
Rue des Écoles
PLACE DE L'ODÉON

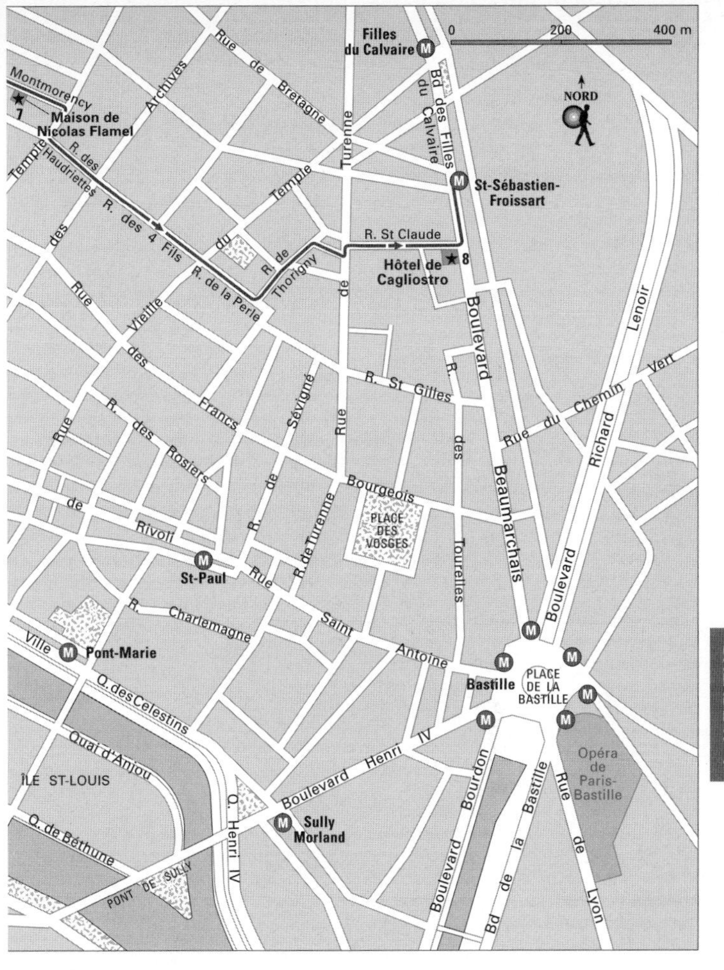

LE PARIS DE L'ALCHIMIE

Départ

Début de la promenade au ***métro Maubert-Mutualité*** : 5 km environ. Compter 3 à 4 h de pérégrinations ésotériques.

À voir

★ ***La place Maubert*** *(plan, 1) :* c'est ici, au XIIIe siècle, que l'érudit Maître Albert (Albert le Grand) donnait ses cours de sciences naturelles devant un parterre de fidèles auditeurs que la place avait peine à contenir. Philosophe, kabbaliste et théologien dominicain, Maître Albert, à l'instar des alchimistes, prônait l'expérience dans l'étude des sciences. Certains affirment qu'il aurait reçu de saint Dominique le secret de la pierre philosophale. Dans son étonnant *Livre des secrets*, il établit une liste des vertus des herbes et des pierres précieuses. Canonisé en 1933, patron des mineurs et des naturalistes, on lui attribue la rédaction du *Grand et du Petit Albert,* livres cultes de recettes de magie noire et de sorcellerie.

★ ***Le musée de Cluny*** *(plan, 2) :* à l'angle des boulevards Saint-Germain et Saint-Michel, entrée au n° 6, place Paul-Painlevé. Ce musée du Moyen Âge est un lieu de pèlerinage de l'alchimie parisienne, puisqu'on y trouve la pierre tombale (sur le mur de l'escalier qui mène à la salle des tapisseries) de l'illustre alchimiste Nicolas Flamel, ainsi que la fameuse tenture de la *Dame à la licorne*, chef-d'œuvre allégorique de l'art alchimique. « De terre suis venus et en terre retorne (...) » : Flamel qui écrivait des épitaphes écrira lui-même la sienne pour sa dalle funéraire. Cette dalle, disparue en 1797 lors de la destruction de l'église Saint-Jacques de la Boucherie, servira de support à une fruitière pour hacher les épinards, puis sera achetée par un « marchand de curiosités » en 1841. Ce dernier la revendra à un antiquaire de la rue de Seine qui en fera donation au musée de Cluny. Quant aux six tapisseries de la *Dame à la licorne,* selon l'exégète alchimique Fulcanelli, elles représenteraient les étapes capitales de la transmutation. On peut voir également au musée de Cluny des vitraux où parmi les scènes évangéliques figurent des symboles alchimiques que les érudits prendront un malin plaisir à déchiffrer. Heures d'ouverture : de 9 h 15 à 17 h 15, tous les jours sauf le mardi. Tarif d'entrée : plein tarif à 30 F (4,6 €), tarif réduit à 20 F (3 €).

★ ***Notre-Dame de Paris*** *(plan, 3) :* pour rejoindre la cathédrale, prenez la rue Dante. L'auteur de *la Divine comédie* prit des cours en plein air dans la rue qui suit, la rue Fouarre, nommée ainsi à cause de la fouarre, la paille qu'on répandait sur le sol pour protéger les postérieurs des jeunes écoliers. Traversez le Pont au Double qui mène au parvis de Notre-Dame, chef-d'œuvre de l'art gothique que Victor Hugo considérait également comme « l'abrégé le plus satisfaisant de la science hermétique ». Pour les adeptes, Notre-Dame est un livre ouvert de symboles alchimiques exposant les démarches à suivre pour arriver au Grand Œuvre : obtenir la pierre philosophale qui permet la transmutation. Levez les yeux pour contempler le portail central (ou portail du Jugement) et ses bas-reliefs sculptés, à l'intérieur desquels sont représentées les images symboliques les plus employées par les alchimistes. Dans le médaillon de la Justice, on peut voir par exemple, l'image d'une salamandre, « l'or dans la fournaise » À droite de la porte centrale se trouve le portail Sainte-Anne (ou portail de l'alchimie) où l'on peut examiner la statue de *Saint Marcel foulant au pied le dragon.* On aperçoit sous les pieds de l'évêque, un dragon ailé, autre figure symbolique majeure de l'alchimie, mordant l'extrémité de la crosse épicospale. On doit à Fulcanelli, l'énigmatique alchimiste contemporain, les interprétations ésotériques des sculptures de Notre-Dame, publiées dans un ouvrage désormais classique : *Mystère des cathédrales* (réédité chez Jean-Jacques Pauvert, Paris).

★ ***L'église Saint-Gervais-Saint-Protais*** *(plan,* ***4****)* **:** 2, rue François-Miron. Ouvert tous les jours sauf le lundi (8 h à 20 h). L'une des plus intéressantes étapes du parcours. Dirigez-vous maintenant vers l'Hôtel de ville. Derrière l'édifice municipal se trouve une des plus vieilles églises de Paris (VIe siècle) et certainement l'un des lieux alchimiques parisiens le plus couru. Avant d'entrer dans l'église, reprenez vos forces sous le célèbre orme en face du bâtiment religieux, au pied duquel s'échangeaient des promesses inviolables. L'arbre dont le tronc porte de haut en bas une étrange cicatrice, comme s'il avait été frappé par la foudre, est réputé pour ses forces magnétiques bénéfiques. Essayez ! Il vous suffit d'apposer votre main contre l'écorce. Au bout de quelques minutes, on se sent effectivement revigoré... L'église a été également, du temps de l'évêque saint Germain, le théâtre de faits miraculeux. Les sièges de bois autour du chœur portent de nombreuses figurations sculptées, lesquelles symboliseraient les différentes étapes de l'œuvre alchimique. Notre promenade s'achève. Si vous prenez la ligne de métro Vincennes-Pont-de-Neuilly, ayez une pensée émue pour Nicolas Flamel dont le laboratoire souterrain, protégé par sept portes, se trouvait entre les stations Hôtel-de-Ville et Châtelet. Là où après une vie de travail acharné, à la lueur de son fourneau alchimique, il réussit enfin à « transmuer le plomb vil en or pur ».

★ ***La tour Saint-Jacques*** *(plan,* ***5****)* **:** 41, rue de Rivoli. Contournez l'Hôtel-Dieu (le plus vieil hôpital de Paris) par le Quai de la Corse, puis traversez à nouveau la Seine sur le Pont Notre-Dame. Vous ne pouvez pas la rater, haute de 58 m, la tour Saint-Jacques domine tout le quartier du Châtelet. Cette tour est en fait tout ce qui reste – un clocher – de l'église Saint-Jacques-la-Boucherie (les bouchers étaient nombreux aux alentours) construite en 1060 et détruite en 1797. En face de la tour, côté rue de Rivoli, se trouvait la maison du célèbre alchimiste Nicolas Flamel (1330-1418) qui faisait l'angle de la rue Marivaux, (aujourd'hui rue Nicolas-Flamel) et de la rue des Écrivains, disparue depuis. De son échoppe d'écrivain-public adossée à l'église Saint-Jacques-la-Boucherie, l'alchimiste n'avait que quelques mètres à faire pour rejoindre sa compagne Pernelle dans les caves de sa maison qui lui servaient de laboratoire. C'est là, après 35 années de labeur, le 17 janvier 1382 vers midi, qu'il réussit sa première transmutation. Avant d'arriver à ses fins, Flamel avait passé de longues années à tenter de déchiffrer le manuscrit enluminé d'un certain Abraham le Juif, ouvrage sans texte (livre muet) dont les illustrations représentaient le Grand Œuvre. Lors d'un voyage en Espagne, l'alchimiste, déguisé en pèlerin de Saint-Jacques-de-Compostelle, rencontra un savant vieillard qui lui confia le secret de l'énigmatique livre d'Abraham. La fortune subite du couple Flamel qui possédait un important patrimoine immobilier contribua à faire grossir la rumeur que l'alchimiste possédait la pierre philosophale. Nicolas Flamel ne fut pourtant pas avare de ses richesses. Généreux donateur, il n'oublia pas les pauvres de sa paroisse et fit construire également à ses frais le portail de l'église Saint-Jacques-la-Boucherie où il sera enterré. Quelques siècles plus tard, un certain Paul Lucas affirmera avoir rencontré Flamel en Asie, devenu immortel grâce à l'élixir de longue vie... Selon les adeptes de l'art hermétique, la tour Saint-Jacques serait un carrefour de courants telluriques dont les gargouilles indiqueraient les axes. Anecdote plus prosaïque : en 1797, la tour fut louée à un fabricant de plomb de chasse, qui du haut de la tour jetait le plomb en fusion. En tombant, les gouttes de métal prenaient la forme d'une balle et se solidifiaient dans des baquets d'eau en bas de la tour. Fermez les yeux et imaginez le sifflement du métal incandescent dans l'air et le crépitement au contact de l'eau. La tour qui reste un lieu de rendez-vous pour les pèlerins de Saint-Jacques-de-Compostelle ne se visite pas. Son sommet abrite aujourd'hui un observatoire météorologique.

★ ***L'église Saint-Merri*** *(plan, **6**)* **:** 78, rue Saint-Martin. Quasiment dans le prolongement de la tour Saint-Jacques se trouve l'église Saint-Merri, ancienne chapelle dédiée à saint Pierre (le portier du Paradis) et de tout temps haut lieu de rendez-vous des alchimistes. Comme Notre-Dame, cette église du XVIe siècle est sujette aux interprétations ésotériques des alchimistes. Ceux qui voudraient en savoir plus se reporteront à l'article de Eugène Canseliet, élève et disciple de Fulcanelli, publié en 1964 dans le n° 223 de la revue *Atlantis*. À l'extérieur de l'église, au sommet du portail central est sculpté un petit démon cornu ailé avec des seins de femme et un sexe d'homme. L'inquiétant personnage, appelé aussi le petit Baphomet (figure des Templiers) ainsi qu'un pentagramme inversé donneront au lieu une réputation satanique injustifiée. Pour les alchimistes, le petit hermaphrodite ailé n'est que la représentation de la figure alchimique *Rebis,* être bisexué né des amours d'un vieillard et d'une jeune vierge, symbole du mercure, dont la mort donnera naissance au *phénix,* personnage métaphorique de la pierre philosophale. Pour le truculent et sympathique curé actuel, ce serait la facétie d'un sculpteur qui aurait « tiré le portrait » d'un curé de l'époque. À gauche de l'église, sur une tour, un campanile en bois renferme la plus ancienne cloche de Paris, c'est elle qui annonce les messes quotidiennes. Entrez maintenant à l'intérieur de l'église pour observer les vitraux dont les ornements ont donné lieu également à de nombreuses interprétations à caractère alchimique. À gauche du chœur, sur un vitrail, serait inscrite en latin la définition de la pierre philosophale. La sacristie possédait aussi un étrange tableau, *Sainte Geneviève gardant ses moutons...* à l'intérieur d'une enceinte de pierres. Cette peinture, aujourd'hui au musée Carnavalet, serait en fait une allégorie de l'œuvre au blanc (opération de la transmutation des métaux en argent). Enfin la crypte de l'église, pour certains adeptes, serait, par sa position géographique, le véritable centre occulte de Paris. On trouve dans l'église l'un des plus vieux bénitiers de Paris, aux armes d'Anne de Bretagne, qui vient d'être restauré. La vasque de pierre avait rendu l'âme sous le poids d'une bigote qui s'était assise dessus lors d'un jour d'affluence. Avant une grande messe, un mécréant y avait également renversé une bouteille de mercurochrome. Le curé était un peu surpris de voir arriver ses paroissiens le visage peinturluré. L'église est ouverte entre 15 h et 19 h et la crypte se visite tous les premier et troisièmedimanches du mois. Toute l'année (sauf en août), on peut assister à des concerts de musique classique, le samedi (21 h) et le dimanche (18 h). Et c'est gratuit! précise monsieur le curé.

★ ***La maison de Nicolas Flamel*** *(plan, 7) :* 51, rue de Montmorency. Passez devant le parvis du centre Georges-Pompidou, prévoyez quelque menue monnaie pour les saltimbanques qui y sévissent, puis remontez la rue Saint-Martin jusqu'à la rue Montmorency. Au n° 51 de cette rue est sise la plus vieille maison de Paris. Nicolas Flamel l'a fait construire en 1407 pour y loger gratuitement les indigents (maraîchers et laboureurs). En contrepartie, ces derniers devaient réciter chaque matin un *Pater* et un *Ave* pour les morts. L'histoire ne dit pas si le pieux alchimiste passait dès potron-minet à l'improviste pour s'assurer de la ferveur de ses locataires. La façade de la maison est toujours ornée de figures et inscriptions dont la devise alchimique (pas très réjouissante) : « ora et labora » (prie et travaille). On peut lire également au-dessus des fenêtres du rez-de-chaussée cette inscription en lettres gothiques qui rappelait à l'ordre les locataires : « Nous homes et fèmes laboureurs demourans ou porche de ceste maison qui fu fée en l'an de grace mil quatre cens et sept : sommes tenu chacû en droit sou dire tous les jours une pastenotre et un ave maria... » Vous pouvez faire ici une pause gastronomique, la maison de l'alchimiste abrite aujourd'hui un restaurant de cuisine française traditionnelle. Ouvert tous les jours sauf le dimanche, services midi et soir.

★ ***L'hôtel de Cagliostro*** *(plan,* ***8****)* **:** 1, rue Saint-Claude. Petite traversée du Marais pour rejoindre la rue Saint-Claude. Au n° 1, l'ancien hôtel de Bouthillier construit en 1719, qui fut le domicile du célèbre comte de Cagliostro. En 1785, l'alchimiste y aménage son laboratoire ainsi qu'un cabinet de consultations pour les pauvres qu'il soignait gratuitement. En revanche, les nantis devaient payer le prix fort pour bénéficier des soins de l'illustre guérisseur. Le peuple parisien ne lui fut pas ingrat. À la sortie de la Bastille, où il avait été incarcéré, suite à son implication dans l'affaire du collier de la Reine, c'est une foule en délire qui le porta jusqu'à la rue Saint-Claude. De la fenêtre du balcon de l'hôtel, Cagliostro remercia longuement la multitude qui l'acclamait. Ce succès populaire fait de l'ombre à Louis XVI qui ordonne son expulsion de France. Cagliostro laissait entendre qu'il avait découvert l'élixir de longue vie et la pierre philosophale. Pour certains il est un véritable maître alchimiste, pour d'autres un imposteur génial.

Fin de la balade

Allez, vous en savez assez pour tenter à votre tour de transformer, après une telle balade, vos semelles de plomb contre une retraite dorée bien méritée. Le ***métro Saint-Sébastien-Froissart*** est là tout proche !

LA PRISE DE LA BASTILLE ET LA RÉVOLUTION DANS LE MARAIS

BALADE n° 5 : 3 km – 1 h 30 à 2 h.

Voici un itinéraire qui ne devrait pas fatiguer vos gambettes. Nous allons partir sur les traces de la prise de la Bastille. Même s'il ne reste pas grand chose de la célèbre forteresse, il en subsiste aujourd'hui cependant suffisamment de témoignages pour exciter votre imagination. Vous qui avez pourtant foulé cette place des dizaines de fois, certains détails insolites vous avaient même échappé jusqu'à présent...

Départ

Du ***métro Bastille*** *(plan, 1),* compter... 900 m ; allez peut-être 1 km ! Un peu moins de 3 km si l'on effectue une petite extension Marais. Durée : de moins de 1 h à 1 h 30.

Un peu d'histoire

Le château de la Bastille fut construit à la fin du XIVe siècle, poste avancé de la défense de Paris, pendant la guerre de Cent-Ans. Il devint ensuite au fil des siècles cette célèbre prison, symbole de l'absolutisme royal. Les « grands » s'y retrouvaient « embastillés » grâce aux fameuses lettres de cachet signées par le roi. On ne pouvait espérer en sortir qu'avec une nouvelle lettre indiquant qu'on était libéré. Il arrivait parfois que des pensionnaires soient oubliés. Quelques locataires célèbres : le surintendant des finances Fouquet, la Voisin (l'empoisonneuse), le célèbre « masque de fer », Voltaire en 1717, accusé d'avoir fait circuler la rumeur que le régent avait des rapports incestueux avec sa fille, Latude en 1749 (recordman des évasions, 35 ans de prison en tout), le cardinal Louis de Rohan et Madame de la Motte en 1785 (pour l'affaire du collier de la reine), Cagliostro, le marquis de Sade (il quitta la Bastille début 1789 pour une maison d'aliénés à Charenton), etc. Jamais beaucoup de monde en même temps (40 en moyenne et 19 sous Louis XVI) et des conditions d'emprisonnement extrêmement confortables pour beaucoup d'entre eux. Les prisonniers pouvaient avoir leur domestique, recevoir des amis (Rohan fit un soir un dîner de 20 personnes), se balader dans les jardins du gouverneur, se plaindre de la nourriture (Latude critiqua les poulets insuffisamment lardés !), etc.

L'entretien de la prison coûtait une fortune au roi. En outre, elle empêchait le développement de la ville vers l'est, au point que le ministre Necker avait même envisagé sa démolition. Les rumeurs d'intervention de l'armée et les discours enflammés de Camille Desmoulins, le 13 juillet 1789, au Palais Royal, se chargèrent du problème. La foule, dans sa quête d'armes, passa aux Invalides, puis à l'Arsenal pour finir à la Bastille, ce symbole donc de l'arbitraire royal. Elle n'y trouva finalement que sept prisonniers : quatre faussaires (qu'on réemprisonna le lendemain d'ailleurs), un fou, un noble incestueux et un complice du régicide Damiens, oublié là depuis une trentaine d'années. On était loin de la geôle sordide gorgée de prisonniers enferrés, décrite avec horreur et honnie par l'opinion publique.

Pourtant, la prise de la Bastille restera comme emblématique de la Révolution française. Malgré les morts, il y a au début, dans la chute de ce symbole de la tyrannie, encore un côté festif dans l'action, une joie immense de la conquête de la liberté. Surtout, le peuple apparut là vraiment, comme acteur principal de l'histoire. Pour l'anecdote, 863 brevets de vainqueurs de la Bastille furent accordés aux participants. Sa démolition donna l'occasion à un petit malin, le citoyen Palloy, de faire fortune rapidement. Il s'imposa immédiatement comme opérateur principal du démantèlement et se mit à vendre des pierres souvenirs de la Bastille. Quatre-vingt-trois maquettes du château, sculptées dans des blocs, furent envoyées dans tous les départements pour « y perpétuer l'horreur du despotisme ». Pendant la démolition, des visites étaient organisées. Gag, le guide n'était autre que... le célèbre Latude (qui connaissait bien la maison !). En octobre, le boulot était achevé.

En 1791, le cercueil de Voltaire, en route pour le Panthéon, y fut déposé. En juin 1794, on y installa la guillotine. Devant les protestations des riverains, elle déménagea au bout de trois jours *place du Trône renversé* (place de la Nation).

À voir

★ ***La statue de Beaumarchais*** *(plan,* ***2****)* **:** angle rue Saint-Antoine et rue des Tournelles. Normal que nous rendions hommage à Beaumarchais, par ses écrits, l'un des prophètes de la Révolution. En 1788, il avait pu

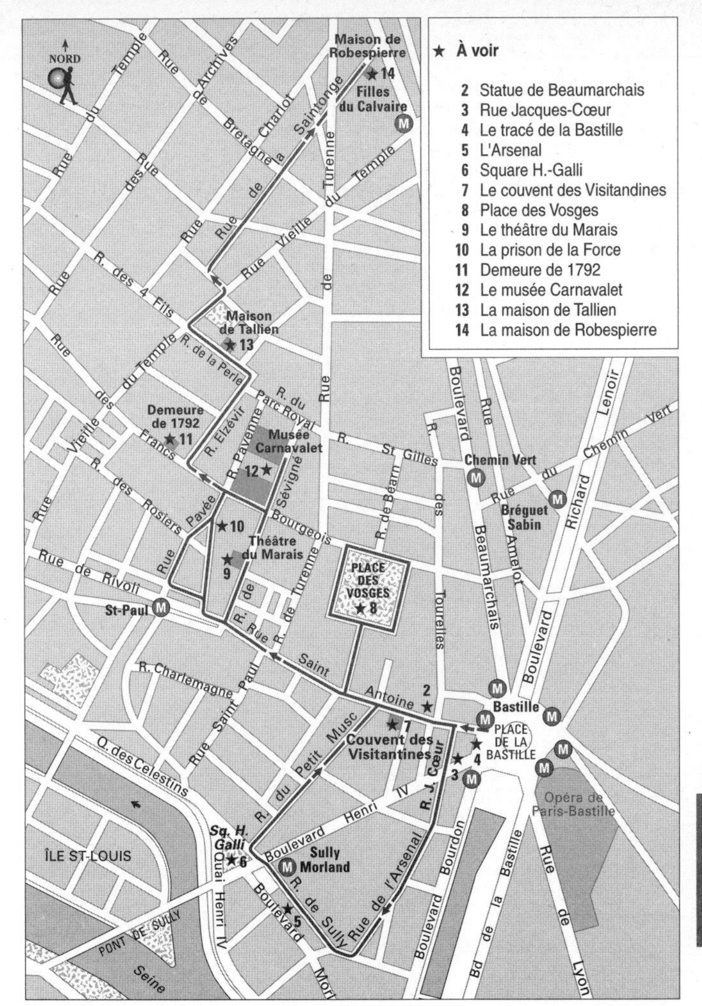

LA PRISE DE LA BASTILLE ET LA RÉVOLUTION DANS LE MARAIS

s'offrir, aux abords de la Bastille, un bel hôtel particulier (aujourd'hui disparu). Avec sa pièce *Figaro*, interdite pendant six ans par la censure, furent exprimées, pour la première fois sur une scène française, les doléances et revendications des opprimés.

★ ***La rue Jacques-Cœur*** *(plan, **3**)* **:** c'est ici, à l'angle avec la rue Saint-Antoine, que se situait, l'*avant-cour*, la véritable entrée de la Bastille. En effet, le château ne se situait pas sur la place proprement dite (comme beaucoup de gens le pensent), mais à l'emplacement des immeubles côté rue Saint-Antoine. La place actuelle ne prit son aspect définitif que dans la deuxième moitié du XIXe siècle, avec le percement de la rue de Lyon, du boulevard Henri-IV et la construction de la gare de la Bastille (prédécesseur de l'Opéra).

★ ***Le tracé de la Bastille*** *(plan, **4**)* **:** devant la rue Jacques-Cœur, à l'arrêt d'autobus, tracé en pavés d'une des tours sur le sol, tracé que l'on retrouve plus loin sur la place elle-même, à l'angle de la rue Saint-Antoine et de la place, ainsi qu'au n° 49, boulevard Henri-IV. C'est là qu'on mesure que le château n'était pas si grand (environ 66 m par 30).
Au n° 3-5, place de la Bastille, un immeuble reconstruit après la Commune de Paris (inscription), mais une pierre qui reçut un boulet de 1789 fut réutilisée (à hauteur du premier étage). À côté, sur la même façade, plaque avec le plan de la Bastille.

★ ***Vestige de la contrescarpe*** **:** dans le métro, sur le quai, en direction de Bobigny (ligne n° 5), on découvre ce p'tit bout de la contrescarpe (mur du fossé côté extérieur), dont on peut suivre le tracé en jaune sur le quai.

★ ***La fresque murale*** **:** on reste dans le métro, changement de ligne, pour la n° 1 (La Défense-Vincennes). Sur le quai, direction La Défense, découvrez cette magnifique fresque murale en céramique sur la Révolution française. Quelques figures en relief. Fresque particulièrement animée et colorée. Côté sortie rue Bourdon, petite facétie de l'artiste (bien dans la tradition médiévale), noter la révolutionnaire dotée de lunettes tout à fait contemporaines !

★ ***L'Arsenal*** *(plan, **5**)* **:** boulevard Morland. C'est là que les émeutiers du 14 juillet 1789 tentèrent de trouver des armes. Difficile de ne pas deviner la destination du bâtiment avec les bouches à feu crachant la poudre sur le toit, les canons sculptés sous la corniche, les boulets, affûts et autres symboles.

★ ***Square H.-Galli*** *(plan, **6**)* **:** angle Henri-IV et Morland. Pierres d'une des tours, dite *tour de la Liberté* (celle où fut enfermé Sade), redécouvertes en 1899 et transportées ici. Placée face à la ville, on accordait la liberté à certains prisonniers de monter au sommet pour respirer un coup et dire bonjour aux amis.

★ Fin de l'itinéraire « Prise de la Bastille ». Métro le plus proche : Sully-Morland. Cela dit, si l'on a quelques fourmis dans les pattes, possibilité de rejoindre la ***rue Saint-Antoine*** pour quelques ultimes témoignages de la Révolution dans le Marais. Cette rue Saint-Antoine, l'une des plus anciennes de Paris, qui connut tant de mouvements de foule, qui vit passer tant de charrettes de condamnés, vers la place de Grève (à l'Hôtel de ville) ou du Trône renversé (la Nation).

★ ***Le couvent des Visitandines*** *(plan, **7**) :* 17, rue Saint-Antoine. Du couvent, détruit en 1792, il ne subsiste que la chapelle sur rue, œuvre de Mansart (1632). Transformée pendant la période révolutionnaire en club républicain animé par la célèbre Théroigne de Méricourt (voir l'itinéraire suivant « La Révolution française au Quartier latin, Les locataires de la rue de Tournon »). Insolite, cette pierre gravée de l'époque, à droite de la façade, avec l'inscription quasi effacée « LOIX ET ACTES DE L'AUTORITÉ PUBLIQUE » (dans le texte). Au n° 19, à droite dans la cour, vestiges du cloître (plaque).

★ ***La place des Vosges*** *(plan, **8**) :* construite par Henri IV, elle s'appela *Royale* jusqu'en 1792, puis de *l'Indivisibilité*. Elle ne prit son nom de Place des Vosges qu'en 1800, pour honorer le premier département français qui avait entièrement payé ses impôts. La statue de Louis XIII qui y trônait fut fondue en 1792 et on y planta un arbre de la Liberté. Utilisée comme champ de manœuvres pour la garde nationale, elle abrita aussi un bureau d'enrôlement de volontaires quand la patrie fut en danger.

★ ***Le théâtre du Marais*** *(plan, **9**) :* 11, rue de Sévigné. Construit en 1791, en partie avec des pierres provenant de la Bastille dit-on. Beaumarchais y monta sa pièce *La Mère coupable* (et on en joua bien d'autres). Fermé en 1809. Subsiste cette curieuse façade de style classique avec ses pilastres ornés de palmes et rinceaux.

★ ***La prison de la Force*** *(plan, **10**) :* à l'époque, elle s'étendait de l'angle de la rue Malher et du Roi-de-Sicile, jusqu'à la rue Pavée et était composée de la ***Grande Force*** (la prison des hommes) et de la ***Petite Force*** (celle des femmes), plus au nord, vers la rue des Francs-Bourgeois. Les deux prisons fusionnèrent en 1792. Entre les n° 22 et 24, rue Pavée, à la limite de l'hôtel de Lamoignon, noter ce chaînage de blocs de pierre qui dépasse, ultime vestige de la Petite Force. C'est ici, qu'à partir du 10 août 1792, furent emprisonnés les membres et les familiers de la famille royale et qu'eurent lieu les trop célèbres massacres de septembre. Les 2 et 3 septembre, un tribunal siégeant à la Force rendit nombre de « jugements de libération », mais sitôt passé la porte, les relaxés se voyaient violemment assommés, puis exécutés à coups de bûche. C'est là que se situe l'épisode sanglant de la princesse de Lamballe qui provoqua la fureur des bourreaux pour avoir protesté devant l'amoncellement des cadavres dans la rue. Elle fut rouée de coups, exposée nue deux heures durant devant la foule, avant d'être décapitée. Le cortège partit ensuite vers le Temple, précédé de la tête de la princesse au bout d'une pique et son cœur accroché à un sabre. Cette hystérie collective ne représenta pas, il faut bien le reconnaître, la plus belle page de la Révolution à Paris! Continuons, on ne peut rester sur une touche aussi dramatique!

★ Au ***n° 20, rue des Francs-Bourgeois*** *(plan, **11**)*, une des rares constructions de l'époque de la Révolution. Sur le ***balcon en fer forgé***, 1792, la date de naissance.

★ ***Le musée Carnavalet*** *(plan, **12**) :* 23, rue de Sévigné, 75003. ☎ 01-42-72-21-13. Ouvert du mardi au dimanche de 10 h à 17 h 40. Entrée 35 F (5,3 €). Un des plus fascinants musées parisiens, composé de deux beaux hôtels particuliers : Carnavalet et Le Peletier de Saint-Fargeau. Par une délicieuse ironie de l'histoire, les collections consacrées à la Révolution française sont abritées dans l'hôtel de Saint-Fargeau. Ce dernier, devenu citoyen Le Peletier après avoir épousé la cause de la révolution (ou tourné sa veste, ça dépend d'où on se place!) avait même voté la mort du roi (et payé de sa vie, voir itinéraire Palais-Royal).
Abondante iconographie et moult émouvants souvenirs. Entre autres, une pierre sculptée de la Bastille, des faïences patriotiques, les tables de la Constitution et des Droits de l'homme posées jadis derrière le président de la Convention, un vrai bonnet rouge de sans-culotte, des portraits de Danton, Robespierre, etc. Anecdote savoureuse à propos de la statue de Louis XIV en bronze dans la cour pavée. D'abord, elle est du grand Coysevox, ensuite, c'est la seule qui ait survécu à la fonte durant la période révolutionnaire. Située dans l'hôtel de ville, siège de la Commune, la population ne pensa pas à venir vérifier s'il s'y trouvait du bronze royal à fondre. C'est ainsi que la statue traversa la tourmente à la barbe de tous!

★ Enfin, les robespierristes iront effectuer un pèlerinage au ***n° 64, rue de Saintonge*** *(plan, **14**)*. L'incorruptible y habita de 1789 à 1791. Au ***n° 14, rue de la Perle***, maison habitée par ***Tallien*** *(plan, **13**)* et où se tint la réunion qui prépara la chute de ***Robespierre***. Quant au ***Temple***, situé à l'emplacement du square et de la mairie du IIIe, il n'en reste plus une seule trace. On le doit à Napoléon qui ordonna sa destruction en 1808, en déclarant : « Cette prison là renferme trop de souvenirs, il faut la démolir! »...

Fin de la balade

Pour ceux, interrompant leur itinéraire au musée Carnavalet, retour vers le ***métro Saint-Paul*** et... rendez-vous à la prochaine révolution! Pour les robespierristes, votre « Thermidor », pardon terminus, sera ***Filles-du-Calvaire*** (celles qu'on a envoyées place du Trône renversé?).

LA RÉVOLUTION FRANÇAISE AU QUARTIER LATIN

BALADE n° 6 : 4 km – 2 à 3 h.

Un peu d'histoire

Nombre d'importants événements de la Révolution française eurent lieu dans le VIe arrondissement qui abrita également quantité des ses illustres acteurs. En outre, berceau de l'*Encyclopédie,* il eut une part prépondérante dans le mouvement des Lumières. Au XVIIIe siècle, on y trouvait aussi la Comédie française et il y régnait une riche vie intellectuelle. En 1791, sur 43 imprimeurs parisiens, plus de 30 travaillaient dans le coin. En 1789, lors des élections aux États Généraux, le secteur révéla l'un des niveaux de conscience politique les plus élevés. Aujourd'hui, le quartier étant entièrement classé, il subsiste pas mal de témoignages architecturaux, signes, clins d'œil de cette époque (malgré les épouvantables destructions haussmaniennes dans le secteur, notamment lors de la percée du boulevard Saint-Germain). La structure urbaine préservée (immeubles anciens, passages, ruelles étroites...) possède en outre un puissant pouvoir d'évocation. L'imagination vagabonde a tôt fait de recréer des ambiances, des couleurs...

Départ

Du ***métro Luxembourg*** *(plan, **1**) :* environ 4 km. 3 h en flanant et rêvant.

À voir

★ ***Le Panthéon*** *(plan, **2**) :* place du Panthéon (ça c'est original). À l'origine, une église dont l'architecte fut Soufflot et la première pierre posée par Louis XV en 1764. En 1791, pas encore consacrée, les plâtres à peine secs, la Constituante décida de la transformer en temple destiné à recevoir « les grands hommes de l'époque de la liberté française ». Un panthéon, un Saint-Denis républicain en quelque sorte, sur lequel on proposa d'écrire « Aux grands hommes, la patrie reconnaissante ». C'est Mirabeau qui y entra le premier, suivi de Voltaire, Le Peletier de Saint-Fargeau, Rousseau, Marat, Joseph Bara, etc. Et puis les modes évoluent : Mirabeau et Marat qui n'étaient plus en odeur de sainteté durent déménager. Marat termina dans les égouts. Les restes de Diderot (1713-1784), quant à eux, ne furent pas retrouvés pour les transférer au Panthéon. On lui éleva cependant un monument avec cette devise : « L'*Encyclopédie* prépare l'idée de révolution ». Plus tard, Condorcet, l'abbé Grégoire s'y retrouvèrent à leur tour. Dans le chœur, sculpture monumentale et pompeuse du début du XIXe siècle, en hommage à la Convention. Le 26 mai 1871, le communard Jean-Baptiste Millière, député de la Seine, condamné à mort par le « tribunal » siégeant au Luxembourg, est fusillé entre les deux colonnes du milieu au cri de « Vive le peuple, vive l'humanité ! ».

★ ***L'église Saint-Étienne-du-Mont** (plan, **3**) :* place du Panthéon. Cette belle église de la fin du XVe siècle (voir à l'intérieur l'admirable jubé, le dernier subsistant à Paris). Fermée et débarrassée de toutes ses œuvres d'art en 1793, elle fut donnée comme lieu de culte aux *Théophilanthropes* et prit le nom de *temple de la Piété familiale*! En 1799, ce culte ne possédait pas moins de 18 églises à Paris et eut Marie-Joseph Chénier, Bernardin de Saint-Pierre et Louis Sébastien Mercier parmi ses adeptes. C'est Bonaparte, qui, à la lecture du rapport anti-sectes du député Vivien, supprima ce culte en 1801.

★ ***Le palais du Luxembourg** (plan, **4**) :* Louis XVI l'avait offert à son frère, le comte de Provence (futur Louis XVIII). Il le quitta et émigra le 20 juin 1791. On songea un moment y loger la famille royale, mais la présence de nombreux souterrains fit craindre des risques de fuite et finalement on la dirigea sur le Temple. Le palais devint alors manufacture d'armes, puis prison sous le nom de Maison nationale de sûreté. Camille Desmoulins, Fabre d'Églantine, Danton, Hébert, Joséphine de Beauharnais en furent locataires. Le peintre David y passa également quelque temps après le 9 Thermidor. Il y effectua le premier crobar de son tableau des Sabines et, pour la petite histoire, le paysage qu'il voyait de sa fenêtre fut le seul qu'il ait jamais peint! Le Directoire s'y installa en 1795.

★ ***Le théâtre de l'Odéon** (plan, **5**) :* place de l'Odéon. Au centre d'un élégant plan architectural en étoile de 1780, bien représentatif de la philosophie des Lumières et de l'importance accordée au théâtre en cette fin de XVIIIe siècle. L'édifice fut achevé en 1782 et prit le nom de Théâtre-Français. La première pièce portait un titre de circonstance : « L'Inauguration du Théâtre-Français »! C'est là que, le 26 avril 1784, Beaumarchais

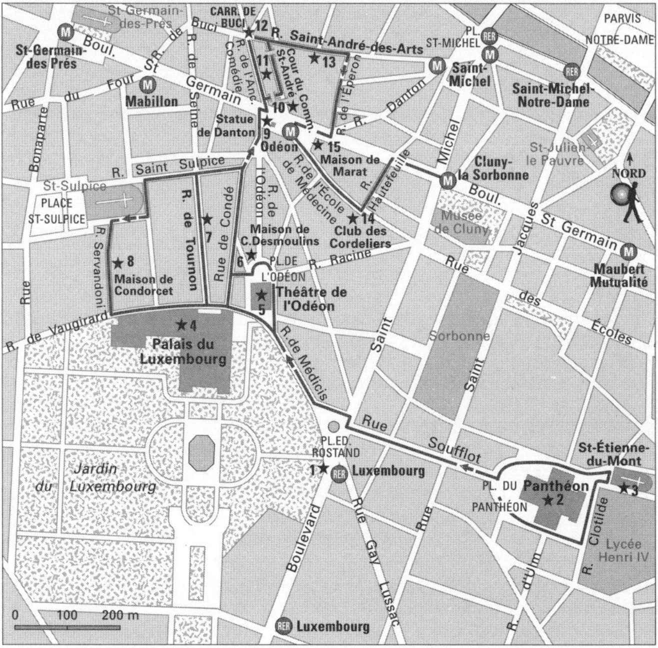

LA RÉVOLUTION FRANÇAISE AU QUARTIER LATIN

★ **À voir**

2 Le Panthéon
3 L'église Saint-Étienne-du-Mont
4 Le palais du Luxembourg
5 Le théâtre de l'Odéon
6 La maison de Camille Desmoulins
7 Rue de Tournon
8 La maison de Condorcet
9 La statue de Danton
10 La cour du Commerce Saint-André
11 Le café Procope
12 Carrefour de Buci
13 Rue Saint-André-des-Arts
14 Le club des Cordeliers
15 La maison de Marat

fit jouer sa pièce *le Mariage de Figaro*, ce qui lui valut d'aller quelques jours à l'ombre... En 1789, il change de nom et devient Théâtre de la Nation. L'acteur Talma y excella dans les pièces anti-monarchiques, dont celles de Marie-Joseph Chénier. En 1791, une scission eut lieu chez les comédiens. Les républicains (dont Talma) partirent s'installer rive droite. En septembre 1793, le Théâtre de la Nation fut fermé pour esprit réactionnaire et les comédiens arrêtés. Il rouvrit l'année suivante sous le nom de *Théâtre de l'Égalité* et acquit son nom définitif, le *Théâtre de l'Odéon*, sous le Directoire.

★ ***À la poursuite de Camille Desmoulins*** *(plan, **6**)* **:** au n° 22, rue de Condé, appartement de Lucile Duplessis et sa famille, avant son mariage avec Camille Desmoulins (plaque). Ils s'y installèrent en 1792. Camille Desmoulins, de modeste extraction, fut pourtant un brillant élève au collège Louis-le-Grand. Il devint avocat et la Révolution lui donna l'occasion de vibrantes plaidoiries au club des Cordeliers. Homme de plume aussi, agitateur hors pair, il acquit rapidement une grande popularité. Aux yeux de Robespierre, il commit cependant l'erreur de réclamer la fin de la Terreur et la constitution d'un « comité de clémence ». Dans son journal du 20 décembre 1793, il écrivait : « Le patriotisme est la plénitude de toutes les vertus et ne peut pas conséquemment exister là où il n'y a ni humanité ni philanthropie, mais une âme aride et desséchée par l'égoïsme. Ô mon cher Robespierre ! Ô mon vieux camarade de collège !... souviens-toi de ces leçons de l'histoire et de la philosophie : que l'amour est plus fort, plus durable que la crainte ! ». La réponse du « cher camarade » fut son arrestation le 31 mars 1794 et l'échafaud le 5 avril suivant. Lucile, son épouse, accusée de complicité, fut exécutée une semaine après.

★ ***Les locataires de la rue de Tournon*** *(plan, **7**)* **:** qu'est-ce qui amena ***John-Paul Jones,*** artisan de l'indépendance des États-Unis, premier amiral de la marine américaine, à venir habiter et mourir en 1792, au n° 19, rue de Tournon ? Comme pour Jim Morrisson, il y a parfois des destins mystérieux ! Au n° 13, habita ***Pache***, maire hébertiste de Paris. Au n° 8, en 1792-1793, vivait la fameuse ***Théroigne de Méricourt,*** surnommée « l'Amazone de la Liberté », héroïne de la lutte pour l'émancipation des femmes. Elle y fonda un club, *Les Amis de la Loi*, proche de la ligne politique des Cordeliers. Bien entendu, Danton, Fabre d'Églantine, Camille Desmoulins fréquentèrent assidûment son salon. Au n° 5, du beau linge. D'abord, jusqu'en 1792, le redouté ***Hébert***, auteur du *Père Duchesne* et leader de la tendance « d'extrême gauche » de la Révolution (il partit ensuite avec son imprimerie rue Damiette, rive droite). Surtout, y officiait ***Mlle Lenormand,*** une tireuse de cartes qui possédait une grosse clientèle de gens célèbres, excusez du peu : Talma qui venait en voisin, Saint-Just, Tallien, Barras, David, Robespierre, Bonaparte dit-on et une certaine... Joséphine Tasher de la Pagerie, vicomtesse de Beauharnais qui, devenue impératrice des Français, continua cependant à la consulter.

★ ***Sur les dernières traces de Condorcet*** *(plan, **8**)* **:** 15, rue Servandoni (ancienne rue des Fossoyeurs). Le grand mathématicien-philosophe y vécut de juillet 1793 à mars 1794, hébergé et caché par la veuve du sculpteur François Vernet (plaque sur le mur). Poursuivi pour ses sympathies girondines, dénoncé pour ne pas avoir voté la mort du roi, il profita de sa clandestinité pour écrire sa dernière œuvre, l'*Esquisse des progrès de l'esprit humain.* Toujours positif et optimiste, il concluait : « Nos espérances sur l'état à venir de l'espèce humaine peuvent se réduire à ces trois points importants : la destruction de l'inégalité entre les nations, les progrès et l'égalité dans un même peuple, enfin le perfectionnement réel de l'homme ». Aujourd'hui, on n'oserait plus écrire un truc pareil, même Arlette Laguiller... Pressentant une descente dans son logement et ne souhaitant pas exposer plus son hôtesse, il part se mettre au vert à la campagne le 25 mars 1794. Reconnu, il est incarcéré à la prison de Bourg-Égalité (Bourg-la-Reine). Quelques jours plus tard, il se suicide dans sa cellule. En face, au n° 18, maison où habita ***Olympe de Gouges*** (1748-1793), auteur de la *Déclaration des droits de la femme et de la citoyenne.*

★ ***La statue de Danton*** *(plan, **9**)* **:** dès la sortie du métro, rencontre nez à nez avec l'une des figures les plus marquantes de la Révolution française : Georges Danton ! Qualifié de « grand seigneur de la sans-culotterie » par Taine, qui le décrivait ainsi « un colosse à tête de Tartare couturée de petite vérole, d'une laideur tragique et terrible, un masque convulsé de bouledogue grondant... une voix tonnante, une déclamation effrénée, pareille aux mugissements d'un taureau... Capable de réveiller des instincts féroces dans l'âme la plus pacifiste. » Aujourd'hui, rendez-vous populaire pour amoureux ou cinéphiles attendant leurs compagnons des salles obscures. Érigée à l'emplacement exact de la maison où il occupait un appartement de sept pièces. Sur le terre-plein du métro s'élevait d'ailleurs une rangée complète de demeures (liquidée lors des grands travaux haussmaniens). Sur le socle, vous retrouverez deux des maximes les plus fameuses de Danton : « Pour vaincre les ennemis de la patrie, il nous faut de l'audace, encore de l'audace et toujours de l'audace » et « Avec le pain, l'éducation est le premier besoin du peuple ». Curieusement, rien sur la corruption !

★ ***La cour du Commerce Saint-André*** *(plan, **10**)* **:** juste en face, au n° 130, boulevard Saint-Germain. On adore ce vieux passage à la chaussée bombée et aux gros et rudes pavés. Un peu trop d'enseignes « folkloriques » à notre goût, mais la nuit il sait garder son mystère. Ouvert vers 1735, la plupart des maisons qui le bordent datent de 1776. À partir du n° 8, s'étend une longue demeure basse aux nombreuses lucarnes qui abrita l'imprimerie de Marat. C'est là qu'était réalisé *l'Ami du Peuple.* Elle eut un ouvrier de 29 ans, Brune, un des fondateurs du club des Cordeliers

(avec Marat, Danton, Desmoulins et Hébert). Puis Brune troqua le plomb des caractères pour celui des balles et s'engagea dans l'armée révolutionnaire. Promotion plus rapide que dans l'imprimerie : général en 1796, maréchal de France en 1807... un vrai boulevard, sa carrière ! À signaler, dans le même corps de maison, au n°4, une belle tour de l'enceinte de Philippe Auguste du XIIIe siècle. Au détour, ne pas manquer les trois ravissantes courettes de la cour de Rohan, menant à la rue de L'Éperon. Jules Vallès, déguisé en infirmier et traqué par les Versaillais se réfugia le 28 mai 1871 au n° 2 (chez Sainte-Beuve).
À l'emplacement du n° 9 se tenait l'atelier du charpentier allemand Schmidt. C'est lui qui eut l'honneur d'expérimenter sur des moutons la célèbre guillotine du brave docteur Guillotin. Ce dernier, député de Paris (qui habita un temps au n° 21, rue de l'Ancienne-Comédie), était un hygiéniste d'enfer. Après s'être battu pour de meilleures conditions de travail à l'Assemblée (sièges plus confortables, chauffage amélioré, etc.), il fit une proposition de loi tendant à mettre fin à la disparité des peines de mort dans le pays (pendaison, la hache, écartèlement, bûcher, supplice de la roue, lecture des œuvres de Sulitzer, etc.)... et à leur substituer la décapitation par couperet. Son discours de présentation resta longtemps dans les mémoires et déclencha même de nombreux rires, lorsque quelque peu grandiloquent, il s'exclama : « Le couperet siffle, la tête tombe, l'homme n'est plus ; avec ma machine, je ferai sauter vos têtes en un clin d'œil et vous ne sentirez qu'une très légère fraîcheur sur le cou ! ». La loi fut votée le 25 mars 1792 et c'est le docteur Louis, secrétaire de l'Académie royale de chirurgie qui fut chargé de la mise au point de la machine. À signaler qu'elle fut appelée d'abord « louisette » ou « louison », avant de gagner définitivement le nom de guillotine, parce que ça rimait mieux avec machine et que ça arrangeait les chansonniers de l'époque. Le pauvre docteur Guillotin, emprisonné sous la terreur, ne dut qu'à la chute de Robespierre de ne pas expérimenter sa propre invention et protesta jusqu'à sa mort, en 1814, de l'usage abusif de son nom. Quant au charpentier Schmidt, il gagna beaucoup d'argent à construire la « philantropique machine à décapiter » (une par département) et immense soiffard, but sa fortune et mourut de cyrhose sous l'Empire.

★ ***Le café Procope*** *(plan,* ***11****) :* 13, rue de l'Ancienne-Comédie. Fondé en 1686. Le plus ancien café au monde, comme on peut le lire sur la plaque en marbre sur rue. Deux liens importants avec la Révolution française : d'abord, avant 1789, PC des encyclopédistes (d'Alembert, Diderot, Rousseau, Voltaire, Marmontel, Fréron, Piron, etc.) dont on connaît l'apport primordial en terme de bouillonnement d'idées, annonciateur de la Révolution. L'*Encyclopédie* naquit ici d'un débat entre Diderot et d'Alembert, et Voltaire y composa le fameux poème contre son ennemi Fréron : « L'autre jour au fond d'un vallon, Un serpent mordit Fréron, Que pensez-vous qui arriva? Ce fut le serpent qui creva! ». Le 27 avril 1784, Beaumarchais s'y rongeait les ongles en attendant le verdict du public pour sa pièce *Le Mariage de Figaro*. On se rappelle que le verdict des autorités fut trois jours de prison... Puis, ce fut le rendo des révolutionnaires habitant le quartier (Danton, Camille Desmoulins, Marat, Fabre d'Églantine). C'est d'ici que partirent les mots d'ordre d'attaque des Tuileries en 1792 et que fut porté pour la première fois le bonnet phrygien.

★ En face du Procope, au n° 16, l'***hôtel la Fautrière*** (1750) abrita en 1789, dans une cave, la première imprimerie de Marat (plaque). Dans cette maison, ce dernier échappa aussi à une première arrestation en 1790, pour écrits et propos subversifs. Au n° 5, le conventionnel Cambacérès, qui devint le principal rédacteur du Code civil, vécut de 1795 à 1800 (plaque).

★ ***Carrefour de Buci*** *(plan, **12**) :* à l'intersection des rues Saint-André-des-Arts, Dauphine, Mazarine, Ancienne-Comédie et Buci. Le 2 septembre 1792, s'y ouvrit le premier bureau de recrutement pour les armées révolutionnaires quand la patrie fut déclarée en danger. Le même jour, au même endroit, furent tués les premiers prêtres réfractaires, en route pour la prison de l'abbaye, prélude aux massacres de septembre dans les prisons parisiennes.

★ ***Rue Saint-André-des-Arts*** *(plan, **13**) :* au débouché de la cour du Commerce Saint-André, on tombe sur cette jolie rue où habitèrent de nombreux révolutionnaires de 89, comme Billaud-Varennes (au n° 45, pas de plaque). Noter à l'intersection de la rue des Grands-Augustins, cet élégant immeuble du XVIIIe siècle avec ses mascarons sculptés, les belles ferronneries et le balcon soutenu par des têtes de bélier. Le mot « saint » de la plaque de rue (gravée dans la pierre) a été martelé par les bouffeurs de curés de l'époque.

★ ***Le club des Cordeliers*** *(plan, **14**) :* 15, rue de l'École-de-Médecine (ancienne rue des Cordeliers). Dans le couvent désaffecté des Cordeliers fut créé l'un des plus importants clubs politiques de la Révolution. Les cordeliers (en fait, les franciscains) étaient l'un des quatre grands ordres de moines mendiants (avec les dominicains, appelés *jacobins*, les carmes et les augustins). Le couvent fut bien sûr liquidé à la Révolution. C'est donc là que s'installa le *club des Cordeliers* créé par Camille Desmoulins, Danton, Hébert, Marat, le boucher Legendre, etc. Ces clubs répondaient à l'immense besoin d'expression politique du peuple parisien. *Melting pot* de toutes les classes sociales et professions, prolétaires, bourgeois, commerçants, étudiants... Grande assemblée démocratique, véritable laboratoire d'idées et d'initiatives populaires. C'est ici qu'apparut, le 14 juillet 1791, la première demande de déchéance de Louis XVI, que furent préparées la plupart des grandes journées révolutionnaires (entre autres la fameuse journée du 10 août 1792 et le signal de l'insurrection contre les girondins, etc). Le 14 juillet 1792, le célèbre bataillon des Marseillais y cantonna. Le club des Cordeliers perdit toute influence après la disparition de ses animateurs (Danton, Marat, les *hébertistes*, sorte d'extrême gauche de l'époque). Les bâtiments furent transformés en hôpital en 1795, puis démolis au début du XIXe siècle, à l'exception du réfectoire dont on peut admirer l'imposante structure aujourd'hui. Large entrée en anse de panier et sur sa droite, petite porte de style gothique fleuri. Fenêtres ogivales ou à meneaux.

★ Au n° 30 de la rue des Cordeliers (aujourd'hui, l'angle de la rue de l'École-de-Médecine et du boulevard Saint-Germain, *plan, **15***), s'élevait la ***maison de Marat***. C'est là que le 13 juillet 1793, fraîchement débarquée de Caen, Charlotte de Corday d'Armont, descendante d'une sœur de Corneille, se rendit avec un grand couteau de cuisine caché dans son sac (acheté au palais Royal, voir itinéraire Robespierre). « L'Ange de l'assassinat », comme l'appela Lamartine, demanda à rencontrer Marat. Sa maîtresse, Marie-Simone Évrard, s'y opposa énergiquement. Charlotte revint une deuxième fois et se fit à nouveau refouler. Cependant, au bruit de l'altercation, Marat pria de la laisser entrer. À l'époque, victime d'une épouvantable maladie de peau, il passait des heures dans une baignoire à tenter de se soigner. Charlotte lui planta alors le couteau dans la poitrine et toucha aussi la carotide, puis elle attendit, ne tentant pas de s'enfuir. Le « divin » Marat (comme l'appelait Desmoulins) eut de solennelles funérailles et Charlotte fut jugée et condamnée à mort dès le 16 juillet. Quand le juge lui demanda les raisons de cet assassinat, elle répondit : « Je n'ai pas tué un homme, mais une bête féroce ». Elle mourut courageusement. Sur le chemin de l'échafaud, debout, les bras tendus sur la ridelle de la charrette, elle croisa fièrement les regards de Danton, Desmoulins et Robespierre qui assistaient au passage du convoi. La maison de Marat fut démolie en 1876. C'est vrai qu'après la Commune de Paris, il ne devait plus rester grand monde pour défendre la mémoire de Marat et protester contre ces crimes architecturaux!

Fin de la balade

Voilà, fin de cet itinéraire Révolution de 89. Il ne vous reste qu'à vous glisser dans le ***métro Odéon*** ou ***Cluny-Sorbonne*** pour suivre celui du Palais Royal révolutionnaire. Encore qu'à pied, ça ne soit guère loin!

LA RÉVOLUTION FRANÇAISE AU PALAIS ROYAL

BALADE n° 7 : moins de 1 km – moins de 1 h.

Ce Palais-Royal, si vivant, tout éblouissant de lumière, de luxe et d'or, de belles femmes qui allaient à vous, vous priant d'être heureux de vivre, qu'était-ce en réalité sinon la maison de la mort? La vie, la mort, le plaisir rapide, grossier, violent, le plaisir exterminateur, voilà le Palais-Royal de 1793.

Jules Michelet.

Départ

Métro Palais-Royal. Durée : 30 à 45 mn environ.

Un peu d'histoire

Les galeries et le jardin du Palais Royal eurent une importance considérable dans l'histoire de la Révolution française. On y trouvait des dizaines de cafés que Michelet appelait « les églises de la révolution naissante » et une atmosphère de liberté particulièrement propice aux idées nouvelles... mais d'abord un petit *flash back*!

Ce fut d'abord le somptueux ***palais Cardinal***, construit par Richelieu en 1629. Il eut pour architecte, le célèbre Jacques Le Mercier, auteur du pavillon de l'Horloge du Louvre et de la Sorbonne. À sa mort, le palais (légué par Richelieu) revint au roi et prit le nom de Palais Royal. Louis XIV y passa ses premières années. Les ***jardins*** étaient si grands (333 m par 143) que Mazarin lui organisa en 1649, pour la Saint-Hubert, une mini-chasse où l'on traqua un lièvre, un cerf et un sanglier assez usé! En 1692, Louis XIV le donna à son frère, Monsieur, le duc d'Orléans. Le fils de Monsieur, Philippe d'Orléans en prit à son tour possession. Devenu régent en 1715, à la mort de Louis XIV, il y organisa de fameux ***soupers libertins*** et des fêtes éblouissantes. De la Régence à la Révolution, le palais conserva une tradition artistique et littéraire. En 1780, Philippe d'Orléans, duc de Chartres (futur Philippe Égalité), criblé de dettes, fit lotir le pourtour du jardin du Palais Royal en ***appartements*** et ***boutiques*** aux fins de location lucrative. Dès lors, le palais devint le lieu le plus animé de Paris et fort généreusement mal famé. On y comptait des dizaines de tripots, maisons de plaisir, théâtres libertins, cafés et restaurants. Propriété de la famille royale, la police n'avait pas le droit d'y pénétrer. C'est là qu'en novembre 1787, le jeune Bonaparte fit sa première conquête. Bien entendu, cette atmosphère de liberté fut le terreau idéal pour la propagation des idées nouvelles. Dans cette véritable ruche où, comme disait la chanson « toutes les filles sont à marier », les esprits fermentaient sec. On y retrouvait, en plus de la foule des aigrefins, escrocs, dames galantes, joueurs décavés, riches oisifs, aristos décadents, artistes, bohèmes, etc., tout ce que Paris comptait d'intellos, agitateurs et contestataires de tout poil. La Révolution véritablement mûrit ici. Aussi, lorsque Camille Desmoulins, le 12 juillet 1789, monta sur une table pour protester du renvoi de Necker et dénoncer les mouvements de troupes autour de Paris, trouva-t-il une foule extrêmement réceptive pour l'écouter. Les têtes coupées de M. de Flesselles (prévôt des marchands), de Launay (gouverneur de la Bastille) s'y promenèrent le 14 juillet, ainsi que celle de Foulon, gouverneur de l'armée, le 22 juillet, avec du foin dans la bouche. Il avait osé dire à propos du peuple en colère : « Si cette canaille n'a pas de pain, qu'elle mange du foin! ». Après la suppression en juin 1790, des titres de noblesse, le Palais Royal s'appela ***Palais Égalité*** et Philippe d'Orléans prit le nom de Philippe Égalité. En 1793, un mois avant l'exécution de ce dernier (comme girondin), le palais fut confisqué et devint propriété de l'État. En 1795, Lakanal proposa de le démolir, mais il n'y eut heureusement pas de suite. Enfin, à la Restauration, Louis XVIII restitua le palais à Louis-Philippe, fils aîné de Philippe Égalité. La boucle était bouclée!

À voir

★ *LA GALERIE MONTPENSIER*

On y trouve l'atmosphère qui se révèle la plus proche de celle des galeries du Palais Royal à l'époque. Essentiellement grâce à ses vieilles enseignes et ses boutiques anachroniques (médailles, soldats de plomb, etc). Au ***nº 2***, vénérable ***inscription*** « coiffeur-posticheur » qui s'estompe doucement.

– ***Nº 7 et suivants :*** avant cette honorable boutique de médailles, se trouvaient le ***Pince-cul,*** une salle de bal et le café-glacier ***Corraza***, créé

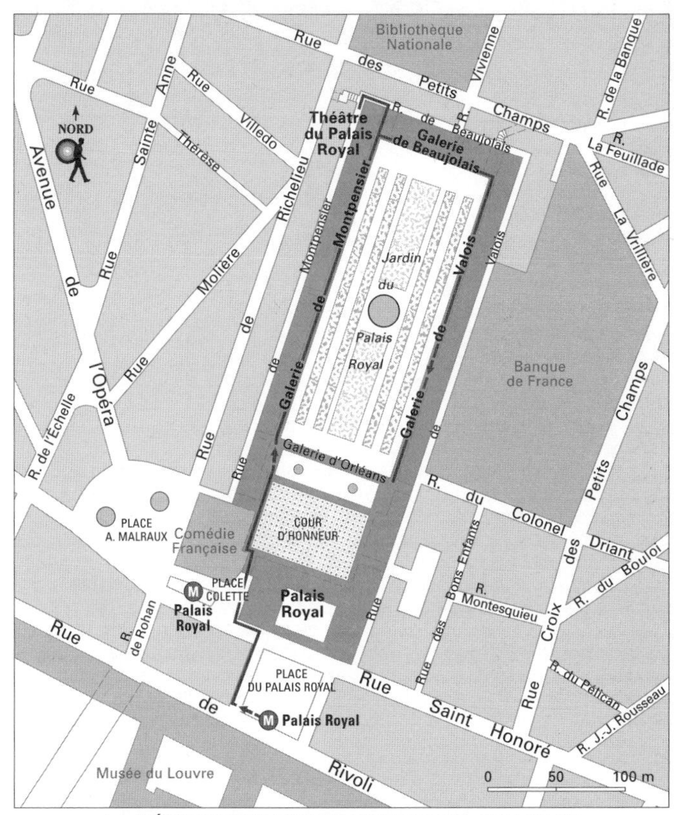

LA RÉVOLUTION FRANÇAISE AU PALAIS ROYAL

en 1787, quartier général des jacobins. Également fréquenté par Talma, Barras et Bonaparte. Au-dessus, de célèbres maisons de jeu qui ruinèrent plus d'un joueur. Surtout prussiens en 1815 après Waterloo. On raconte que les vainqueurs de Napoléon perdirent dans les tripots et les poches des filles du Palais Royal presque autant que les indemnités que la France dut payer à l'époque !

– ***N° 17 :*** à partir de 1785, s'y installa le ***cabinet de figures de cire de Cursius***, spécialisé dans les effigies des grands hommes. Ils changeaient au gré des événements politiques, bien sûr. En 1791, le pape ayant revendiqué des droits sur Avignon, la foule s'empara de son mannequin et le brûla dans les jardins. La nièce de Curtius épousa un certain Tussaud à Londres. Madame y ouvrit à son tour un cabinet de cire qui allait devenir mondialement célèbre.

– ***N° 18 :*** siège du ***café du Lycée-des-Arts***. Au-dessus, vivait ***Chamfort***, moraliste, académicien, directeur de la toute nouvelle bibliothèque nationale, relation de Sieyès. C'est lui qui lui avait suggéré le titre de son pamphlet, *Qu'est-ce que le Tiers État?* Arrêté sous la Terreur, en avril 1794, il tenta de se suicider, finit par réussir et échappa ainsi à la guillotine.

– ***N° 44-45 :*** boutique de vieilles robes et habits qui auraient pu avoir été portés par les ***incoyables*** et les ***merveilleuses***!

– ***N° 57 à 60 :*** ici se trouvait le fameux ***café de Foy.*** Son proprio l'avait payé très cher et était le seul à avoir le droit de servir boissons et glaces dans le jardin. Au début, il n'y avait pas encore de tables, que des chaises. C'est sur l'une d'entre elles, que le 13 juillet 1789, ***Camille Desmoulins***, fit son fameux discours à la foule en appelant aux armes : « Citoyens, le renvoi de Necker est le tocsin d'une Saint-Barthélémy des patriotes. Ce soir même, tous les bataillons suisses et allemands sortiront du Champ-de-Mars pour nous égorger; il ne nous reste qu'une ressource, c'est de recourir aux armes ». Comme signe de ralliement, dit-on, il proposa une feuille d'arbre, verte, couleur de l'espérance. La prise de la Bastille était déclenchée...

– ***Au n° 83 rue de Montpensier*** (et ***n° 68-75, galerie Montpensier***) ***:*** il y eu depuis le début un théâtre à cet endroit. D'abord, en 1784, le petit ***théâtre de marionnettes des Beaujolais***. Agrandi en 1790, sous la direction de Mlle Montansier. Grande nouveauté : les courtisanes furent admises pour la première fois au foyer, ce qui assura au théâtre un grand succès d'affluence. Mlle Montansier fut arrêtée sous la terreur et sauvée par Barras (le tombeur de Robespierre). En 1795, elle reprit son établissement qui connut plusieurs noms, dont ceux de ***la Montagne,*** puis des ***Variétés***. En 1807, trop proche de la Comédie Française pour Napoléon, il dut déménager sur les Grands Boulevards (où il se trouve toujours sous le même nom). À sa place, revint un théâtre de marionnettes, puis une salle de chiens savants, un café-concert, puis, un théâtre traditionnel à nouveau sous le nom de Théâtre du Palais Royal. Salut Jean Poiret!

★ *LA GALERIE DE BEAUJOLAIS*

Parallèle à la rue du Beaujolais, elle débute au niveau du restaurant *Le Grand Véfour.*

– ***N° 79 à 81 :*** ce fut d'abord le ***café de Chartres*** (le nom y figure encore) qui devint ensuite ***Le Grand Véfour.*** Au-dessus du café, l'appartement de Mlle Montansier où elle tenait salon. Une fois, elle reçut le même soir : Barras, Hébert, Robespierre, Danton, Marat, le duc de Lauzun et le duc d'Orléans, excusez du peu. On imagine sans mal la qualité de la conversation ! Barras habitait d'ailleurs au 2e étage. D'autres jours vinrent : Camille Desmoulins, Fabre d'Églantine, Joseph Chénier, Tallien, Couthon, Bonaparte etc. ***Au n° 83***, mourut ***Fragonard***, le 22 août 1806, en dégustant une glace chez lui.

– ***N° 88 :*** on y trouvait les ***Trois Frères Provençaux,*** un restaurant fondé en 1786. En fait, des Marseillais, pas frères pour un sou, mais qui avaient épousé trois sœurs. Bien entendu, c'était la cantine de Barras qui y soupait avec Bonaparte. C'est peut-être pour cette raison que Blücher, un des vainqueurs de Waterloo, y venait souvent.

– ***N° 89 à 92 :*** là aussi un café célèbre, ***Le Caveau***, fondé en 1784. Renommé pour ses débats pour une fois non politiques. En effet, s'affrontaient ici durement, peu avant la Révolution, ***gluckistes*** et ***piccinniens***, partisans déclarés de Gluck et Piccinni (opéra français contre opéra italien). Ville et cour étaient divisées en deux camps irréductibles ! Tout ce beau monde trouva d'autres sujets de querelle sous la Révolution, mais le café continua à recevoir les artistes célèbres : David, Méhul, Talma, Boïeldieu, etc. En 1793, on y lança une souscription pour offrir une médaille aux frères Montgolfier. En dessous, sévissait ***Le Caveau du Sauvage*** qui offrit des spectacles érotiques pendant toute la Révolution. À l'étage, on trouvait un petit ***canon*** qui tonnait à midi tous les jours, ce qui ne manquait pas d'attirer la clientèle. Après près d'un siècle de silence, il fonctionne à nouveau tous les midis depuis 1990.

– ***N° 103 :*** au sous-sol, succès assuré du ***café des Aveugles***. Pendant la Révolution, les sans-culottes s'y pressaient en masse. À l'entrée, une pancarte précisait : « Ici, on s'honore du titre de citoyen, on se tutoie et l'on fume ». On aurait pu y rajouter... « et on y folâtre sécos ! ». Fréquenté par une incroyable faune de provinciaux à la recherche de plaisirs licencieux, de prostituées et leurs souteneurs, de curieux de tout poil. De nombreux petits boxes abritaient les ébats des « complaisants des deux sexes », comme on disait à l'époque. Quatre aveugles opportunément recrutés aux Quinze-Vingts assuraient la partie musicale. Bref, l'ancêtre des *back-rooms* !

★ *LA GALERIE DE VALOIS*

– ***N° 108 :*** lieu de réunion du ***club de 1789***, fréquenté par Mirabeau et Condorcet entre autres.

– ***N° 113 : café Février*** ouvert en 1784. L'une des rares activités commerciales du Palais Royal qui ait subsisté aujourd'hui. C'est toujours un café-restaurant. C'est ici que, la veille de l'exécution de Louis XVI, Pâris, garde du corps du roi, assassina Le Peletier de Saint-Fargeau, conventionnel qui avait voté la mort. À l'étage, s'étendait sur huit salles, la plus grande maison de jeu du Palais Royal. C'est là dit-on que Blücher, vainqueur de Waterloo, perdit en une nuit une colossale fortune à la roulette. Une pancarte s'y balança un moment : « Il est trois portes à cet antre, l'espoir, la folie et la mort. C'est par la première qu'on entre, et par les deux autres qu'on sort ».

– ***N° 119-120 :*** ici, on trouva de 1784 à 1860, un ***théâtre d'ombres chinoises et de marionnettes***. Au moment de la Révolution, la clientèle changea. Aux enfants et leurs gouvernantes succédèrent les amateurs de jeux d'adultes encouragés par les salles obscures.

– À côté, au ***n° 121***, un curieux ***café Méchanique*** créé en 1785. Pas de serveurs, la commande des plats se glissait dans un des pieds de la table et les mets arrivaient par un monte-plat au milieu de la table. Nombreux étaient les badauds qui assistaient au spectacle. Ingénieux, mais le système ne survécut pas à la Révolution!

– ***N° 153 :*** la maison ***Guillaumot***, fondée en 1785, dont le joyeux et poussiéreux désordre de reliures et vénérables manuscrits contribue à donner une couleur à la galerie et une atmosphère propice à notre reconstitution mentale.

– ***N° 156 : Beauvilliers***, l'un des restos les plus courus de la Révolution, fut pourtant ouvert par un ancien officier de bouche du comte de Provence en 1782. Il s'adapta, semble-t-il, sans problème à sa nouvelle clientèle de vedettes de la Révolution.

– ***N° 177 :*** siège de la ***coutellerie Badin***. Le matin du 13 juillet 1793, Charlotte Corday y acheta le couteau de cuisine qui servit au meurtre de Marat. Les braves employés du ministère de la culture qui travaillent là, s'en doutent-ils un seul instant? Bien, on va essayer de trouver un coutelier ailleurs.

Fin de la balade

Possibilité de continuer l'itinéraire Révolution française dans le quartier en suivant la balade n° 8 (Tuileries-Concorde).

LA RÉVOLUTION FRANÇAISE AUTOUR DU LOUVRE ET DES TUILERIES

BALADE n° 8 : 4 km – 2 h 30.

De l'imagination, encore de l'imagination, toujours...

Pour effectuer une balade révolutionnaire dans le quartier du Louvre et des Tuileries, il va vous falloir faire preuve d'une rude dose d'imagination. Quartier on ne peut plus important pour l'histoire de la Révolution, mais qui a quasiment disparu par la grâce de Napoléon, de la tourmente haussmanienne et des destructions lors de la Commune de Paris. Ce fut d'abord le vieux *quartier de la rue Saint-Nicaise*, liquidé par Bonaparte en 1800 (basse vengeance après l'attentat auquel il avait échappé rue Saint-Nicaise). Imbriqué entre le château des Tuileries, la longue galerie du Bord-de-l'Eau et le Louvre, il entourait la place du Carrousel. Il y avait, à l'époque, des maisons et des hôtels particuliers jusque dans la cour Napoléon. Le palais du Louvre abandonné pendant un siècle par la Cour, le quartier devint très populaire et agréable à vivre. Le percement de la rue de Rivoli acheva de faire disparaître les autres témoins de la Révolution, notamment le ***Manège***, siège de l'Assemblée nationale. Le ***château des Tuileries*** brûla lors de la Commune de Paris. Quant au ***Louvre***, il échappa heureusement aux vicissitudes de l'histoire et la Révolution eut la bonne idée de le transformer en musée en 1791. Le 27 juillet 1793, un décret de l'Assemblée l'officialisa au nom de *Museum central des Arts* et il fut alors ouvert au public. Et puis, à la réflexion, il subsiste quand même pas mal de témoignages avec une belle capacité d'évocation...

Départ

Partir du ***métro Palais Royal*** *(plan, **1**)* et prendre la rue Saint-Honoré, vers Concorde. Compter entre 3 et 4 km (dépendant de vos allées et venues dans le jardin des Tuileries).

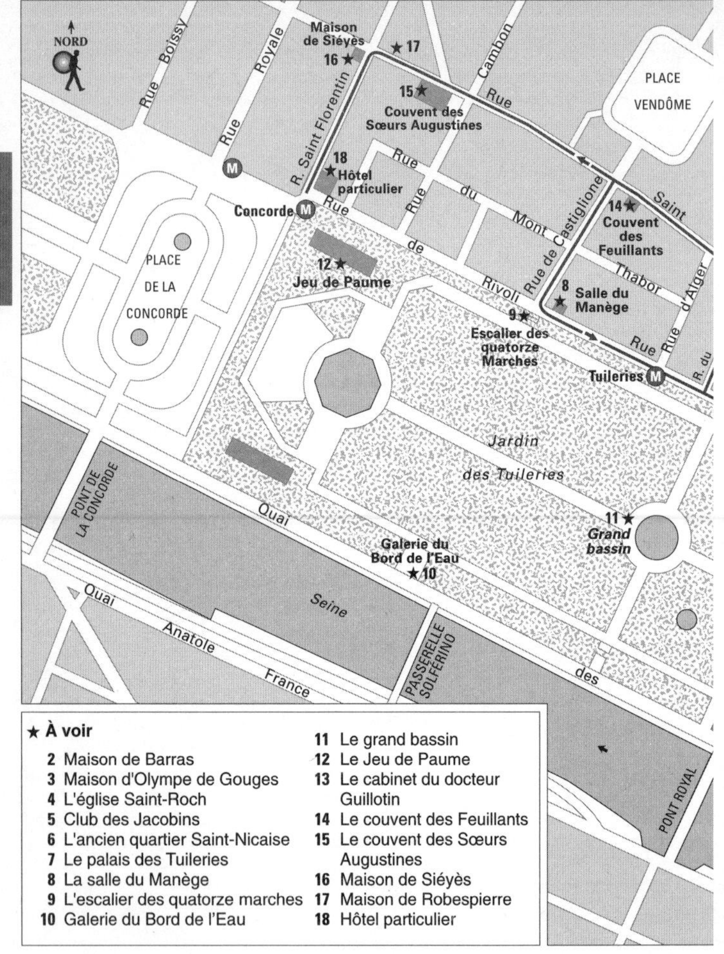
NORD
Rue Boissy
Rue Royale
Maison de Siéyès
16 ★
★ 17
R. Saint Florentin
Rue Cambon
15 ★
Couvent des Sœurs Augustines
PLACE VENDÔME
18 ★ Hôtel particulier
Rue du Mont Thabor
Rue de Castiglione
Rue Saint
14 ★ Couvent des Feuillants
Concorde
Rue de Rivoli
PLACE DE LA CONCORDE
12 ★ Jeu de Paume
8 ★ Salle du Manège
Rue d'Alger
9 ★ Escalier des quatorze Marches
Tuileries
R. du
Jardin des Tuileries
11 ★ Grand bassin
PONT DE LA CONCORDE
Quai des
Galerie du Bord de l'Eau ★ 10
Seine
Quai Anatole France
PASSERELLE SOLFÉRINO
PONT ROYAL
★ À voir
2 Maison de Barras
3 Maison d'Olympe de Gouges
4 L'église Saint-Roch
5 Club des Jacobins
6 L'ancien quartier Saint-Nicaise
7 Le palais des Tuileries
8 La salle du Manège
9 L'escalier des quatorze marches
10 Galerie du Bord de l'Eau
11 Le grand bassin
12 Le Jeu de Paume
13 Le cabinet du docteur Guillotin
14 Le couvent des Feuillants
15 Le couvent des Sœurs Augustines
16 Maison de Siéyès
17 Maison de Robespierre
18 Hôtel particulier

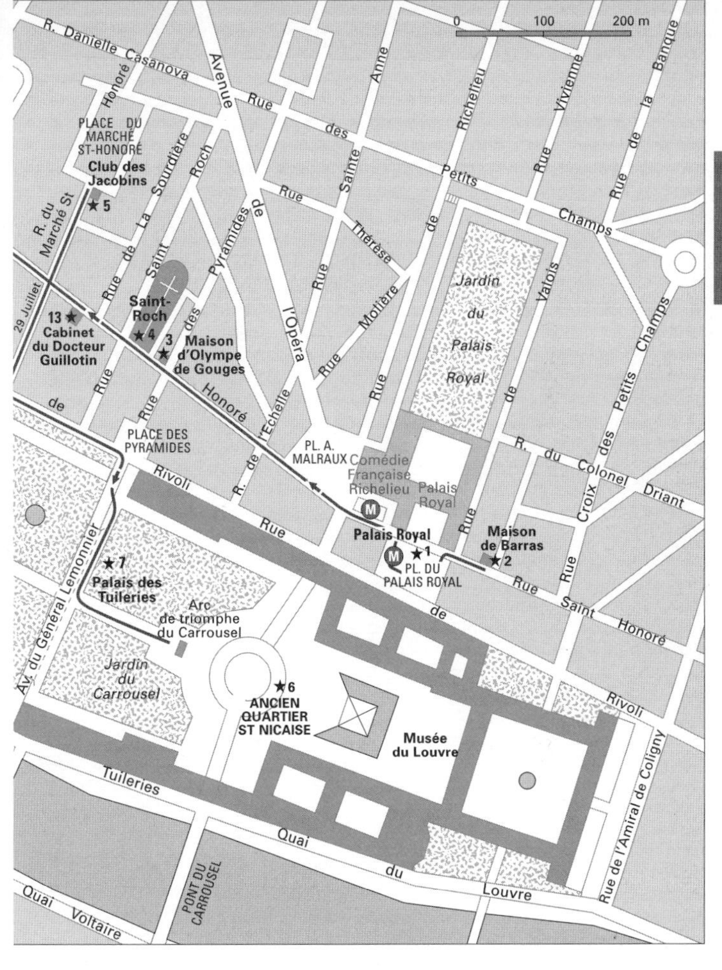

LA RÉVOLUTION FRANÇAISE AUTOUR DU LOUVRE ET DES TUILERIES

À voir

★ ***La rue Saint-Honoré :*** axe principal du quartier, importante voie commerciale, elle vaut son pesant d'histoire. Du fait de la proximité du Manège, épicentre de la vie politique également. De nombreux clubs pour en être plus proches, élurent domicile dans ses environs immédiats. Au n° 82 (dans la portion de la rue entre le Palais-Royal et les Halles) habitait le capucin Chabot, inventeur de l'expression « sans-culotte » (et guillotiné en avril 1794). Barras aurait habité une maison au n° 194 *(plan, **2**),* au début de la Révolution (au coin de la rue des Bons-Enfants).

★ ***Une passionaria de la Révolution !*** *(plan, **3**)* ***:*** au n° 270, rue Saint-Honoré (et rue des Pyramides), habita ***Olympe de Gouges***, l'une des figures les plus marquantes de l'époque. L'histoire parle relativement peu des femmes de la Révolution, mais il faut dire qu'elle ne leur laissa guère de place aussi. Olympe était une belle femme, autodidacte, très cultivée et qui écrivit également une œuvre théâtrale et poétique. Ardente militante des droits sociaux de l'homme puisqu'elle réclamait « des refuges pour les vieillards sans forces, les enfants sans appui et les veuves ». Elle pourfendait bien sûr l'esclavage et faisait montre d'un féminisme batailleur et chaleureux qui ne plut pas nécessairement à nombre de soit-disant révolutionnaires de l'époque! En septembre 1791, elle publia la *Déclaration des droits de la femme et de la citoyenne*, en défense, disait-elle, de « ce sexe autrefois méprisable et respecté et depuis la Révolution, respectable et méprisé... » Installée là, toute proche de l'Assemblée, elle se trouvait donc aux premières loges de tous les combats féministes, notamment celui de la représentation parlementaire et politique des femmes, quasi nulle à l'époque. On ne peut résister de vous livrer cet extrait de l'un de ses discours : « Nul ne doit être inquiété pour ses opinions, mêmes fondamentales. La femme a le droit de monter sur l'échafaud, elle doit avoir également le droit de monter à la tribune! ». Les machos, mysos et autres phallos finirent bien par avoir sa peau. Jugée (sans avocat) pour offense à la souveraineté du peuple, elle fut guillotinée le 3 novembre 1793...

★ ***L'église Saint-Roch*** *(plan, **4**)* ***:*** 286, rue Saint-Honoré. Édifiée au XVIIe siècle, œuvre de Lemercier (l'architecte du Louvre) et sa première pierre fut posée par Louis XIV en 1653. On y enterra du beau monde (le poète Pierre Corneille, le jardinier Le Nôtre, l'amiral Dugay-Trouin, Diderot, l'amiral de Grasse, etc.). Façade mutilée à la Révolution. Un promoteur proposa de racheter l'église, de l'ouvrir côté chœur pour la transformer en rue commerçante, avec ses chapelles sur les bas-côtés transformées en boutiques. Une idée intéressante car Saint-Roch, avec ses 125 m, était l'une des églises les plus longues de Paris, mais le projet n'aboutit point! Le 5 octobre 1795, Barras chargea Bonaparte de réprimer une émeute royaliste menaçant la Convention. Le gros des réactionnaires était massé devant l'église Saint-Roch. Bonaparte fit tirer au canon (normal, pour un artilleur!) et en 2 h (et 200 morts), tout fut réglé. Cette efficacité ne fut pas pour peu dans les importants commandements qui suivirent, socles de sa montée en puissance vers le pouvoir! Sur la façade, malgré la rénovation en cours, peut-être distinguera-t-on encore les quelques traces du mitraillage.

★ ***Le club des Jacobins*** *(plan,* ***5****)* **:** l'un des acteurs les plus importants de l'époque. L'entrée du couvent des Jacobins (les dominicains) qui l'hébergeait se situait à hauteur du n° 328, rue Saint-Honoré. À propos, les dominicains étaient appelés *jacobins* parce que leur maison-mère était situé rue Saint-Jacques. À la fermeture du couvent, *Le Club Breton* (qui regroupait les députés bretons et avait bien sûr suivi l'Assemblée, de Versailles à Paris) s'y installa et rapidement changea son nom en celui de *club des Amis de la Constitution*, puis après l'occupation de l'église, par celui des *Jacobins* (Robespierre avait horreur de ce nom). En fait, c'est l'usage qui provoqua ce dernier changement, les gens ayant pris l'habitude de dire : « on va aux Jacobins »... Au début, les réunions étaient réservées aux seuls membres du club, mais devant le succès d'affluence, elles furent ouvertes au public à partir de 1791. Celui-ci raffolait venir écouter les ténors de la Révolution, Danton, Hébert et, surtout, Robespierre. Rapidement d'ailleurs, le club devint celui de Robespierre et des Montagnards, surtout après le 10 août 1792. Déjà, en 1791, son aile modérée (Barnave, La Fayette, etc.) avait scissionné et fondé plus loin le *club des Feuillants*. Le club des Jacobins se révélait un formidable laboratoire pour tester les idées, roder les discours, chauffer le public, avant d'aller affronter l'Assemblée. Au plus fort de sa puissance, la vrai ligne politique de la Révolution, c'était bien celle des jacobins qui, en outre, avaient réussi à essaimer en plus de 1 200 clubs dans toute la France! Hélas, pas de vestiges du club. Un panneau à l'entrée de la place du Marché-Saint-Honoré rappelle seulement sa présence et narre un bout d'histoire. Le bâtiment de verre au centre (de Ricardo Bofill), qui succéda à un marché couvert, s'élève exactement à l'emplacement de la chapelle où se tenaient les réunions du club.

★ ***Le quartier de la rue Saint-Nicaise*** *(plan,* ***6****)* **:** on imagine facilement la zizanie que créa, dans ce quartier tranquille, le retour du roi en octobre 1789. Sans compter qu'il fallut y loger plusieurs centaines de membres de la suite royale. Le treillis de ruelles et venelles y était si dense et sombre (à cause des hautes galeries du Louvre) que le soir de la fuite à Varennes, le 20 juin 1791, Marie-Antoinette s'y égara et arriva en retard au rendez-vous. Ce contretemps, en pertubant le *timing* de la fuite, fut probablement fatal à la famille royale.

★ ***La place du Carrousel***, nommée ainsi en souvenir d'un mémorable carrousel organisé par Louis XIV en 1662, commandait l'entrée du château. À la Révolution, elle prit le nom de *place Fraternité* et accueillit, à partir du 21 août 1792, la guillotine pendant 9 mois. Elle ne la quitta qu'à deux occasions, dont l'exécution du roi, le 21 janvier 1793.

★ ***Le palais des Tuileries*** *(plan, 7) :* construit à partir de 1564 par la reine Catherine de Médicis, remanié par Le Vau un siècle plus tard, il avait été littéralement squatté, après le départ de Louis XIV, par des nobles et des artistes de la cour qui en furent expulsés pour permettre l'installation de la famille royale. Laissé dans un état épouvantable, avant les travaux de rénovation, le roi dut quasiment camper. Les gens venaient nombreux à l'entrée de la cour du palais pour tenter de l'apercevoir. L'année 1790 se passa d'ailleurs bien. En 1791, avec la fuite à Varennes, les relations avec les Parisiens tournèrent à l'aigre. Enfin, le peuple, excédé par la vie difficile et les veto royaux à tous les décrets de l'Assemblée, finit par envahir pacifiquement le palais le 20 juin 1792 et force le souverain à coiffer un bonnet phrygien et à boire un verre de vin à la santé de la Nation. Le jour de l'insurrection du 10 août, il en fut autrement. Des coups de feu tirés du balcon provoquèrent de nombreux morts parmi les bataillons de fédérés (dont celui des Marseillais) qui avaient investi la cour du château. La réplique des insurgés se révéla sanglante également. Plusieurs centaines de gardes suisses furent massacrés. Le roi se réfugia au Manège qui abritait l'Assemblée constituante, tout à côté. Le château fut ensuite entièrement pillé. La convention s'y installa le 10 mai 1793, marquant on ne peut plus symboliquement la prise du pouvoir du peuple. Encore plus symbolique, l'installation du *Comité de Salut public* dans l'appartement de la reine. Les réunions où s'engageaient les discussions les plus rudes, d'où émanaient les plus redoutables décisions qui soient, se tenaient dans... sa chambre à coucher (quand même plutôt emblématique d'un certain raffinement par le décor, de légèreté pour le mode de vie). Pour le coup, on ne peut imaginer situation plus contrastée et ironique tout à la fois ! L'Assemblée quant à elle s'installa dans la « Salle des Machines », un ancien théâtre. Les députés y siégèrent jusqu'au coup d'État de Bonaparte en 1799. Enfin, les Tuileries brûlèrent en 1871, lors de la Commune de Paris. Malgré un projet de Viollet-le-Duc, on renonça à le reconstruire et les pierres furent vendues et éparpillées. Certaines furent acheminées jusqu'en Corse pour édifier le château d'un aristo. À propos, quelques vestiges du château subsistent. Entre autres, une des arcades du portique construit par Philibert de l'Orme et deux colonnes du pavillon construit par Jean Bullant. Ils se situèrent longtemps derrière le Jeu de Paume et devraient être, paraît-il, remontés bientôt au Carrousel.

★ ***Le Manège*** *(plan, **8**)* **:** il se tenait le long de la terrasse des Feuillants, à l'emplacement de la rue de Rivoli aujourd'hui, à la hauteur de la rue de Castiglione. Bâti en 1720 pour les leçons d'équitation du jeune roi Louis XV, il faisait 80 m de long sur 20 de large. C'est là que s'installa, le 9 novembre 1789, l'Assemblée constituante. Face au n° 230, rue de Rivoli (l'hôtel *Meurice*), sur la grille (à l'emplacement précis du fauteuil du président de l'Assemblée), une inscription rappelle tous les grands événements qui se tinrent au Manège (l'Assemblée constituante, la législative à partir du 1er octobre 1791, puis l'instauration de la République et le début de la Convention, le 21 septembre 1792, etc.). Le célèbre docteur Guillotin fut chargé de rendre la salle opérationnelle, mais les conditions de travail restèrent toujours très inconfortables : entassement des députés, acoustique épouvantable, hivers glaciaux, étés étouffants, etc. Le peuple s'entassait dans les tribunes, bruyant et souvent exalté, faisant une pression permanente sur les députés, poussant souvent ces derniers à la démagogie. Les bureaux des commissions se répartissaient à côté, dans l'ancien couvent des Feuillants. On imagine aisément l'animation, les va-et-vient incessants dans le quartier à l'époque (d'autant plus que les fameuses galeries du Palais Royal se trouvaient à deux pas), mon tout sur fond de rue Saint-Honoré, seul axe urbain, vertigineuse de foules, de bruits, de rumeurs et du grincement des roues cerclées des charrettes amenant les condamnés place de la Révolution...

★ ***Le jardin des Tuileries :*** côté Feuillants, la sortie du Manège (face à la rue de Castiglione), vers les jardins, se faisait par un escalier de quatorze marches en pierre *(plan, **9**)*. Il y est encore. Possibilité de les grimper lentement en songeant à tous ceux, célèbres ou inconnus, qui les gravirent (le roi et sa famille fuyant l'émeute, quatre à quatre sûrement!). En méditant aussi au nombre de navettes chargées d'espoirs déçus qui s'y déroulèrent entre le roi et l'Assemblée, avant le 10 août 1792, avant la rupture définitive avec le peuple! Longtemps, les députés se contentèrent de rester sur la terrasse des Feuillants, laissant celle du Bord de l'Eau à la famille royale *(plan, **10**)*. Vraiment attentifs, ils firent même creuser des bassins à canards et construire des volières pour son agrément. Cette situation consensuelle ne dura cependant pas. Un ruban tricolore vint délimiter les deux terrasses, celle de la Nation et... celle du roi, appelée de Coblentz, du nom de la ville allemande où s'étaient réfugiés une grande partie des émigrés hostiles à la République. Après le départ du roi pour le Temple, on fit pousser dans les jardins de la pomme de terre pour lutter contre la famine. Ils retrouvèrent une partie de leur lustre, le 8 juin 1794, à l'occasion de la Fête de l'Être Suprême (organisée par le peintre David). Allez au ***grand bassin*** rond (après le Carrousel, *plan, **11***), épicentre des événements culturels. Essayez d'imaginer, flottant sur le bassin, toutes les représentations des vices (l'égoïsme, la discorde, l'ambition, la fausse simplicité, etc.). Au milieu de tout cela, une pyramide de bois à laquelle Robespierre met le feu, dans le but de faire émerger la sagesse. Puis, un discours attendu de l'Incorruptible sur les vertus de l'Être Suprême, au pied du char de l'agriculture et de la culture, peint tout en rouge et transportant une représentation de la Liberté, une charrue, une presse à imprimer, des produits agricoles, etc. Tandis que s'élèvent les voix de plus de 2 000 choristes, accompagnés de 1 000 musiciens... Quelle époque ! Enfin, dominant la place de la Concorde, deux terrasses. Sur celle accueillant le ***Jeu de Paume*** *(plan, **12**),* on trouvait un restaurant-buvette surnommé le *Cabaret de la Guillotine,* avec, bien sûr, vue privilégiée sur les exécutions. Au menu était même précisée la « fournée du jour » !

★ ***Derniers pas rue Saint-Honoré :*** au n° 209 *(plan, **13**),* à côté de la belle pharmacie Saint-Honoré, le docteur Guillotin ouvrit son cabinet après la Révolution (pas de plaque). Il y mourut en 1814. Quelle ironie quand même de s'être installé là, sur le parcours qu'empruntèrent précisément ceux et celles qui goûtèrent à sa « légère fraîcheur sur le cou ! ». À côté, au n° 211, emplacement de l'hôtel de Noailles où se maria La Fayette à l'âge de 16 ans et qui fut sa résidence parisienne jusqu'en 1784. Pendant la Révolution, l'hôtel abrita divers comités révolutionnaires.

★ ***Le couvent des Feuillants*** *(plan, **14**) :* au n° 235, plaque indiquant l'emplacement du couvent des Feuillants. Au n° 229, nouvelle plaque précisant quelques éléments d'histoire. L'immeuble sur rue (de 1782) était une dépendance du couvent. L'église, fermée en 1790, accueillit l'année suivante le club des Feuillants fondé par des dissidents modérés des jacobins (comme La Fayette). Le club ne survécut pas à l'insurrection du 10 août 1792. La famille royale y passa trois nuits après la prise des Tuileries, sur des matelas à même le sol. Dans la cour du 219, à droite, vestige du chevet de l'église abbatiale (un haut mur arrondi). Elle servit de buvette pour les députés qui siégèrent aux différentes assemblées du Manège. L'église fut également prêtée à David pour l'exécution de son tableau *Le Serment du jeu de paume.* Tous les bâtiments conventuels furent démolis en 1804.

★ Du n° 237 au 251 (le secteur délimité par les rues de Rivoli, du Mont-Thabor et de Castiglione), s'élevait le ***couvent des Capucins*** (démoli en 1804 aussi). Y était enterré le fameux père Joseph, conseillé occulte de Richelieu, surnommé « l'éminence grise » et qui laissa l'expression dans l'histoire. Au n° 263 *bis* (face à la rue Duphot, *plan, **15***), se trouvait le ***couvent des Sœurs augustines***, dont il ne subsiste aujourd'hui que l'église à coupole (Notre-Dame de l'Assomption). Les obsèques de La Fayette (en 1834) et de Stendhal (en 1842) s'y déroulèrent. Enfin, au n° 273 *(plan, **16**)*, habitait Siéyès lorsqu'il siégeait à la Convention. Il faudrait beaucoup d'imagination aujourd'hui pour reconstituer mentalement le cabaret ***Au Saint-Esprit*** qui se tenait à côté (au n° 275). Rendo préféré de ceux qui ne rataient pas une charrette de condamnés sur le chemin de la guillotine, lorsqu'elle fonctionnait place de la Révolution. À l'étage, vivait un certain Héron, révolutionnaire fanatique qui cacha Marat en 1790 après qu'il eut proféré quelques excès d'écrit et de langage envers l'Assemblée constituante (comme pendre quasiment tous les députés, jugés par lui trop mous!).

★ ***La maison de Robespierre*** *(plan, **17**)* ***:*** 398, rue Saint-Honoré (plaque au mur). L'Incorruptible quitta la rue de Saintonge par un curieux hasard. En 1791, marchant dans la rue, au retour d'une fête au Champ-de-Mars, il fut reconnu et ovationné par une foule enthousiaste. Pris de panique, il se réfugia ici chez le menuisier Duplay. Ils sympathisèrent tellement que Robespierre vint habiter chez lui en juillet 1791. Il occupait, sur le côté gauche de la cour, deux petites pièces en étage, au-dessus de l'atelier de menuiserie. L'escalier que vous verrez à l'entrée menait aux appartements sur rue (habités par son frère cadet et sa sœur Charlotte). Au fond de la cour, le logement de Duplay. Il avait fait fabriqué un petit escalier privé pour Robespierre, afin de garantir sa tranquillité. Toujours sarcastique, Danton avait surnommé la maison « le temple du rabot et du ragot ». Bien que façade et bâtiments sur cour aient été surélevés depuis et que le petit escalier ait disparu, on peut ici imaginer et reconstituer sans peine (bien mieux que pour Danton et Marat) la rentrée tardive d'un Robespierre exténué venant chercher calme et réconfort dans le cocon rassurant de la famille Duplay (ne dit-on pas aussi qu'il y eut anguille sous roche avec une des filles Duplay!).

★ ***La place de la Concorde :*** aménagée en 1757 sur un terrain vague en l'honneur de Louis XV, elle fut inaugurée en 1763 et achevée en 1772. C'est l'architecte Gabriel qui gagna le concours devant 18 concurrents. Auteur également des deux élégants édifices à colonnes de part et d'autre de la rue Royale (dont le garde-meuble de la Couronne). Aujourd'hui, les hôtels Crillon et de la Marine. La place était octogonale, entourée d'un fossé de 20 m de large que franchissaient six ponts de pierre. Quand la statue équestre de Louis XV fut placée, ce dernier n'était déjà plus le « Bien Aimé ». Grincement annonciateur de la Révolution, on retrouva, un matin, une pancarte accrochée au cou du cheval : « Oh! la belle statue! Oh! le beau piédestal! Les Vertus sont à pied, le Vice est à cheval! » En 1770, les festivités entourant le mariage de Louis et de Marie-Antoinette finirent en drame. Une fusée de feu d'artifice retomba sur le stock provoquant un énorme incendie et une panique incroyable :

des échafaudages surchargés s'effondrèrent, des gens furent piétinés rue Royale, d'autres étouffés sous l'avalanche de corps dans les fossés de la place. Bilan : 133 morts ! Le règne de Louis XVI commençait bien mal... En 1790, achèvement du pont de la Concorde (avec les pierres de la Bastille). En 1792, elle prend le nom de place de la Révolution. La statue de Louis XV (réalisée par Bouchardon) fut bien entendu détruite au lendemain du 10 août et remplacée par une Liberté en plâtre. En route vers l'échafaud, Madame Roland s'écria sur son passage : « Liberté, liberté, que de crimes on commet en ton nom ! ». Cependant on n'y guillotina pas de suite en masse : une première fois seulement, pour l'exécution des voleurs des bijoux de la Couronne (en octobre 1792), puis le 21 janvier 1793 pour celle de Louis XVI. Quand il quitta le Temple, toute les rues menant à la place de la Révolution étaient bordées de plusieurs rangs de gardes nationaux, dans un lourd silence, rompu de temps à autre par les roulements de tambours. Autour de la place, plusieurs dizaines de milliers d'hommes de la garde nationale. Le roi protesta qu'on doive lui attacher les mains et ses dernières paroles (« Peuple, je meurs innocent ! ») furent couvertes par les tambours. Puis Sanson, le bourreau, montra la tête à l'assistance. La guillotine ne s'y installera définitivement que le 11 mai 1793, jusqu'au 9 juin 1794. Elle partira ensuite place du Trône et ne reviendra que pour l'exécution de Robespierre et des derniers Montagnards. Sur les 2 498 personnes décapitées durant toute la Révolution, 1 119 le furent place de la Révolution. Quelques illustres personnages (outre Louis XVI) qui s'arrêtèrent à Concorde : Danton, Charlotte Corday, les Girondins, Hébert, Philippe Égalité, Lavoisier, Marie-Antoinette, Madame Roland, Madame Élisabeth, la Barry, enfin Robespierre, Saint-Just, Couthon, Henriot, etc.
Au coin Rivoli-Saint-Florentin *(plan, **18**)*, bel hôtel particulier conçu là aussi par Gabriel. Il abrita en 1792, l'ambassade de la République de Venise, puis fut transformé en fabrique de salpêtre (Talleyrand l'acheta en 1812 et y mourut en 1838).

★ ***La chapelle expiatoire** (hors plan) :* enfin, pour ceux, celles se faisant la totale, fin du parcours à cette chapelle située square Louis XVI (tiens, tiens !), au coin de la rue d'Anjou et du boulevard Haussmann. C'est là que se trouvait l'ancien cimetière de la Madeleine où furent inhumées les 500 personnes guillotinées place de la Révolution, dont les gardes suisses massacrés le 10 août 1792, Louis XVI et Marie-Antoinette. À la suite de plaintes virulentes des riverains du cimetière, le reste des victimes (dont Robespierre) fut ensuite enterré sur un terrain moins urbanisé, près de la barrière de Monceau, le long du mur des Fermiers généraux (les *Errancis*, littéralement les « estropiés »). De retour au pouvoir, Louis XVIII fit exhumer les restes de Louis XVI et Marie-Antoinette et les fit transférer solennellement à la basilique Saint-Denis. Tandis que se construisait à l'emplacement du cimetière de la Madeleine, une chapelle expiatoire des crimes de la Révolution française. Visite non obligatoire, bien sûr, pour les républicains purs et durs qui achèveront alors leur parcours à Concorde et reprendront leur métro du même nom sans remords. Quant aux autres, ceux qui auront suivi cette saga jusqu'au bout, ils auront le choix entre Saint-Lazare et Saint-Augustin, des stations en odeur de sainteté !

LE PARIS ÉGYPTIEN

BALADE n° 9 : 4 km environ (7 km pour les égyptomaniaques qui ont du temps!) – au moins 4 h (et 2 h de plus si l'on intègre le Louvre).

Un peu d'histoire

Exotisme, spiritualité, sagesse, vie éternelle... autant de valeurs rattachées à l'Égypte et pourtant présentes dans les rues de Paris! Alors pour vous évader l'espace de quelques heures, nous vous proposons de dénicher ces héritages, leur signification et l'engouement pour une civilisation millénaire dont l'influence ne date pas d'hier.
Bien sûr, la campagne d'Égypte de Napoléon en 1798 passionnera les foules qui s'intéresseront à tout ce qui touche à l'Égypte. Napoléon Bonaparte entreprend cette campagne hasardeuse pour arrêter les Anglais dans leur progression vers les Indes. Militairement déplorable, politiquement sans lendemain, elle connaît cependant une aura considérable, car elle instaure un tournant qui fait basculer la politique et l'art français. Dès la publication des récits des savants et chercheurs, Paris oublie les défaites et reste magnétisé par les récits des victoires, l'héroïsme des soldats, l'exotisme des lieux. Aussi assiste-t-on à la métamorphose de notre architecture, peinture et sculpture : le robuste néoclassicisme s'imprègne de sphinx, lions, obélisques, pyramides...
Mais avant cela, Marie-Antoinette avait contribué au développement de la mode égyptienne, tandis que la franc-maçonnerie revendiquait des sources égyptiennes et notamment sa « sagesse ». Encore plus tôt, dès le XVIe siècle, les grandes entrées royales sont l'occasion de décors égyptisants.

Départ

Départ de l'itinéraire : ***place de la Concorde***. M. : Concorde. Compter 6-7 km et au minimum 4 h de balade, si l'on veut tout faire. À notre avis, l'itinéraire le plus intéressant s'arrête rue du Caire (et on le réduit de moitié!). Après, c'est vraiment pour exégètes ou égyptoolics!

À voir

★ ***Place de la Concorde*** *(plan,* ***1****)* **:** en 1814, la place de la Concorde a retrouvé son nom royal, place Louis XV. Mais débarrassée de ses compromettantes statues royales et guillotines révolutionnaires, elle devait faire l'objet d'un réaménagement. De nombreux projets furent proposés, parmi lesquels l'***obélisque*** revenait fréquemment. « Il ne rappelle aucun événement politique » remarque Rambuteau.
Le fait de vouloir faire venir une antiquité égyptienne (en pleine égyptomania) constituait de loin le projet le plus excitant. C'est ainsi que, sous Charles X, sur les conseils et par l'intermédiaire de Champollion les négociations vont commencer avec le pacha Méhémet Ali pour obtenir les obélisques de Louxor.
Rappelons que Champollion, père-fondateur de l'égyptologie et savant audacieux, avait déchiffré les hiéroglyphes grâce à la pierre de Rosette en 1822. On raconte que cette découverte lui fit un tel choc qu'il s'évanouit et ne se réveilla que 5 jours plus tard... Son rôle fut déterminant pour l'étude de cette civilisation mais aussi dans les relations franco-égyptiennes. Enfin, Méhémet Ali offrit les deux obélisques à Charles X et c'est alors que débuta une longue et laborieuse aventure visant à faire voyager ces monolithes de 227 t chacun et hauts de 23 m.
Un bateau à fond plat : *le Louxor* (3 mâts) a été spécialement construit et mis à l'eau le 26 juillet 1830. On abat l'un des deux monolithes en commençant par le plus petit. Mais l'expédition est vite menacée par une épidémie de choléra qui se répand en Égypte en 1830. Ça commence mal ! Le retard de l'expédition s'accentue à cause de la crue qui empêche le navire d'appareiller. Il arrive enfin à Paris le 23 décembre 1833. L'érection a lieu le 25 octobre 1836. Entre temps, d'autres emplacements furent imaginés. Après avoir longtemps tergiversé sur le lieu à lui attribuer (Cour Carrée du Louvre, Place de la Madeleine, du Panthéon...), on revient à l'idée initiale : la Concorde.
C'est alors que naît une longue controverse sur la restitution ou non d'un pyramidion en bronze doré. Il fallait apporter la preuve que cet accessoire existait à l'époque antique, preuve qui ne sera apportée que récemment. L'autre obélisque est resté à Louxor, tout seul devant le temple.
Hittorff se voit confier le reste de l'aménagement : deux fontaines monumentales, allégories de la navigation maritime et fluviale, vingt colonnes rostrales-lampadaires en fonte et, posées sur les guérites du XVIIIe siècle, les huit célèbres statues des grandes villes de France (Nantes, Bordeaux, Lyon, Marseille, Brest, Rouen, Lille et Strasbourg).
L'obélisque de Louxor, dressée au cœur d'une des plus belles places de Paris, symbolise donc les liens étroits qui unissent l'Égypte et la France depuis deux siècles.

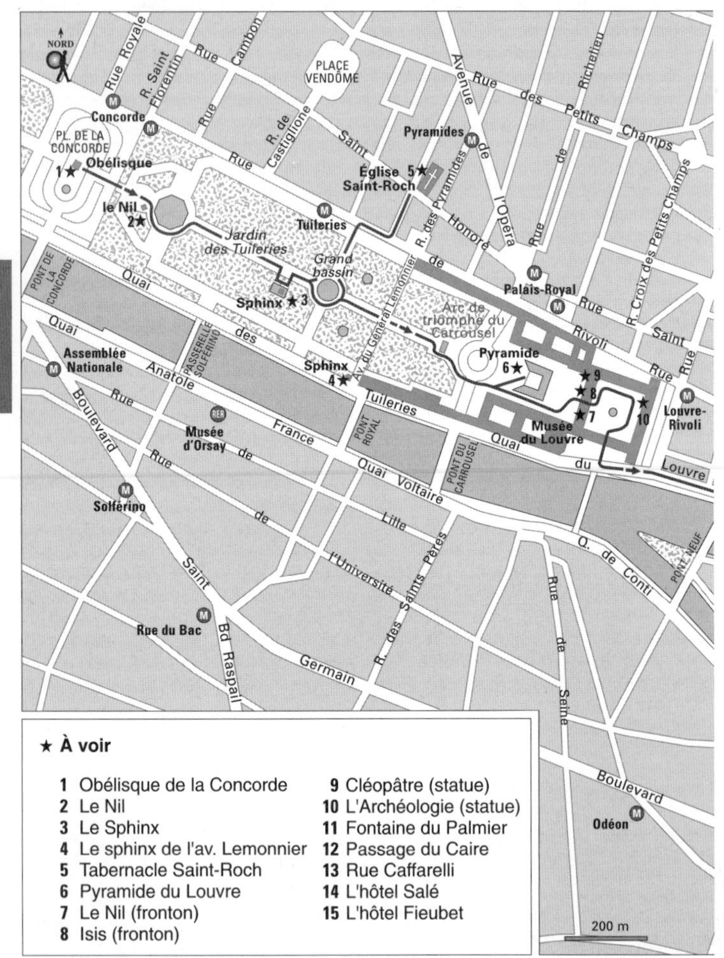
NORD
Rue Royale
R. Saint Florentin
Rue Cambon
PLACE VENDÔME
Avenue de l'Opéra
Rue des Petits Champs
Rue de Richelieu
Concorde
PL. DE LA CONCORDE
1 Obélisque
Rue Saint Honoré
R. de Castiglione
Pyramides
Église Saint-Roch 5
R. des Pyramides
R. Croix des Petits Champs
le Nil 2
Tuileries
Jardin des Tuileries
Grand bassin
Av. du Général Lemonnier
Palais-Royal
Rue de Rivoli
Rue Saint Honoré
PONT DE LA CONCORDE
Quai des Tuileries
Sphinx 3
Arc de triomphe du Carrousel
Pyramide 6
Quai Anatole France
Assemblée Nationale
PASSERELLE SOLFERINO
Sphinx 4
9
8
7
10
Louvre-Rivoli
Musée d'Orsay
PONT ROYAL
PONT DU CARROUSEL
Musée du Louvre
Quai du Louvre
Boulevard Saint Germain
Rue de Lille
Quai Voltaire
Solférino
Rue de l'Université
R. des Saints Pères
Q. de Conti
PONT NEUF
Rue du Bac
Bd Raspail
Rue de Seine
Odéon
200 m
★ À voir
1 Obélisque de la Concorde
2 Le Nil
3 Le Sphinx
4 Le sphinx de l'av. Lemonnier
5 Tabernacle Saint-Roch
6 Pyramide du Louvre
7 Le Nil (fronton)
8 Isis (fronton)
9 Cléopâtre (statue)
10 L'Archéologie (statue)
11 Fontaine du Palmier
12 Passage du Caire
13 Rue Caffarelli
14 L'hôtel Salé
15 L'hôtel Fieubet

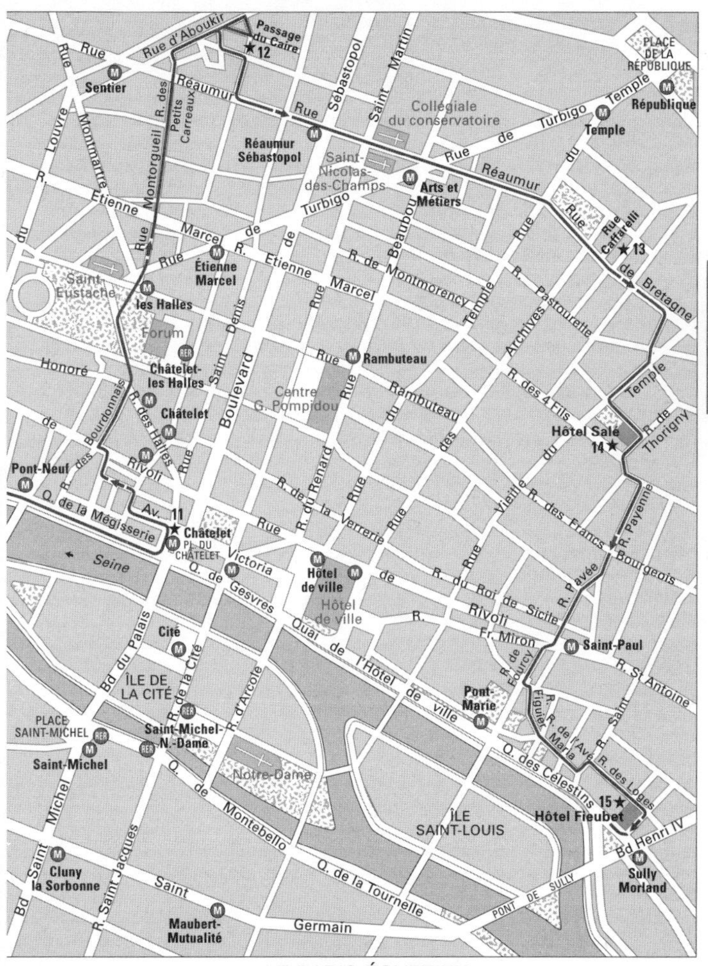

LE PARIS ÉGYPTIEN

Sur les bas-reliefs, on peut voir des représentations de Ramsès II (1276-1275 av. J.-C.) faisant des offrandes au dieu Amon-Ré.
– Anecdote : 1827, l'arrivée à Paris de la girafe offerte à Charles X par Méhémet Ali fera sensation et viendra relancer l'intérêt de la population pour l'Égypte (morte en 1845 au Jardin des Plantes).

★ ***Jardin des Tuileries :*** en entrant, sur la droite à côté du bassin octogonal, on rencontre une copie du *Nil (plan, **2**)* dont l'original est au Vatican et date de 1692. Le Nil est toujours représenté sous les traits d'un homme barbu, allongé, portant une corne d'abondance et s'appuyant sur un sphinx. Celui-ci est nonchalamment accoudé; un crocodile et une ribambelle d'enfants jouent autour de lui. En empruntant l'allée centrale et au milieu des arbres sur la droite, on découvre un exemple de *sphinx égyptisant (plan, **3**)* qu'on reconnaît à son némès (coiffe des pharaons). Le sphinx est, avec l'obélisque et la pyramide, l'un des symboles les plus connus de l'Égypte antique. Ici, il s'agit de sphinges (corps de lion et buste de femme) assises, ailées, sculptées en 1799 par François Masson. Les experts estiment qu'elles ont certainement été inspirées du trône de marbre de l'époque romaine qui – hasard de l'histoire – était entré comme prise de guerre au Louvre en 1799. Ces deux sculptures prouvent que le développement de la mode égyptienne ne s'est pas fait brusquement mais parfois par le biais d'artistes voyageant en Italie ou copiant des œuvres antiques.

★ ***Avenue du général Lemonnier*** *(plan, **4**)* **:** voici un bien curieux emplacement pour une sphinge arrivée à Paris en 1855 avec le butin de guerre enlevé à Sébastopol par le général Pélissier. L'originalité du sphinx réside dans le fait qu'il n'y en a pas deux identiques (ils se différencient surtout par leur forme, leur pose ou leur coiffure). Sa fonction première est de protéger un temple. Mais une confusion s'est opérée au cour des siècles pour le mélanger avec le sphinx grec, celui qui pose l'énigme à Œdipe. Il inspire la crainte par son expression à la fois calme et de force contenue, par sa musculature puissante et par ses griffes longues et acérées, et surtout par le mélange étrange d'intelligence humaine et de force animale.

★ À signaler un petit détour par ***l'église St-Roch*** *(plan, **5**)* qui abrite un tabernacle en bois, recouvert de plaques de plâtre doré, qui serait inspiré du mobilier du temple de Jérusalem. Décoré de personnages et de scènes (Christ en croix, Flagellation, Mise au tombeau...) dont certaines à l'égyptienne (personnages curieusement ailés!).

★ ***La pyramide du Louvre*** *(plan, **6**)* a fait couler beaucoup d'encre : « la bataille de la pyramide ». L'architecte sino-américain Ieoh Mong Pei a toujours refusé toute filiation égyptienne à sa pyramide, en raison de son utilisation, de sa transparence, de son vide intérieur et de son absence de base. Mais malgré tout, les Parisiens – et le monde entier – l'ont immédiatement reconnue et adoptée comme égyptisante.

★ ***Musée du Louvre*** *(section égyptienne)* **:** un des plus riches départements d'art égyptien au monde. Pas moins de trente salles! Bien entendu, hors de question d'en énumérer tous les chefs-d'œuvre! Remarquable travail de mise en scène et de lumière des œuvres. Disposition moderne offrant deux niveaux de lecture pour capter le promeneur, qu'il soit spécialiste ou élève de 6e. Pièces uniques : le *grand Sphinx de Tanis*, un des plus séduisants par ses qualités plastiques, le *Livre des Morts de Hornedjitef* (plus de 20 m de long!), les étonnantes vitrines de momies d'animaux, le *poignard du Gebel el Arak*, le célèbre scribe accroupi, la *statue de Karomana* (le plus beau bronze égyptien), la galerie funéraire de l'Égypte romaine, les salles coptes, etc.

★ ***Cour Carrée du Louvre :*** plusieurs sculptures de la cour Carrée font référence à l'histoire et à la mythologie égyptiennes. Pour les lecteurs (trices) féru(e)s d'égyptologie, ça vaut le coup d'en détailler les richesses. La décoration de la façade ouest de la cour Carrée n'avait jamais été achevée : les sculptures restaient toutes à faire au début du XIXe siècle. Une ***représentation d'Isis*** *(plan,* ***8****)* n'est, bien sûr, pas étonnante à cette époque, mais les connaissances n'étaient, à son sujet, ni vraiment historiques ni archéologiques. Voilà qui donne lieu à un curieux bas-relief à droite du pavillon de l'horloge : attitudes gênées (emplacements trop resserrés), la représentation d'Isis est comprimée dans une étroite bande verticale, à peine visible du sol. Nue jusqu'à la ceinture, tête surmontée d'un globe et de cornes de vaches (symbole des phases de la lune). Ibis sur son épaule (oiseau sacré) tient un sistre dans la main droite et dans la gauche un lotus. Assise sur un trône orné de caractères hiéroglyphiques. Curieux costume : sorte de jupe plissée ajustée à la taille et resserrée aux chevilles et, par-dessus, le pagne croisé des Égyptiens... Autant d'éléments plutôt fantaisistes.
La déesse égyptienne est sans doute la divinité la plus populaire du panthéon égyptien. Sa renommée tient au rôle essentiel qu'elle joua dans la légende d'Osiris. Une fois devenu roi à la place de son père Geb, Osiris enseigna aux hommes la culture, aidé par Thot et Isis; mais il s'attira l'hostilité de son frère Seth qui l'invita à un festin où se trouvait un coffre taillé aux mesures exactes d'Osiris. Seth ayant proclamé qu'il en ferait don à celui qui le remplirait et Osiris s'y étant installé, Seth referma le coffre et cloua le couvercle et fit ainsi disparaître son frère. Isis se mit alors à la recherche du corps d'Osiris. Elle réussit à retrouver le coffre à Byblos, où il avait échoué. Elle revint en Égypte et se cacha dans le Delta oriental. Mais Seth découvrit sa retraite et s'empara du cadavre d'Osiris, le dépeça en 14 morceaux qu'il dispersa. Isis parvint à en rassembler 13 puis à faire renaître Osiris. Ainsi, non seulement Isis est à l'origine de la

résurrection du dieu Osiris, mais encore elle conçut de lui son fils Horus, qu'elle éleva en secret dans les marais du Delta. Après bien des péripéties, Horus réussit à venger son père. Isis est regardée comme une « femme rusée » dotée de connaissances magiques. Ses connaissances en ce domaine sont avant tout au service de la protection des enfants. Elle est l'épouse fidèle et dévouée même après la mort de son mari ; elle est aussi la mère, ce qui explique sa grande popularité. À l'époque romaine, son culte se répandit dans tout le bassin méditerranéen.

Une autre raison justifie la présence d'Isis sur l'un des frontons du Louvre. On retrouve, en effet, cette déesse dans les légendes concernant les origines de Paris et on a retrouvé la trace d'un très ancien culte d'Isis à Paris. Un événement en soi tout à fait mineur semble avoir servi de révélateur à la légende : en 1514, Mgr Briçonnet ordonne que soit retirée de l'abbaye Saint-Germain-des-Prés, puis brisée, une statue que des vieilles femmes venaient vénérer : or il se serait agi d'une statue d'Isis. Dès lors, toute trace d'Isis à Paris sera perdue, mais une tradition fort ancienne veut que l'abbaye ait été construite sur l'emplacement d'un temple dédié à Isis. Ainsi, pour certains, Paris pouvait vouloir dire « Par Isis ». Bien que cette affirmation ne repose sur rien de précis ou de prouvé, le nom de la déesse se trouve néanmoins lié d'une manière indissociable à celui de la capitale.

En tous cas, la déesse va trouver sa place dans l'histoire de France en servant, bien malgré elle, des intérêts politiques. Elle sera un modèle pour les révolutionnaires qui cherchent à la fois à déchristianiser et à proposer de nouvelles valeurs, qui vont bientôt circuler à travers l'Europe et gagner les États-Unis. Nicolas de Bonneville, 1791, *De l'esprit des religions* : Isis y apparaît comme une « déesse primordiale et pure » ; la religion isiaque est opposée aux cultes sectaires de l'époque contre lesquels s'insurge l'auteur ; selon lui, d'ailleurs, le christianisme a tout emprunté à la religion égyptienne. Puis c'est une Isis surtout politique qui apparaît sous l'Empire, comme en témoigne ce fronton du Louvre : ses nombreuses qualités sont ainsi associées à l'Empereur et contribuent à l'instauration de la légende napoléonienne.

Des études fort sérieuses furent entreprises au début du XIXe siècle, quand on voulut redonner des armoiries à la capitale. Une commission conclut à l'existence du culte d'Isis et à sa liaison certaine avec le navire de Paris. Suprême consécration donc, l'origine isiaque de Paris étant « prouvée » officiellement en 1811, la déesse est alors représentée, assise à la proue d'un vaisseau antique, dans les nouvelles armoiries de la Ville de Paris. Isis demeurera assise à la proue du navire sur les armoiries jusqu'en 1814, quand Louis XVIII ordonna le retour à celles d'avant 1789.

Sur le fronton suivant figure, sculpté par Roland, ***le Nil*** *(plan, **7**)* accompa-

gné du Tibre, d'Hercule et de Minerve (pyramide et crocodile l'accompagnent).
Centre de la façade sud : ne pas quitter le Louvre sans avoir jeté un coup d'œil au ***petit sphinx*** qui figure à l'extrémité gauche du fronton sculpté en 1811 par Jacques-Philippe Lesueur. Fronton consacré à ***Minerve récompensant les Beaux Arts et les Sciences.***
Le palais du Louvre continue, dans la deuxième moitié du XIXe siècle, d'accueillir sculptures et décors évoquant l'Égypte antique :
– rez-de-chaussée de la cour, façade ouest, deuxième niche en partant de la droite : ***Cléopâtre*** (1865) par François Fannière *(plan, **9**).* Noter l'inhabituelle froide attitude (pour ne pas dire revêche).
– Rez-de-chaussée, façade est, deuxième niche en partant de la gauche : *L'Archéologie* (1890-91) par Horace Daillion *(plan, **10**),* tient une petite copie d'Akhénaton assis.

★ ***Place du Châtelet : la fontaine du Palmier*** *(plan, **11**).* Lors de sa construction d'après les dessins de François-Jean Bralle, entre 1806 et 1808, la fontaine dite de *l'Apport-Paris* n'avait encore ni le socle, ni les sphinx que nous lui connaissons aujourd'hui : elle se composait simplement d'une colonne à chapiteaux égyptiens et de cinq statues sculptées par Boizot. C'est au chapiteau palmiforme que la fontaine doit son nom de « fontaine du Palmier ». La création en 1858 de la place du Châtelet actuelle nécessita le déplacement de la fontaine; on en profita pour remédier à son faible débit en lui ajoutant quatre sphinx crachant de l'eau. Comme quoi le sphinx peut réserver bien des surprises : animal du désert et de la soif, le voici transformé en fontaine!
Au début de l'Empire, l'eau est encore à Paris rare et chère. Napoléon décide de réglementer et d'améliorer sa distribution par un décret du 2 mai 1806 : « À dater du 1er juillet prochain, l'eau coulera dans toutes les fontaines de Paris le jour et la nuit, de manière à pourvoir, non seulement aux services particuliers et aux besoins du public, mais encore à rafraîchir l'atmosphère et à laver les rues ». L'eau devait aussi être gratuite et distribuée par quinze nouvelles fontaines dont certaines portent la marque d'une inspiration égyptienne : les fontaines du Palais des Beaux-Arts (devant l'Institut), de l'Apport-Paris (Châtelet), du Fellah (rue de Sèvres), du Château-d'eau (aujourd'hui à la Villette, côté porte de Pantin), de la Paix et des Arts (rue Bonaparte).

★ Au ***n° 22 de la rue Dussoubs***, dans la cour de l'immeuble (souvent fermé because digicode), un enfant nubien, habillé d'un pagne égyptien et d'un némès, porte deux cruches et sert de fontaine.

★ ***Le quartier du passage du Caire*** *(plan, **12**) :* sur la droite, voici la ***rue du Nil***, rivière majestueuse et féconde, déifiée par les Anciens, Égyptiens, Grecs ou Romains et vénérée par l'Occident. Sillonnée de felouques, ses eaux tour à tour brunes et bleues, relient les hautes et basses terres d'Égypte. Ses crues annuelles charrient avec leur limon, la richesse et la vie. ***Rue d'Alexandrie :*** du nom de la cité d'Alexandre le Grand. Ce valeureux conquérant, élève d'Aristote a fondé Alexandrie, célèbre pour son phare, merveille du monde, son école philosophique et sa bibliothèque, brûlée par Jules César lors de l'annexion de l'Égypte. La ***rue d'Aboukir*** évoque la victoire de Bonaparte en juillet 1799 en Égypte et... non les défaites d'août 1798 et de mars 1801 !

Rue du Caire : en mémoire de l'entrée victorieuse des troupes françaises au Caire le 28 juillet 1798. Au n° 44, bel immeuble égyptien de 5 étages. Au rez-de-chaussée, des colonnes papyriformes rappellent l'importance du papyrus, végétal à usages multiples, dont support de l'écriture. En égyptien, le nom *paperao*, signifiant probablement « matériau du pharaon », est la racine du français *papier* et de l'anglais *paper*. Au 1er étage, trois énormes têtes d'Hathor sont surmontées de représentations de l'entrée d'une chapelle (reproduction assez fidèle de chapiteaux de Denderah, Philae ou Deir-el-Medineh). Au-dessus court une frise pseudo-égyptienne représentant des scènes de batailles. De nombreux éléments décoratifs sont empruntés à l'Égypte dont la corniche, curieusement illustrée : le « hiéroglyphe » du centre représentant Auguste Bouginier que les artisans avaient pris comme tête de Turc en raison de l'importance de son appendice nasal. En revanche, les fenêtres des 3e, 4e et 5e étages sont une manifestation du style troubadour, lui aussi alors très à la mode. Curieuse cohabitation entre éléments copiés sur des modèles rigoureusement exacts, d'autres (colonnes et frises) approximatifs, voire des « hiéroglyphes » totalement fantaisistes. L'ensemble formé par le passage et les rues alentour fut baptisé : « Foire du Caire » en 1798. Ainsi entendait-on à la fois magnifier le fait d'armes de Bonaparte en Égypte, et aussi suggérer l'atmosphère du bazar oriental. Passage le plus petit de Paris : 370 m. À l'intérieur, travées rythmées par des pilastres colossaux d'un ordre insolite alliant le dorique et l'égyptien. Extérieur : par son étrangeté, le décor de la façade semble jouer un rôle attractif, voire publicitaire, afin d'attirer le chaland dans le passage commercial.

★ ***Rue Conté :*** entre la rue Vaucanson et Turbigo. Pour mémoire, nom du chimiste, dessinateur et fondateur du Conservatoire des Arts et Métiers. A participé à l'expédition d'Égypte en enrôlant nombre de ses étudiants.

★ ***Rue Caffarelli*** *(plan,* ***13****).* Unijambiste, fidèle parmi les fidèles, ce général de génie participa à la campagne d'Égypte et fut tué au siège de Saint-Jean-d'Acre. Sa rue à Paris fut demandée par l'Empereur en 1806. L'armée l'avait chéri, surnommé par les soldats « la jambe de bois » ou « le Père la béquille ». Quand le moral des troupes était au plus bas, elles se confortaient en le regardant : « Caffarelli se moque bien de nos découragements puisqu'il garde toujours un pied en France ! »

★ ***Hôtel Salé*** *(plan,* ***14****)* **:** 5, rue de Thorigny. Hôtel construit en 1659 pour Aubert de Fontenay qui avait acheté la ferme de la gabelle, impôt sur le sel, d'où le nom de salé qui fut donné de suite à son hôtel. Les sphinx placés à l'entrée des maisons sont plus ou moins consciemment perçus comme étant chargés d'assurer un rôle de protection et d'accueil : leur hiératisme est ainsi devenu bonhomie et leur mystère rassurant. C'est au milieu du XVIIe siècle que les sphinx décorant les hôtels particuliers apparaissent à Paris. L'hôtel Salé en voit les premiers exemples en 1656 : de chaque côté de la cour, à hauteur de la balustrade; deux sphinges surveillent les visiteurs. Elles ont la particularité de croiser leurs pattes avant l'une sur l'autre. Leurs flancs sont ornés de guirlandes et leur némès, très anguleux, est surmonté de tours crénelées.

★ ***Rue Saint-Antoine :*** du nom du moine et théologien égyptien qui contribua à répandre la pensée chrétienne à l'aube de ses temps. Ermite tenté par le diable dans le désert, il a fondé des monastères au Fayoum et sur la mer Rouge. Artère parallèle à la Seine, la rue Saint-Antoine conduisait les souverains du château de Vincennes au Louvre. Elle précède de huit siècles la rue de Rivoli, son prolongement occidental.

★ ***Hôtel Fieubet*** *(plan,* ***15****)* **:** 2 *bis*, quai des Célestins. Les sphinx parisiens sont tous sensiblement de la même dimension mais offrent une grande variété de morphologie; ils se féminisent mais leur visage demeure souvent froid et impersonnel, voire lointain et hautain. Deux sphinges à la mode gardent l'entrée sur la rue depuis 1680. L'aspect hiératique des sphinx égyptiens est ici abandonné au profit d'une pose plus maniérée et elles tournent la tête vers le visiteur. Leur coiffure, dérivée du némès, qui reste néanmoins très reconnaissable, se termine en pointes sur les côtés. Le public fut très frappé, à l'époque, par ces étranges figures. Le maire s'en fit l'écho : « Au-dessus de la porte, l'on voit deux monstres très bien travaillés : ils ont le visage d'une fille, le corps d'un chien, les griffes d'un lion et la queue d'un dragon ». Dommage qu'elles aient été (maladroitement) restaurées.

★ Après qu'elle y soit née et s'y soit développée, la mode de l'égyptomanie va se répandre dans toute l'Europe. Ce thème est un de ceux qui ont représenté à travers le monde ce que Paris apportait de plus novateur. Il a ainsi participé très activement au prestige de notre capitale dans le domaine du développement des arts, tout en témoignant de la perfection du travail de ses artisans. Dès 1822, la découverte par Champollion de la lecture des hiéroglyphes, le développement de l'égyptologie (connaissance scientifique), des voyages et œuvres littéraires... ne porteront jamais atteinte au mythe de l'Égypte, civilisation millénaire, terre de savoir et de culture, de sagesse et de justice, de bonheur et de vie éternelle. Elle reste toujours symbole d'un rêve inaccessible et semble enthousiasmer pour l'éternité (*cf.* le succès des ouvrages traitant du sujet!).

Fin de la balade

Retour par le ***métro Saint-Paul***. Dur de quitter une si belle civilisation!

LA COMMUNE DE PARIS À MONTMARTRE

BALADE N° 10 : 4,5 km – 2 h.

Un peu d'histoire

C'est ici que toute l'affaire commença. Le contexte d'abord : une France écrasée militairement par l'Allemagne, un gouvernement complètement déconsidéré (du général Trochu, chef de gouvernement au moment de la défaite, on disait qu'il était le participe passé du verbe *trop choir*), un appareil d'État désorganisé et, surtout, un peuple parisien profondément républicain, ulcéré et révolté par la trahison des élites politiques (majoritairement royalistes). En outre, la guerre et le siège de Paris ont largement politisé les Parisiens. Par peur d'eux, ***Adolphe Thiers***, nouveau chef de l'exécutif, préfère d'ailleurs installer l'Assemblée à Versailles, « sans craindre le Paris de l'émeute » précise-t-il à l'époque. Logique avec ce raisonnement, redoutant une révolte populaire, Thiers donne l'ordre de s'emparer des canons de la garde nationale (170 à Montmartre et 80 à Belleville). Beaucoup avaient été fondus par souscription populaire par les villes et les quartiers. Le ***18 mars*** à 3 h du matin, c'est le coup de force à ***Montmartre***. La réaction des Parisiens est cependant instantanée : opposition résolue au transfert des canons, fraternisation avec les soldats de Thiers. Le général Lecomte qui avait ordonné de tirer sur la foule est arrêté, ainsi que le général Thomas, l'un des massacreurs de 1848, repéré en civil en train d'espionner ! La suite tout au long de l'itinéraire. Le XVIIIe arrondissement fut donc l'un des hauts lieux de la Commune. À bien des égards, l'un des plus émouvants aussi...

Départ

Début de l'itinéraire au ***métro Blanche*** *(plan, **1**)* : 4,5 km. Hommage à la barricade de la place Blanche ! Compter deux bonnes heures de balade. En fait, si l'on avait suivi la chronologie des événements, on aurait dû démarrer au Sacré-Cœur, vu que c'était sur son emplacement que tout commença. Mais cela se révélait guère pratique (monter là-haut un bref

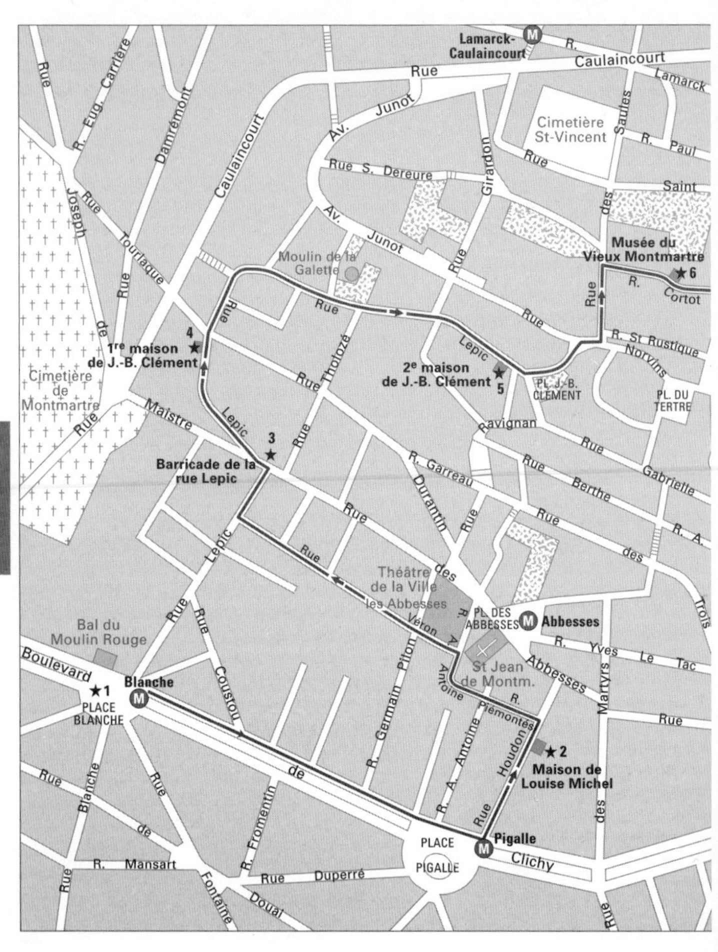

Lamarck-Caulaincourt
Rue Caulaincourt
R. Lamarck
Av. Junot
Cimetière St-Vincent
R. Saules
R. Paul
Rue S. Dereure
Rue Girardon
Saint
Musée du Vieux Montmartre
★6
R. Cortot
Rue des
Rue Eug. Carrière
Rue Damrémont
Rue Caulaincourt
Rue Joseph de Maistre
Rue Tourlaque
Moulin de la Galette
Rue Lepic
Rue Tholozé
4
1re maison de J.-B. Clément
R. St Rustique
Norvins
2e maison de J.-B. Clément
5
PL. J.-B. CLÉMENT
PL. DU TERTRE
Cimetière de Montmartre
Ravignan
Rue Gabrielle
3
Barricade de la rue Lepic
R. Garreau
Rue Durantin
Rue Berthe
R. A.
Rue des Trois
Rue Véron
Théâtre de la Ville les Abbesses
PL. DES ABBESSES
Abbesses
R. Yves Le Tac
Bal du Moulin Rouge
Boulevard de Clichy
Blanche
★1
PLACE BLANCHE
Rue Coustou
R. Germain Pilon
St Jean de Montm.
Rue des Abbesses
R. Antoine
R. Piémontés
Rue des Martyrs
★2
Maison de Louise Michel
Rue Houdon
R. A. Antoine
Rue Blanche
Rue de Fontaine
R. Fromentin
R. Mansart
Rue Duperré
Rue de Douai
PLACE PIGALLE
Pigalle

BALADE N° 10

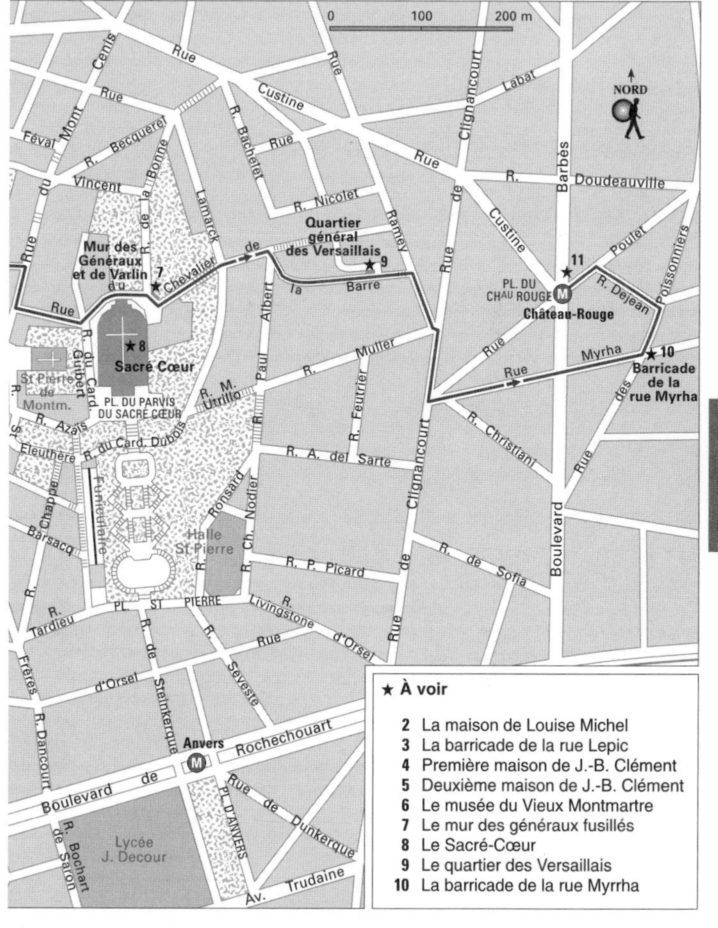

★ À voir

2 La maison de Louise Michel
3 La barricade de la rue Lepic
4 Première maison de J.-B. Clément
5 Deuxième maison de J.-B. Clément
6 Le musée du Vieux Montmartre
7 Le mur des généraux fusillés
8 Le Sacré-Cœur
9 Le quartier des Versaillais
10 La barricade de la rue Myrrha

LA COMMUNE DE PARIS À MONTMARTRE

instant pour redescendre à Blanche). Allons de suite plutôt rendre hommage à une très grande dame...

À voir

★ ***Visite chez Louise Michel :*** elle habitait au n° 24, rue Houdon *(plan,* ***2****)*. Institutrice, membre du comité de vigilance du XVIIIe (fondé par Clemenceau en septembre 1870). Avec la couturière Sophie Doctrinal et Anna Jaclard, d'origine russe, elle monta un corps d'ambulancières pour accompagner les fédérés au combat et fut à l'origine des revendications pour les femmes parmi les plus radicales : mesures pour faire disparaître la prostitution et donner du boulot aux citoyennes sans travail, vote pour la disparition immédiate des sœurs des prisons et hospices, etc... Mardi 23 mai, elle défendait encore la barricade de la place Blanche. Arrêtée, elle revendiqua d'être fusillée, mais fut condamnée à la déportation en Nouvelle-Calédonie (où elle défendit les Canaques contre leur liquidation par la colonisation). Personne n'oubliera sa plaidoirie à son procès : « J'appartiens à la révolution sociale et je déclare accepter la responsabilité de tous mes actes. Puisqu'il semble que tout cœur qui bat pour la liberté n'a droit qu'à un peu de plomb, j'en réclame ma part! ». À son retour en France après l'amnistie, elle continua à militer dans le mouvement anarchiste et mourut à Marseille le 10 janvier 1905. Ses funérailles à Paris furent grandioses. Elle repose aujourd'hui au cimetière de Levallois et suprême honneur, c'est la seule femme qui ait donné son nom à une station de métro!

★ ***La rue Lepic :*** c'est à son intersection avec les rues des Abbesses et Joseph-de-Maistre *(plan,* ***3****)*, à la hauteur des deux immeubles avec les accoudoirs de fenêtres en « X », que s'élevait l'une des plus importantes barricades de Montmartre. Intacte, cette portion de rue possède à l'évidence une excellente capacité d'évocation. Le 23 mai, une vingtaine de femmes viennent renforcer les derniers fédérés qui s'y battent. Une scène impressionna fort les témoins de l'époque : une femme debout sur la barricade, un drapeau rouge dans une main et tirant au révolver de l'autre. Quand la barricade fut prise par les Versaillais, toutes les survivantes furent abattues.

★ ***Visite chez J.-B. Clément :*** continuer à grimper la rue Lepic qui tourne à partir de là harmonieusement autour la Butte. Au n° 53 *(plan,* ***4****)*, habita un temps le chanteur-poète Jean-Baptiste Clément, avant de s'installer définitivement au n° 110 *(plan,* ***5****)* de 1883 à 1903 (plaque sur le mur). J.-B. Clément fut élu au comité central de la Commune par le XVIIIe arrondissement. Responsable des ateliers de fabrication de munitions, il se battit jusqu'au bout sur l'une des dernières barricades (rue de la Fontaine-au-Roi) et ne fut pas pris. Condamné à mort par contumace, l'auteur de l'immortelle chanson du *Temps des Cerises* revint à Paris après l'amnistie de 1880. Cette belle mélodie, popularisée dix ans après les terribles massacres perpétrés par les Versaillais, regonfla le moral des Parisiens. Personne ne s'y trompa, tout le monde reconnut, derrière les paroles anodines de la chanson et à travers l'image des cerises, l'allusion au drapeau rouge et à l'espoir renaissant. On raconte que la chanson ne lui rapporta que quatorze francs. À côté, charmante place triangulaire à qui le poète donna son nom et où l'on planta un cerisier. Aujourd'hui, Jean-Baptiste repose au Père-Lachaise, près du mur des Fédérés.

★ ***Le musée du Vieux Montmartre*** *(plan, **6**)* **:** 12, rue Cortot. ☎ 01-46-06-61-11. Ouvert de 11 h à 18 h. Fermé le lundi. Toute petite section consacrée à la commune dans le XVIIIe arrondissement. Dommage, l'iconographie et les documents ne manquent pourtant pas. En outre, si Louise Michel possède bien son buste, on n'apprend pas grand-chose sur elle et l'accent est mis davantage sur les deux malheureux généraux « assassinés » (dans une gravure tendancieuse) que sur les massacres versaillais ! Un rééquilibrage en faveur des communards et une présentation historique un peu plus riche et didactique nous paraîtraient vraiment justifiés !

★ ***Un mur emblématique*** *(plan, **7**)* **:** ce 18 mars 1871 donc, la colère des soldats et des Parisiens est à son maximum : les deux généraux Lecomte et Thomas sont jugés de façon très expéditive, amenés au coin des rues de La Bonne et du Chevalier de la Barre (alors rue des Rosiers) et fusillés par leurs propres soldats. Le mur est toujours là (avec un panneau explicatif). L'armée gouvernementale reflue sur Versailles. La Commune de Paris, dont Marx dira plus tard « qu'elle fut le glorieux fourrier d'une société nouvelle », peut commencer...
Le dimanche 28 mai, Eugène Varlin, ouvrier-relieur, grand leader syndical et fondateur de coopératives sous l'empire, élu à la Commune pour le VIe arrondissement, se bat encore sur la dernière barricade, rue Ramponneau. Il échappe au massacre, mais reconnu et dénoncé rue Lafayette, il est emmené à Montmartre. Tout le long du chemin, les bourgeois l'insultent et le frappent. En arrivant au quartier général des Versaillais, sa tête n'est plus qu'un hachis de chairs et l'œil pend hors de l'orbite. Là, il est encore livré à la foule avant d'être fusillé. On est rue des Rosiers, où les généraux Lecomte et Thomas furent exécutés. La symbolique du lieu n'aura échappé à personne ! Varlin eut encore la force de crier « Vive la Commune » sous les balles. Une rue honore aujourd'hui sa mémoire dans le Xe arrondissement. Son corps ne fut jamais retrouvé. Cela n'empêcha pas le conseil de guerre, le 30 novembre 1872, de le... condamner à mort par contumace !

★ ***Le Sacré-Cœur*** *(plan,* ***8****)* **:** la construction de la basilique du Sacré-Cœur fut décidée en 1873 par l'archevêque de Paris, dans une lettre au ministère des cultes. Elle demandait que l'on édifiât sur la colline de Montmartre un sanctuaire... « destiné à affirmer l'inébranlable confiance de la patrie vaincue et mutilée dans la miséricorde infinie du cœur de Notre Seigneur Jésus-Christ ». Le rapporteur du projet à l'Assemblée nationale précisa qu'il s'agissait aussi d'exalter le souvenir des Versaillais victimes de la Commune. De façon plus explicite, lors de la séance du 24 juillet, un député rajouta : « que le Sacré-Cœur constituerait un grand acte d'expiation, une protestation éclatante contre les crimes de la Commune ». On ne pouvait être plus clair! Comme disait Émile Zola, pour édifier « cette masse crayeuse, écrasante, dominant ce Paris d'où est partie la Révolution », on choisit le conformiste et pompeux Abadie, le plus mauvais architecte de l'époque. L'emplacement, bien sûr, était hautement symbolique (à l'endroit où la Commune démarra). La construction de la pâtisserie, particulièrement laborieuse, dura de 1875 à... 1914 (début d'une autre catastrophe, mondiale celle-là!).

★ ***Le quartier général des Versaillais*** *(plan,* ***9****)* **:** à l'emplacement du n° 10, rue du Chevalier de la Barre. L'occasion d'arpenter ce bout de Montmartre déjà beaucoup moins touristique. La rue ici se fait frondeuse : tantôt escalier, tantôt ouverte au trafic ou piétonne, pour finir en venelle étroite. Énormes pavés cernés d'herbes sauvages, peut-être certains d'entre eux servirent-ils aux barricades? L'une des dernières de la Butte s'éleva rue Myrha. L'occasion d'évoquer le général Dombrowski, héros de la Commune.

★ ***La barricade de la rue Myrha*** *(plan,* ***10****)* **:** au coin de la rue des Poissonniers. Défendue par Dombrowski, le meilleur chef militaire de la Commune. Peu avant, Thiers avait tenté de le corrompre par l'un des ses espions. Le général refusa l'argent et en référa à la Commune. Mais en ce 23 mai 1871, dans le climat tendu de la défaite annoncée, Dombrowski est arrêté et sommé de s'expliquer à l'hôtel de ville, devant le Comité de salut public. Il n'a pas de mal à se disculper, mais le mal est fait. Libéré, c'est cependant le deshonneur, la perte de son commandement dans une situation militaire tragique pour la Commune. Malgré cela, il rejoint la barricade de la rue Myrha qu'il défend jusqu'au bout. Grièvement blessé d'un balle en pleine poitrine, il est transporté dans une pharmacie toute proche (peut-être celle au coin de la rue des Poissonniers?), puis à l'hôpital Lariboisière, à la limite des Xe et XVIIIe arrondissements. Il y meurt et dans un dernier souffle murmure : « Et ils disent que je les ai trahis! ». L'hôpital à deux doigts d'être pris par les Versaillais, son corps est alors transporté à l'Hôtel de ville pour un ultime hommage.

★ En guise de conclusion à cet émouvant itinéraire, un extrait du journal (plutôt favorable aux Versaillais) *L'Écho français* du 27 mai 1871 : « À Montmartre, nos soldats, obligés de s'emparer à la baïonnette de chaque maison, étaient littéralement couverts d'une pluie de balles, les femmes, armées de chassepot et de revolvers, tiraient sur nos troupes, et celles qui n'avaient pas d'armes versaient sur la tête des assaillants des torrents d'eau bouillante ».

Fin de la balade

Le ***métro*** Drapeau, pardon, ***Château-Rouge*** *(plan, **11**)* est à deux pas... En profiter pour rapporter un *capitaine* ou un *tilapia* du marché Dejean, l'un des plus délicieusement exotiques à Paris !

LE PARIS DES ÉCRIVAINS : LES QUARTIERS DU LUXEMBOURG ET DE L'ODÉON

BALADE n° 11 : 4 km – 3 h.

Un peu d'histoire

Déjà, au siècle des Lumières, les ***Encyclopédistes*** conspiraient dans les cafés de l'Odéon. Puis Victor Hugo et Flaubert hantèrent les jardins du Luxembourg et les plus grands ***poètes*** fin de siècle (Verlaine, Rimbaud, Huysmans, Jarry) s'installèrent dans le triangle magique : Cluny – Saint-Sulpice – Luxembourg. Aujourd'hui, les rues du quartier portent des noms d'écrivains (Corneille, Racine, Huysmans, Sainte-Beuve, Claudel), les librairies y pullulent... Et nombre d'***éditeurs*** y ont élu domicile, comme *Flammarion* (rue Racine), *Stock* (rue Cassette), *La Table Ronde* (rue Corneille), *José Corti* (rue de Médicis) et *L'Âge d'Homme* (rue Férou). Autant dire que ce pèlerinage est obligatoire quand on aime le parfum des livres, la poésie des lieux et les fantômes du passé.

Départ

Départ du circuit au ***métro Odéon***. Environ 4 km; 2 à 3 h de balade dépendant de l'âme vagabonde.

À voir

★ *RUE DE L'ODÉON*

La rue des libraires par excellence *(plan, **1**)*, bien connue des amateurs de livres anciens (à elle seule, la librairie Monte Cristo est une vitrine de Noël). De nombreux écrivains s'y sont installés, comme Régis Debray, Denis Tillinac et Olivier Rolin, l'auteur de *Port-Soudan*.

– Au ***n° 7 : la Maison des Amis du Livre.*** Librairie créée en 1917 par une véritable passionnée, ardente défenseuse des Lettres : Adrienne Monnier. Sa grande idée fut d'inviter les poètes à venir lire leurs textes. C'est ainsi qu'Apollinaire, André Gide, Paul Claudel, Valéry, Léautaud, Jules Romains et tant d'autres vinrent déclamer leurs vers au milieu des rayonnages surchargés. Léon-Paul Fargue y passait ses après-midi. Satie et Larbaud adoraient s'y rendre et Prévert y fit ses débuts. André Breton y rencontra Aragon, avec qui il créera ensuite le mouvement surréaliste. C'est aussi ici-même que fut fondé l'éminent collège de Pataphysique, en 1948. Carrefour intellectuel de l'après-guerre, cette maison bénie des dieux (grecs) est hélas fermée de nos jours. Mais son souvenir demeure dans les livres de la plupart de ceux qui la fréquentèrent assidûment...

– Au ***n° 12 : Shakespeare & Co***. La première librairie anglaise de Paris, créée en 1919 par l'Américaine *Sylvia Beach*. De même que sa consœur, voisine et amie *Adrienne Monnier,* Sylvia Beach reçut ici les plus grands noms de la littérature anglo-saxonne : Hemingway, Francis Scott Fitzgerald, Gertrude Stein, Ezra Pound et James Joyce, qui y rencontra Gide et Valéry pour la première fois. Menacée de faillite dans les années trente, la librairie fut sauvée par un comité d'écrivains français comprenant tous les plus grands noms de l'époque (Maurois, Paulhan, Morand, etc.). Elle disparut finalement de la rue quelques années plus tard pour renaître face à Notre-Dame, reprise par un autre Américain (voir plus bas). Sur la façade, une plaque discrète indique que dans cette maison fut publié en 1922 le chef-d'œuvre de James Joyce *Ulysses*.

– Au ***n° 18 :*** au 5e étage, l'appartement qu'occupaient les libraires Sylvia Beach et Adrienne Monnier. En juin 1928, elles invitèrent Scott Fitzgerald et James Joyce autour d'un poulet. ***Hemingway*** vint y dîner plusieurs fois avec sa femme Hadley. Il revint le 25 août 1944, en jeep, accompagné de soldats américains, pour « libérer la rue ». Dans ses mémoires, Sylvia Beach raconte qu'Hemingway débarqua chez elle en tenue de commando, couvert de sang. Il l'embrassa, réclama à manger et alla tirer quelques coups de feu sur le toit, pour déloger un *sniper* nazi. Il annonça ensuite qu'il partait libérer les caves du Ritz! (suite de cette rocambolesque aventure à la fin de ce chapitre).

★ *PLACE DE L'ODÉON*

Charmante place *(plan, **2**)*, construite autour de son vénérable théâtre. On se souvient que Jean-Louis Barrault en fut le directeur (il fut d'ailleurs quelque peu chahuté par les étudiants en 1968, lors de l'occupation des lieux). Le plafond fut décoré par le peintre Masson à la demande de Malraux.

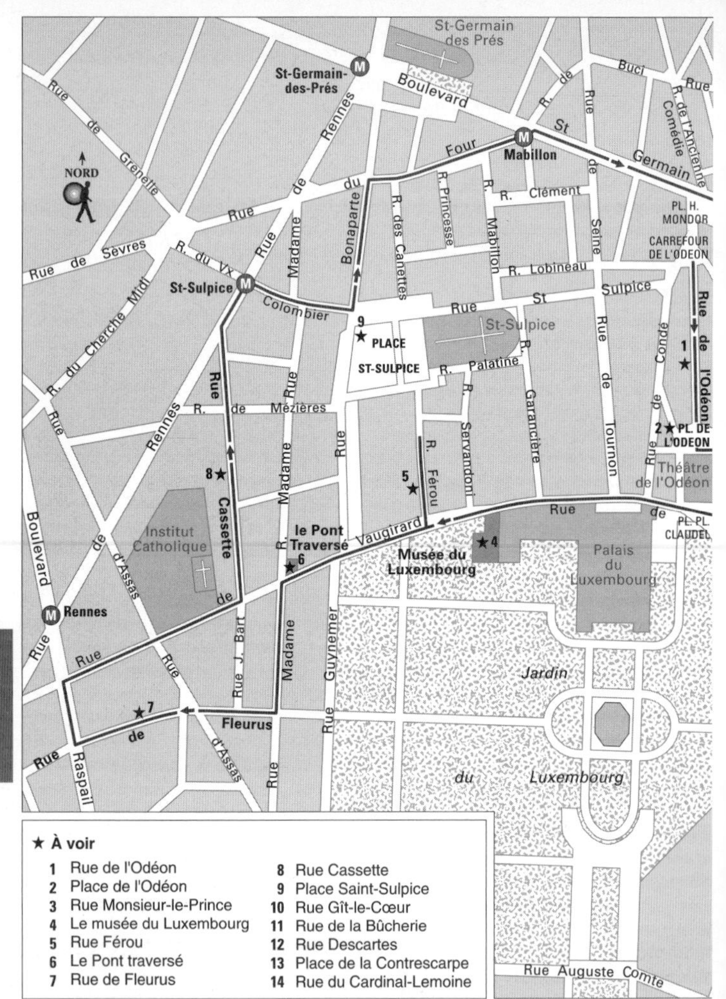
St-Germain des Prés
St-Germain-des-Prés
Boulevard St Germain
Buci
R. de Buci
R. de l'Ancienne Comédie
Mabillon
Four
R. du Four
NORD
Rue de Grenelle
Rue de Rennes
Rue du Bonaparte
R. des Canettes
R. Princesse
R. Mabillon
R. Clément
Rue de Seine
PL. H. MONDOR
CARREFOUR DE L'ODÉON
Rue de Sevres
R. du Vx Colombier
St-Sulpice
Rue Madame
R. Lobineau
Rue St Sulpice
St-Sulpice
R. du Cherche Midi
9
PLACE ST-SULPICE
R. Palatine
Rue de l'Odéon
Rue de Condé
1
Rue Cassette
R. de Mézières
R. Servandoni
Rue Garancière
Rue de Tournon
2 PL. DE L'ODÉON
Théâtre de l'Odéon
8
5
R. Férou
Rue de Vaugirard
PL. PL. CLAUDEL
Boulevard Raspail
Institut Catholique
le Pont Traversé
6
Musée du Luxembourg
4
Palais du Luxembourg
Rennes
Rue d'Assas
Rue J. Bart
Rue Guynemer
Jardin du Luxembourg
Rue de Fleurus
7
Rue Auguste Comte
★ À voir
1 Rue de l'Odéon
2 Place de l'Odéon
3 Rue Monsieur-le-Prince
4 Le musée du Luxembourg
5 Rue Férou
6 Le Pont traversé
7 Rue de Fleurus
8 Rue Cassette
9 Place Saint-Sulpice
10 Rue Gît-le-Cœur
11 Rue de la Bûcherie
12 Rue Descartes
13 Place de la Contrescarpe
14 Rue du Cardinal-Lemoine

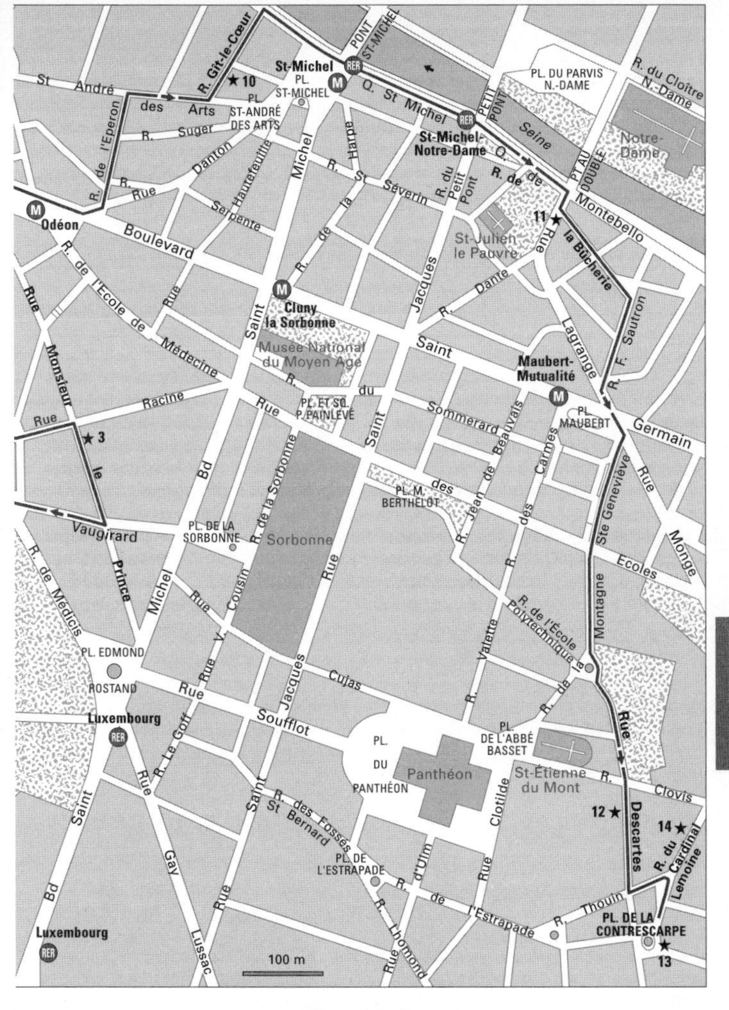

LE PARIS DES ÉCRIVAINS

– Au ***n° 2 : La Méditerranée.*** Ouvert en 1942 par un ami de Jean Cocteau (qui dessina l'enseigne), ce resto de poisson fut décoré de magnifiques fresques par les peintres Bérard et Vertés. Il vit défiler de nombreuses personnalités, parmi lesquelles Aragon, Ionesco, Orson Welles, Charlie Chaplin, Liz Taylor et la princesse Margaret.
– De l'autre côté de la place (entre les rues de l'Odéon et Casimir Delavigne), le ***Café Voltaire,*** décrit dans une nouvelle de Balzac, fut le lieu de rendez-vous des encyclopédistes (Voltaire, Rousseau), de Gauguin et des poètes symbolistes (Verlaine et Mallarmé, « chaussé de sabots sculptés »), puis des Félibres, autour de Léon Daudet et Ferdinand Fabre. Hemingway, T.S. Eliot et Fitzgerald s'y arrêtaient souvent en sortant de la librairie *Shakespeare & Co.* Le *Café Voltaire* n'a hélas pas aussi bien résisté que *Le Flore* ou le *Procope*. On y trouve aujourd'hui les *Éditions Noir et Blanc.*

Prendre la rue Racine.

★ ***Rue Monsieur-le-Prince*** *(plan, **3**) :* elle conserve un cachet digne des romans de Balzac, avec ses hautes façades, ses épais murs de pierre, ses portes cochères (remarquez le portail sculpté du n° 4) et ses minuscules échoppes de quartier. Rimbaud occupa une mansarde dans la rue (« Je fumais ma pipe-marteau en crachant sur les tuiles »).
– Au ***n° 41,*** le restaurant ***Polidor***, cher aux routards, fut le lieu de sustentation des membres du collège de Pataphysique, parmi lesquels Raymond Queneau, Boris Vian, Max Ernst et Michel Leiris (entre autres).
– Au ***n° 54,*** Pascal écrivit ses *Pensées.*

★ *RUE DE VAUGIRARD*

La plus longue rue de Paris se devait d'accueillir de nombreux écrivains ! Surtout dans ses premiers numéros, avec la proximité stratégique du Luxembourg, de la Sorbonne, des quais et des cafés...
– Au ***n° 4, l'hôtel de Luxembourg,*** ancienne demeure du XVIIe siècle, hébergea ***Verlaine*** de 1889 à 1894. L'endroit a conservé un romantique patio, avec fontaine au lion. Mais le confort de cet actuel trois étoiles, plein d'élégance, ne devait pas être le même à l'époque du poète (fauché de surcroît)...
– Au ***n° 8,*** une maison de grosses pierres, avec porche à colombage. Une plaque indique que le futur prix Nobel de littérature ***Knut Hamsun*** vécut et écrivit ici de 1893 à 1895. On peut en déduire qu'il croisa son voisin Verlaine...
– Au ***n° 19,*** le ***musée du Luxembourg*** *(plan, **4**).* Hemingway venait y étudier les tableaux des impressionnistes quand il avait faim. Il adorait en particulier Monet et Cézanne : « Tous les tableaux étaient plus nets, plus clairs et plus beaux si vous aviez le ventre vide et vous sentiez creusé par

la faim » (*Paris est une fête*). Ne cherchez pas ces tableaux : le musée, géré par le Sénat, ne présente plus que des expos temporaires.
– Au ***n° 42, l'hôtel des Principautés-Unies,*** où William Faulkner (autre futur Prix Nobel) descendit en 1925. Il ne payait que 20 F par jour pour une chambre avec vue sur les jardins du Luxembourg, où il rêvait en regardant jouer les enfants. Dans une lettre à un ami, il constate : « C'est merveilleux cette manière qu'ont les Français d'aimer leurs bébés » (quand on lit ça, on ne regrette pas de ne pas être Américain).
– Au ***n° 19 bis***, l'une des entrées du ***jardin du Luxembourg.*** Décrit par Victor Hugo, Flaubert (dans *L'éducation sentimentale*) et Jules Vallès (« s'il y avait des perroquets dans les arbres, ils parleraient latin »), le plus grand jardin de Paris a su remercier la littérature en l'honorant à travers une multitude de bustes d'écrivains, parmi lesquels ceux de Baudelaire, Stendhal, George Sand et Théodore de Banville (que Verlaine décrivait comme « le buste aux nichons »). De nos jours, étudiants romantiques et apprentis-écrivains continuent d'y flâner ou d'y lire, sur les chaises des allées... Les inconditionnels de François Truffaut sont ravis de revoir les petits voiliers du bassin, qui inspirèrent une séquence mémorable de *Domicile Conjugal.*

Ressortir du Jardin par la rue de Vaugirard et la traverser.

★ ***Rue Férou*** *(plan, 5)* ***:*** discrète venelle pavée, au calme tout provincial.
– Au ***n° 6,*** un élégant hôtel particulier gardé par des sphinges (sphinx à buste de femme). ***Hemingway*** et sa femme y occupèrent un appartement en 1927 et 1928. Est-ce en hommage à l'écrivain que Jean-Jacques Goldman a racheté l'immeuble ?
– Au ***n° 2 bis,*** le vieil atelier encore intact fut celui de ***Man Ray*** (pas de plaque mais un graffiti – bienvenu – le rappelle). C'est, paraît-il, ici-même qu'Eugène Pottier, dans les locaux du journal révolutionnaire *L'Atelier*, écrivit ***L'Internationale !***

Revenir sur ses pas et reprendre la rue de Vaugirard à droite.

★ ***Rue de Vaugirard (suite) :*** au ***n° 58*** (angle avec la rue Bonaparte), immeuble cossu, en pierre de taille et au monumental portail de bois. Il abrita l'appartement où ***Scott*** et ***Zelda Fitzgerald*** s'installèrent en 1928.
– Au ***n° 62*** (à l'angle de la rue Madame), l'étonnante boutique à la façade ornée de têtes de bétail (probablement une ancienne boucherie) est celle de la librairie ***Le Pont traversé*** *(plan, 6)*, véritable caverne d'Ali Baba pour les bibliophiles (livres anciens, éditions originales).

Remonter la rue Madame

★ ***Rue de Fleurus*** *(plan, 7)* ***:*** au ***n° 27,*** la maison de ***Gertrude Stein,*** qui s'y installa en 1903 avec sa secrétaire et amante. Elle y vivait entourée de tableaux (Cézanne, Matisse...), dont son portrait peint par Picasso (aujourd'hui au Metropolitan de New York). Elle y reçut ses amis Max Jacob, Erik Satie et Apollinaire, et, bien sûr, ses compatriotes Ezra Pound et Hemingway (qui lui consacra un chapitre assez féroce dans *Paris est une fête*).

Revenir sur ses pas, prendre à gauche la rue J. Bart et retraverser la rue de Vaugirard.

★ ***Rue Cassette*** *(plan, **8**)* **:** au ***n° 7,*** coincé entre deux librairies, un vieil immeuble aux étages disproportionnés. Au « 2e étage et demi » vécut ***Alfred Jarry*** (pas de plaque, que fait le Collège de Pataphysique?), avec son fameux grand-bi et son chat. Le père de Père Ubu et du Docteur Faustro. Il y reçut entre autres Paul Verlaine.

Continuer la rue Cassette jusqu'à la rue de Rennes, puis prendre à droite la rue du Vieux-Colombier.

★ ***Place Saint-Sulpice*** *(plan, **9**)* **:** construite autour de l'église la plus « littéraire » de Paris après Notre-Dame. C'est ici que Victor Hugo se maria. Huysmans en fit l'éloge dans son roman *En route*. Henry Miller comparait (avec justesse) les clochers à des beffrois. À l'intérieur, de merveilleuses peintures de Poussin et, selon les érudits versés dans l'ésotérisme, quantité de signes cabalistiques prouvant que ce fut un haut lieu des Rose-Croix : ils permettraient aux initiés de retrouver le Trésor des Templiers (bon courage!). La place propose régulièrement une brocante aux livres, ainsi que les vitrines de vénérables librairies (notamment La Procure). Catherine Deneuve habite paraît-il un appartement donnant sur la place. On y trouve aussi le ***Café de la Mairie***, lieu fréquenté de tous temps par les étudiants en lettres et les écrivains : Hemingway, Fitzgerald, Djuna Barnes, Beckett, Pérec... Christian Vincent y tourna une scène de *La Discrète* (avec Fabrice Luchini).

★ ***Rue Gît-le-Cœur*** *(plan, **10**)* **:** au ***n° 9*** se trouve le Relais-hôtel du Vieux Paris, surnommé ***Beat Hotel*** par les beatniks. Allen Ginsberg s'y installe en 1957 et y commence son poème *Kaddish*, suivi par Burroughs (qui y écrit *Le Festin nu*) et Kerouak (qui trouve le titre). Tous les poètes de la *Beat Generation* (Gysin, Corso, Orlovsky...) s'y retrouveront (Chambres nos 15, 29, 32), jusqu'en 1964. Ils y inventèrent la technique du *cut-up,* en fumant du hachisch « tout comme, exactement un siècle avant nous, l'avaient fait Baudelaire, puis Rimbaud et Verlaine ». De cette époque, restent quelques photos aux murs, ainsi qu'un livre de souvenirs, que l'on peut consulter à la réception. Mais le prix des chambres n'a plus rien à voir avec celui des années 50...

★ ***Rue de la Bûcherie*** *(plan, **11**)* **:** au ***n° 37,*** face à Notre-Dame, ***Shakespeare & Co***. Héritière spirituelle de la librairie de la rue de l'Odéon, cette merveilleuse maison de style néo-médiéval fut ouverte par George

Whitman, petit-fils du grand poète américain Walt. Parmi ses premiers clients, Henry Miller, qui écrivit à propos de l'endroit : « A wonderland of books ».

★ ***Rue Descartes*** *(plan,* ***12****)* **:** ***Verlaine*** est mort au ***n° 39*** de la rue. Il s'y était installé avec sa maîtresse qui, paraît-il, le battait pour qu'il noircisse du papier ! Dans *La littérature à Paris*, Jean-Paul Clébert raconte que le poète « pris entre la cirrhose et la jaunisse, passa ses derniers jours à dorer au pinceau avec de l'or liquide les meubles de sa chambre et jusqu'au pot de chambre ». En 1922, ***Hemingway*** aménage un « studio » au dernier étage du même immeuble, pour y écrire en paix.

★ ***Place de la Contrescarpe*** *(plan,* ***13****)* **:** le ***café des Amateurs*** (aujourd'hui La Choppe) était l'un des favoris d'Hemingway, qu'il décrivit dans *Paris est une fête* et *Le Soleil se lève aussi.*

★ ***Rue du Cardinal-Lemoine*** *(plan,* ***14****)* **:** au 4ᵉ étage du ***n° 74,*** se trouve le premier appartement parisien d'***Hemingway*** et de sa femme, qu'ils louèrent à partir de 1922. L'écrivain décrira la rue dans *Les neiges du Kilimandjaro.*

Fin de la balade

Retour par le ***métro Cardinal-Lemoine*** ou ***Jussieu***. Les mordus d'Hemingway prendront la direction La Courneuve à partir de Jussieu. Arrêt à Pyramides pour le pélerinage obligatoire au Ritz...

Pour les mordus d'Hemingway

★ ***Le bar du Ritz :*** situé à l'arrière de l'hôtel, le bar était autrefois accessible depuis la rue Cambon. Il faut désormais passer par l'entrée principale, place Vendôme. Pas de panique : avec une tenue correcte, on vous laisse rentrer sans problème... et les prix des boissons sont presque raisonnables (pour un endroit pareil !). ***Marcel Proust*** passait ses soirées au *Ritz*, donnant ses rendez-vous dans le hall, emmitouflé dans son manteau en peau de loutre, comme le racontera plus tard Colette. ***Hemingway*** a découvert le bar du palace grâce à Francis Scott Fitzgerald, qui intitulera l'une de ses nouvelles *Un Diamant gros comme le Ritz*. Hemingway y viendra souvent, y rencontrera entre autres son compatriote J.D. Salinger (l'auteur de *L'Attrape-cœur*) et ira jusqu'à « libérer » le bar le 25 août 1944 ! En fait de libération, Hemingway s'est contenté, selon son biographe, de débarquer avec une bande de copains en armes et de commander 50 Martini ! Il faut dire, à sa décharge, que le jour de la Libération de Paris était aussi, ironie du sort, celui de son anniversaire... Aujourd'hui, le bar de l'hôtel a été rebaptisé « bar Hemingway ». Des photos de l'écrivain ornent les murs, sa *Remington* trône entre ses livres et la carte des cocktails est conçue comme un journal à sa gloire, avec des articles racontant les liens de l'écrivain avec l'histoire des lieux. C'est, par exemple, dans les caves du *Ritz* que l'on aurait retrouvé le manuscrit de *Paris est une fête*, oublié dans une malle depuis 20 ans. Autre anecdote qui nous a bien plu : un jour, alors qu'il devisait avec Hemingway, Scott Fitzgerald vit passer dans le hall une superbe créature. Il lui fit porter des orchidées, qu'elle renvoya aussitôt. De dépit, Fitzgerald mangea les fleurs une à une ! Elle succomba finalement à ses avances. Les preuves d'amour peuvent payer.

LE PARIS COQUIN ET LIBERTIN : RIVE DROITE

BALADE n° 12 : 4 km – 3 h (sans compter les visites de musée).

Jouis et fais jouir sans faire de mal
ni à toi ni à personne;
voilà, je crois, toute la morale.

Chamfort, 1790.

On évoquera ici certains lieux aujourd'hui disparus, ou ayant changé d'objet ou d'apparence. Le temps, l'évolution des mœurs, les promoteurs immobiliers auront fait leur œuvre... Nous aborderons aussi sans pruderie ni complaisance certains détours de la psyché humaine, faite de désir, d'amour, de souffrance consentie, et aussi soumise à de douloureuses contraintes. Nous allons essayer d'être léger et futile, donc nous intéresser à des choses essentielles.

Départ

Rendez-vous au ***métro Place-de-Clichy***. Remonter le boulevard de Clichy et la rue Caulaincourt (sur le pont) et descendre quelques marches un peu plus loin sur la droite *(plan, **1**).*

À voir

★ ***Le cimetière de Montmartre :*** eh, oui! notre première halte est dans un cimetière. Ce n'est pas un hasard. En dehors des créatures éplorées largement dévêtues ou aux drapés de bronze suggestifs qui ne laissent pas de marbre, au moins trois tombes méritent notre attention : celles de Charles Fourier, d'Alphonsine Plessis et de Louise Weber. Pour ne pas se perdre, prendre un plan à l'accueil.

– Étonnant ***Charles Fourier*** (1772-1837 ; division 23, n° 28 du plan du cimetière), drôle de tombe. En pierre grise, inclinée, entourée d'une grille, elle porte quatre symboles mathématiques et deux inscriptions sibyllines. Non content d'être mathématicien et philosophe, Fourier fut un précurseur de la pensée socialiste, un utopiste (le phalanstère, c'est lui !), qui a eu aussi des idées très larges mais précises sur la sexualité et les passions (et postures) amoureuses... Il a même imaginé le développement d'un cinquième membre, aux multiples possibilités (!) : l'archibras. Dingue, non ?
– ***Alphonsine Plessis*** (1824-1847 ; division 15, n° 86 du plan du cimetière). Sa tombe, d'honnête facture, rien – hormis les fleurs, peut-être – ne la distingue de ses voisines. Les fleurs, elles, seraient des camélias... Eh oui, devenue Marie Duplessis, « incarnation la plus absolue de la femme qui ait jamais existé » (Franz Liszt, un de ses nombreux amants), elle inspira Alexandre Dumas fils (qui en fit l'inoubliable *Dame aux camélias*), avant de mourir de phtisie à 23 ans. Transposée, sa vie fut mise en musique par Verdi dans *La Traviata* (la dévoyée, en italien, ce qui ne l'empêcha pas de mourir, dans l'opéra, comme une sainte...).
– ***Louise Weber,*** dite « la Goulue » (1869-1929 ; division 31, n° 79 du plan du cimetière). Immortalisée par Toulouse-Lautrec, décédée dans la misère. Danseuse à l'*Élysée-Montmartre*, puis au *Bal du Moulin-Rouge*, les « provocantes saillies de son ventre », les « déhanchements lascifs de ses reins » dévoilaient « un petit coin de VRAIE peau nue ». Un journal de l'époque (1891) évoquera même « l'acier en fusion » animé par cette « bacchante du ruisseau (...) troussée jusqu'au ventre »...

★ Quittons le cimetière par l'***avenue Rachel*** *(plan, **2**),* du nom de la tragédienne Rachel Félix (1820-1858), grande amoureuse de l'amour aux répliques restées célèbres. À un prince qui lui envoya ce message : « Quand ? Où ? Combien ? », n'aurait-elle pas répondu : « Demain. Chez moi. Pour rien »...

Empruntons à gauche le ***boulevard de Clichy.***

★ ***Le Moulin-Rouge*** *(plan, **3**) :* au ***n° 82,*** mentionnons ce célèbre Mou-

★ À voir

1 Le cimetière de Montmartre
2 L'avenue Rachel
3 Le Moulin-Rouge
4 Le musée de l'Érotisme
5 La « folie » de la place Adolphe-Max
6 L'hôtel de Bizet
7 Le musée de la Vie romantique
8 Le premier hôtel de la Païva
9 L'ancien théâtre de l'Opéra
10 L'emplacement de l'ex-Chabanais
11 La Bibliothèque nationale
12 La maison de Colette
13 Le Palais Royal

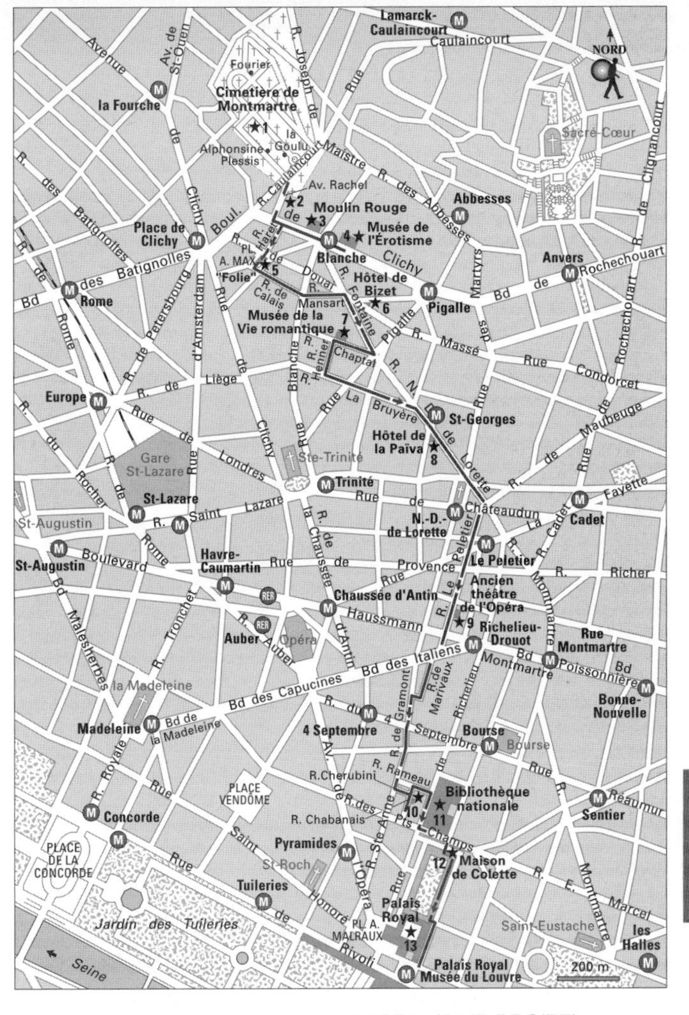

LE PARIS COQUIN ET LIBERTIN (RIVE DROITE)

lin-Rouge. Cependant, celui de Nini Patte-en-l'air, Grille d'égout, Valentin le désossé et... de la Goulue n'existe plus. Hélas! Rappelons que dans les bals, à la fin du XIXe siècle, les danses étaient provocantes, voire carrément obscènes. Chahut et cancan, menés de manière endiablée, étaient sans ambiguïté – le cancan surtout, dansé une jambe en l'air, l'index de la danseuse désignant, à l'insu du sergent de ville chargé de faire régner la décence (le « père la pudeur », ça ne s'invente pas), un entrejambe qui se laissait deviner...

★ ***Le musée de l'Érotisme*** *(plan, **4**)* **:** au ***nº 72,*** signalons ce passionnant musée (ouvert tous les jours, de 10 h à 2 h du matin, entrée : 40 F ou 6,1 €), qui, sur sept (!) étages, expose toutes sortes d'objets, plus ou moins rituels, et d'images, plus ou moins pieuses. Instructif et surtout de très grande qualité. Presque dommage qu'on puisse, quand on ne le connaît pas, l'assimiler à l'environnement vulgaire des sex-shops et à l'image un peu négative du quartier.

★ Revenons sur nos pas et empruntons, de l'autre côté du boulevard, la rue Pierre-Haret jusqu'à la ***place Adolphe-Max*** *(plan, **5**)* où se dressait, au XVIIIe siècle, une folie, dans le jardin de laquelle le maréchal-duc de Richelieu (petit-neveu du cardinal) fit construire une « petite maison ». Il y donnait des « dîners adamiques », c'est-à-dire où les convives des deux sexes étaient en tenue d'Adam... On se demande bien pourquoi.

★ Longeons la rue de Calais, la rue Mansart. Au coin de la rue de Douai et de la ***rue Duperré*** *(plan, **6**)*, un extraordinaire hôtel particulier aux balcons de fer forgé et aux nombreuses têtes de faunes. Ici habita ***Georges Bizet***, amateur, sa correspondance en fait foi, de beautés ibériques. Quant à l'immortelle Carmen, femme ardente et entière, elle n'a pas fini de nous séduire et de nous émouvoir. Brava! Dans le luxueux décor classé de l'actuel restaurant *La Poste*, une autre activité, sensuelle elle aussi, s'exerça, tout aussi luxueuse en son temps... Eh, eh!

★ ***Le musée de la Vie romantique*** *(plan, **7**)* **:** descendons la rue Fontaine. Tournons à droite rue Chaptal. Au nº 16, se trouve le musée de la Vie romantique (ouvert tous les jours, sauf lundi et fêtes, entrée : 30 F ou 4,6 €). Demeure du peintre Ary Scheffer, on peut y voir des souvenirs de George Sand qui fréquentait en voisine, en compagnie de son amant du moment, un obscur pianiste polonais prénommé Frédéric. Romantique, non? Mais la coquine George (drôle d'idée d'adopter un prénom masculin : elle se prénommait Aurore, pas mal non plus, mais ne dédaignait pas le port du pantalon, ô scandale) a fait aussi de la littérature à ne pas mettre entre toutes les mains. Ne lui attribue-t-on pas la paternité (!) de *Gamiani*, ouvrage écrit avec un autre de ses innombrables amants, un certain Alfred de Musset? Il n'y est question que de voluptés, de caresses, d'excès de toutes sortes : le rouge nous vient au front rien que d'y penser. Sacré(e) George!

★ Descendons la ***rue Henner***. Signalons au passage que l'auteur des *Onze Mille Verges* (!), Guillaume Appolinaire lui-même, habita au ***n° 9***. Tournons à gauche, dans la rue La Bruyère. Nous arrivons sur la délicieuse ***place Saint-Georges*** *(plan, **8**)*. Au ***n° 28,*** curieux hôtel particulier en faux gothique Renaissance, habité par Thérèse Lachmann, ci-devant cocotte, récente marquise de Païva, future propriétaire de l'hôtel du n° 25, avenue des Champs-Élysées, au luxe inouï. La Païva : « la paye y va », disait-on à l'époque. Les gens sont vraiment jaloux!
De l'autre côté de la place, l'hôtel d'Adolphe Thiers, massacreur de communards. Bon, nous on préfère Élisabeth Venard, dite Céleste Mogador, pensionnaire de bordel à 15 ans, à son corps défendant, courtisane, maîtresse d'un duc, comtesse de Chabrillant par son mariage et... infirmière pendant la Commune. Chapeau!

★ ***Le coin des « lorettes » :*** descendons la rue Notre-Dame-de-Lorette, du nom de cette petite église qui évoquait à sa construction, en 1823, un « boudoir de jolie femme » et qui donna son nom à toutes les jeunes personnes aux ressources irrégulières, actrices, femmes galantes, grisettes, qui, à la question : « Où habitez-vous, ma jolie? », répondaient invariablement : « Derrière Notre-Dame de Lorette ». Mais pourquoi donc? Parce qu'elles avaient été attirées dans ce nouveau quartier par des loyers bas, les propriétaires voulant aussi s'attacher la clientèle de locataires économiquement plus fiables. Les « lorettes », on les avait aussi surnommées les « essuyeuses de plâtre »...

★ Continuons jusqu'à la rue Le Peletier, que nous emprunterons jusqu'aux Grands Boulevards. À droite, le restaurant « Le Petit Riche », ses salons particuliers...
Au ***n° 12*** *(plan, **9**)*, se dressait l'entrée du *théâtre de l'Opéra*, qui devait brûler. Régulièrement s'y déroulait un bal masqué, à l'entrée payante, fréquenté par une foule déguisée, dans un déchaînement de frénésie sensuelle. Les dames du monde, les vraies et celles qui étaient à tout le monde (mot affreux), sous leurs dominos, se mêlaient aux modistes en quête de galants, de protecteurs ou ... de maris. Gros succès du déguisement de fort des Halles, surprise quant au sexe du locataire... Une véritable saturnale, on vous dit.

★ Allez, on continue. Rues Marivaux (tiens donc...), de Gramont. Ne pas manquer de se retourner pour contempler la façade de l'Opéra-Comique. Un bout de la rue Sainte-Anne, à gauche dans la rue Cherubini, et la ***rue Chabanais,*** qui a gardé un vague souvenir des activités qu'il s'y livrait avant-guerre. Au ***n° 12*** *(plan, **10**),* se trouvait la plus fameuse maison close de France et des colonies : ***Le Chabanais***. Décorée avec une

inventivité et un luxe incroyables, cet « établissement » abritait une chambre mauresque, un boudoir Louis XVI, un salon pompéien, une chambre japonaise (primée à l'Exposition universelle de 1900 !). Les médaillons étaient d'un habitué : Toulouse-Lautrec. Une chambre (vue seulement en photo !) : un très vaste lit, entouré de cygnes, surmonté d'une créature dévêtue, mobilier doré, comme à Versailles, stuc et moulures, miroirs immenses aux murs et au plafond. Tiens donc, pourquoi au plafond ? Fréquenté par des ministres et des présidents, « Le Chabanais » faisait partie du circuit des chefs d'État étrangers : c'était la « visite au président du Sénat »...
Bon, fascination, excitation et amusement aujourd'hui ne sauraient faire oublier que « travailler en maison », quand bien même luxueuse, n'était pas de tout repos, loin de là. Pour la majorité des pensionnaires, les conditions d'existence étaient épouvantables. Elles étaient dans la dépendance financière et matérielle des maquerelles, sous-maîtresses, rabatteurs et autres parasites, et soumises à l'arbitraire d'autorités souvent hypocrites. Quant aux clients, sympathiques étudiants, turbulents militaires, notaires, bon bourgeois ou... curés, en bande et joyeux ou en cachette et solitaires, peu leur importait, tant qu'ils n'attrapaient pas de maladies vénériennes...

★ ***La Bibliothèque nationale*** *(plan,* ***11****)* **:** allez, on emprunte la rue Rameau en appréciant en connaisseur le groupe sculpté du square Louvois et l'on traverse la rue de Richelieu pour pénétrer dans la vénérable Bibliothèque nationale. Avançons-nous dans le hall pour jeter un coup d'œil sur la magnifique salle de lecture et retrouvons-y Guillaume Appolinaire (oui, les enfants, celui du « Pont Mirabeau »). Cet individu, monsieur le commissaire, a commis un ouvrage intitulé *L'Enfer de la BN. Bibliographie méthodique et critique*. Les livres licencieux, pornographiques ou jugés tels par l'autorité (l'idée est d'un certain premier consul), regroupés pour être mis à l'abri des innocents et des curieux, portaient des titres à double sens (« La France foutue », par exemple) ou à prétention pédagogique pour mieux dissimuler leur objet, mais pas toujours. Aujourd'hui, bien sûr, ces livres sont dans toutes les bonnes librairies...

★ Traversons la BN et ressortons par la ***rue de Beaujolais***. Au ***n° 9*** *(plan,* ***12****)*, habita une femme qui fut célèbre pour sa beauté, son talent d'écrivain et son... tempérament d'amoureuse. ***Colette***, c'est elle, qui n'hésita pas à séduire et initier le jeune fils d'Henri de Jouvenel, un de ses maris. Elle avait 47 ans, lui 16. Transposé en littérature, ce fut *Le Blé en herbe*. Scandale chez les bien-pensants.

★ ***Le Palais Royal*** *(plan,* ***13****)* **:** pénétrons maintenant dans les jardins du Palais Royal. Que ce soit pendant la Régence, où Philippe et sa fille, complice, la duchesse de Berry, organisaient des parties fines (voir l'inoubliable film *Que la fête commence!*, de Bertrand Tavernier, avec la regrettée Christine Pascal), dans l'effervescence prérévolutionnaire (voir l'itinéraire « La Révolution française au Palais Royal »), malgré l'ascétisme revendiqué lors de la Terreur ou pendant les débauches du Directoire, ce lieu abritera la « licence ». Jusqu'à 2 000 « filles d'amour et de joie » y exerceront, à ciel ouvert, dans les bosquets, les cabarets et les boutiques. Nicolas Restif de Bretonne (1734-1806), arpenteur des nuits de Paris et « amateur instruit », décrira « les filles de l'allée des soupirs » par le menu : Bouton de rose, Mélanie, Bienfaite, Chouchou, Coquine..., rien ne nous est celé de leurs charmes, de leurs imperfections aussi. En 1791, un « Almanach des adresses des demoiselles de Paris de tout genre et de toutes les classes, ou Calendrier du plaisir, contenant leurs noms, demeures, âges, portraits, caractères, talents, et le prix de leurs charmes, enrichi de notes curieuses et anecdotes intéressantes » (pas moins!) circule ouvertement. On pétitionnera à l'Assemblée nationale, pour obtenir compensation des « pertes causées par la Révolution » et l'absence des « bons amis » aristocrates, les « billets de caisse » ne valant pas l'or, qu'il était pourtant arrivé qu'elles méprisassent et dédaignassent... Après la Terreur (et la Vertu), le relâchement des mœurs du Directoire provoquera un nouvel afflux. La mode découvre les gorges, les robes sont de mousseline transparente. Le Palais Royal est un vaste lupanar. À la licence succédera la réaction, bourgeoise et toujours hypocrite. Les galeries de bois seront détruites, les filles chassées, le commerce honnête et les immeubles de rapport pourront prospérer. Les maisons closes, elles, ne tarderont pas à proliférer, ailleurs...

Fin de la balade

Notre itinéraire, lui, s'achève ici : le métro n'est pas loin.

LE PARIS COQUIN ET LIBERTIN : DES TUILERIES À MONTPARNASSE

BALADE n° 13 : 4 km – 3 h.

Que personne ne prenne la liberté d'entrer ici
S'il n'a l'âme véritablement généreuse,
S'il ne renonce aux opinions du vulgaire,
Et s'il n'aime les plaisirs de l'Amour.

Charles Sorel.

À voir

★ ***Le jardin des Tuileries*** *(plan, 1) :* retrouvons-nous, sans autre préliminaire, dans les jardins des Tuileries, depuis la station de métro du même nom. Ah, les Tuileries ! Déjà, vers 1640, n'était-ce pas « le rendez-vous du beau monde et des galanteries » ? Le jardin n'avait pas la même apparence et les allées isolées, les bosquets, la pâle lueur de la lune... Inutile de faire un dessin. Cette intense « activité » nocturne s'est prolongée jusqu'à aujourd'hui. Si, dans les années 1910, marlous et gigolettes, ouvriers en casquette et blanchisseuses allaient s'embrasser dans

★ **À voir**

1 Le jardin des Tuileries
2 Les jardins du Carrousel
3 Le musée du Louvre
4 Le pont des Arts
5 La tour de Nesles
6 Le restaurant Lapérouse
7 La rue Grégoire-de-Tours
8 La « maison » de la rue Saint-Sulpice
9 La demeure d'Olympe de Gouges
10 Le jardin du Luxembourg
11 La Closerie des Lilas
12 L'hôtel Istria
13 L'emplacement de l'ex-Sphinx
14 Métro Edgar-Quinet

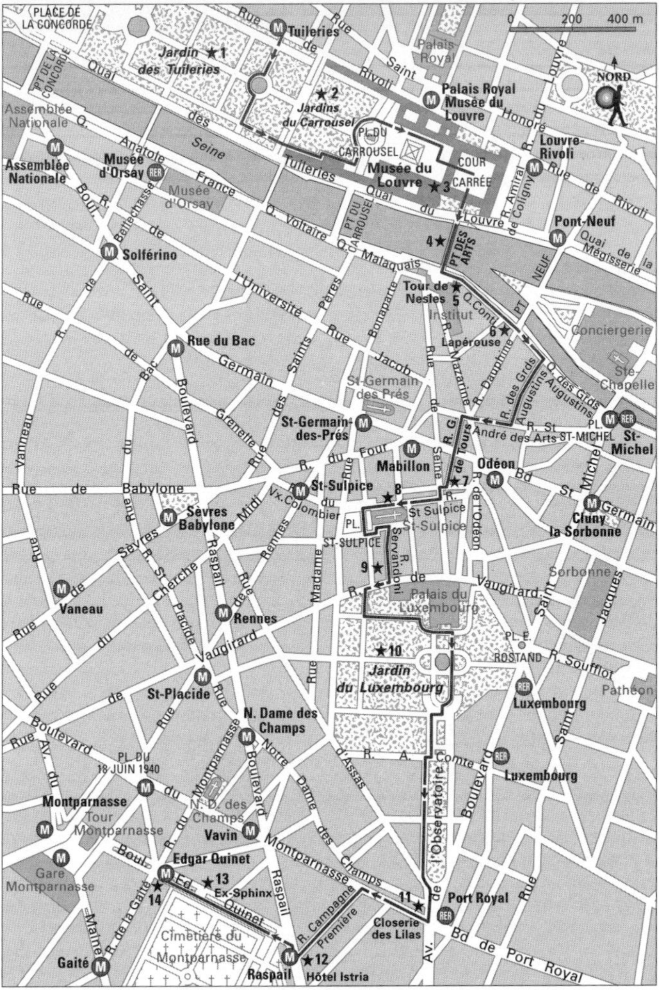

LE PARIS COQUIN ET LIBERTIN (DES TUILERIES À MONTPARNASSE)

l'herbe accueillante (et plus si affinités...), on y drague encore, principalement des garçons – du côté de la terrasse du Bord-de-l'Eau. Rappelons qu'il fut une époque pas si éloignée où l'homosexualité était un « fléau social », cantonnée à la marge, réprimée, moquée ou persécutée. Les descentes de police avec lampes torches, gardes à vue humiliantes au commissariat, chantages à la clé, étaient fréquentes. De même les expéditions « punitives » de loubards qui se laissaient draguer avant de dépouiller leurs victimes. Pas facile de porter plainte... Heureusement, les mentalités finissent par évoluer, et l' « homophobie » par reculer. Allez, tous à la Gay Pride!

★ ***Les jardins du Carrousel*** *(plan, **2**)* **:** poursuivons plus avant dans ces jardins, qui tirent leur nom des somptueuses fêtes équestres que Louis XIV donna en 1662 pour la naissance de son premier enfant « légitime ». Il en eut bien d'autres, avec un nombre considérable de maîtresses et de protégées. Ce jour-là, la favorite s'appelait Louise de La Baume Le Blanc, future duchesse de La Vallière... Sacré Louis! Remarquons au détour des bosquets d'ifs taillés les femmes nues aux formes épanouies, très sensuelles, du sculpteur Maillol.

★ ***Le musée du Louvre*** *(plan, **3**)* **:** traversons la cour Napoléon et sa pyramide de verre. Signalons en passant que le musée du Louvre qui nous entoure abrite un certain nombre d'œuvres de toutes les époques, du Boucher le plus suggestif à la peinture orgiaque de Delacroix – *La Mort de Sardanapale*, tout de même, quelle indécence! –, qui ont l'amour – et ses nombreuses perversions – pour thème, malgré ou plutôt à cause de leur sujet historique ou mythologique. Obsessions de l'artiste, voyeurisme du visiteur? Les deux, non? Pour l'écrivain Michel Leiris, qui ne s'y trompait pas, « rien ne (...) paraît ressembler autant à un bordel qu'un musée ». Mais où vont-ils chercher tout ça? Admirons au passage la somptueuse cour Carrée, et sortons par le *jardin de l'Infante*. Évoquons ici un accessoire de mode contemporain de Catherine de Médicis : le *vertugadin,* armature d'osier qui donnait de l'ampleur aux robes de ces dames de la cour. Difficile de s'asseoir et de passer les portes avec. En dehors de l'allure majestueuse qu'il donnait, il mettait surtout les femmes qui le portaient à l'abri d'un troussage leste (est-il besoin de préciser que le « pantalon », sorte de caleçon long porté, ou pas d'ailleurs, sous la robe, était largement fendu?). Les servantes n'étaient pas les seules victimes de ces messieurs, et les victimes se révélaient bien souvent consentantes... Un peu de décence, que diable!

★ Nous arrivons sur le ***pont des Arts*** *(plan, **4**)*. La vue y est tout simplement sublime. Rien d'étonnant que les amoureux s'y embrassent. Soyons amoureux, ventre-saint-gris! Le juron favori d'Henri IV nous rappelle que nous sommes face au square du Vert-Galant, dont nous apercevons la statue équestre. Vert-Galant? Vantard, mais on ne prête qu'aux riches, n'aurait-il pas dit : « Jusqu'à mon mariage, j'ai cru que c'était un os. » On se demande bien de quoi il parlait! En tout cas, pour entretenir les royales ardeurs, la néanmoins belle Gabrielle d'Estrées mitonnait à son royal amant des filets de loup aux écrevisses. Celui-ci, mais c'est dans tous les livres d'histoire, croquait de l'ail, aphrodisiaque bien connu depuis l'Antiquité...

★ ***La tour de Nesles*** *(plan, **5**)* **:** la Seine traversée (rappelons qu'au XIXe siècle et encore au début du XXe, s'y trouvaient de nombreux bains publics flottants et qu'on ne faisait pas que s'y laver...), nous voici, quai de Conti, devant l'Institut, à l'emplacement de la fameuse tour de Nesles. Que s'y est-il passé vraiment? Dumas, qui prenait des libertés avec l'Histoire (ne se vantait-il de la violer, certes, mais aussi de lui faire de beaux enfants?...), entretint la légende. Il semblerait que différentes histoires se soient emmêlées. Ce que l'on sait, c'est que trois princesses de Bourgogne, Marguerite, Blanche et Jeanne, mariées aux derniers Capétiens, furent dénoncées, en 1314, par leur belle-sœur, la fille de Philippe le Bel : elles auraient eu des relations coupables avec certains jeunes gentilshommes de la cour. Les princesses emprisonnées, les amants ne furent pas épargnés : torturés, châtrés, écorchés vifs, décapités, pendus par les aisselles, on en passe... Survivante, Jeanne s'en vint habiter ce qui était devenu l'hôtel de Nesles. Veuve d'un roi de France, il n'est pas impossible qu'elle ait accordé ses faveurs, dans la tour, à un certain Buridan, qui allait devenir recteur de l'Université. *La Ballade des dames du temps jadis*, de François Villon, qui évoque l'amant « jetté en ung sacq en Seyne », est largement postérieure, de 1461. Plus tard, au XVIe siècle, la réputation de vie galante de l'hôtel de Nevers (la tour était démolie) fut entretenue par Henriette de Clèves et, au XVIIe siècle, par Marie-Louise de Gonzague, qui pleurèrent toutes deux, dans la même chambre, la fin tragique de leurs amants respectifs, décapités pour complot : Coconnas et Cinq-Mars. La pièce de Dumas a remplacé dans l'inconscient collectif les faits historiques, qui n'étaient pourtant pas tristes... En tout cas, l'occasion de déambuler dans ces ruelles étroites aux noms si évocateurs, rues de Nevers, de Nesles...

★ ***Le restaurant Lapérouse*** *(plan, **6**)* **:** longeons la Seine, jusqu'au n° 51, quai des Grands-Augustins, pour découvrir le restaurant *Lapérouse*. Installé dans ses murs à la fin du XVIIIe siècle, il a la particularité d'abriter, encore aujourd'hui (mais on ne visite qu'en y mangeant, et ce n'est pas donné), de fameux salons particuliers pourvus naguère encore de confortables banquettes de velours rouge. Il faut savoir que, pour être reconnu, l'adultère devait avoir été commis au domicile conjugal. Une loge d'opéra, la chambre d'un bordel, le cabinet particulier d'un restaurant élégant : autant d'endroits où il était possible de s'ébattre en toute discrétion et impunité. Requis par un cordon pour le service, le personnel du restaurant savait fermer les yeux. Témoignage de ces folles soirées, les cocottes, demi-mondaines et autres horizontales qui « cédaient » aux avances de ces messieurs rayaient les miroirs avec les diamants que l'on venait de leur offrir, pour en vérifier l'authenticité...

★ Par les rues des Grands-Augustins et Saint-André-des-Arts, rejoignons la ***rue Grégoire-de-Tours*** *(plan, 7),* où, avant la guerre, se trouvaient quelques hôtels de passe, dont « Chez Suzy », chez qui le photographe Brassaï a pris pension pour y faire d'extraordinaires photos, ni racoleuses ni moralistes. Signalons au passage qu'au Quartier latin les étudiants (il n'y avait pas encore beaucoup d'étudiantes, et la « sexualité » y était largement taboue, d'où le succès des « modèles », des jeunes filles « légères » ou des « maisons d'illusions ») avaient chassé les proxénètes, qui, en dehors du folklore, ne sont jamais que de vils exploiteurs, ah mais!

★ ***Rue Saint-Sulpice*** *(plan, **8**) :* nous arrivons rue Saint-Sulpice, longtemps bastion des magasins religieux. Au ***n° 36*** (belle façade), se trouvait pourtant une curieuse institution (parmi quelques autres du quartier). Il semblerait, d'après les témoignages, qu'il s'agissait d'une « maison » fréquentée par une clientèle bien particulière de prélats, qui venaient y satisfaire quelque besoin impérieux en compagnie de jeunes personnes expertes à leur confesser leurs turpitudes, à en inventer si besoin, et à recueillir de toutes les manières que la nature permet (et Dieu sait si elles sont nombreuses!) les effets qu'elles ne tardaient pas à produire... La chair est faible, le vœu de chasteté bien lourd à porter... Tolérés par l'Église, qui aurait eu les moyens de les faire fermer, ces établissements « spécialisés » lui rendaient bien service, en évitant peut-être à tel ou telle catéchumène des caresses trop appuyées, un viol peut-être, un scandale sûrement. Tournons la page, paix à l'âme de Mgr Daniélou, trop tôt arraché à l'affection de ses fidèles pécheuses... et un petit hommage à Alphonse Boudard, qui sut si bien parler de tout cela dans l'un de ses derniers ouvrages!

★ ***Le jardin du Luxembourg*** *(plan, **10**) :* empruntons la rue Servandoni, où, au ***n° 18*** *(plan, **9**),* habita Olympe de Gouges, courtisane peut-être, mais auteur de la prémonitoire *Déclaration des droits de la femme et du citoyen*. Nous arrivons au jardin du Luxembourg, ses statues de faune, sa fontaine de Médicis où un dieu jaloux épie des amants alanguis par les baisers et les caresses (rendez-vous bien connu des amoureux), son bassin où, aux beaux jours, les belles lectrices esseulées sont abordées par des poètes plus ou moins maudits, des célibataires plus ou moins en veine de confidences, voire des hommes mariés plus ou moins frustrés (temps moyen avant le premier abordage, constat d'huissier à l'appui :

5 mn et 30 s). Bref, au Luxembourg, on y drague. Quelquefois c'est lourd, mais il arrive que cela soit délicieux... Il faut dire que l'endroit était au XIXe siècle autrement étendu, sauvage encore par endroits, et servait déjà d'abri à toutes sortes de rendez-vous galants.

★ Sortons par la grille royale, rue Auguste-Comte, et empruntons les jardins de l'avenue de l'Observatoire, à l'emplacement de cette Pépinière du Luxembourg sacrifiée par Napoléon III aux promoteurs et à leurs maisons de rapport. Admirons au passage les statues de beautés dévêtues et de solides gaillards ainsi que le groupe sculpté avec chevaux cabrés, tortues exotiques et jeunes femmes à la plastique impeccable symbolisant les différentes parties du monde... Nous arrivons à la ***Closerie des Lilas*** *(plan, **11**),* qui ne ressemble en rien au bal qui pouvait, à la fin du XIXe siècle, accueillir jusqu'à 3 000 danseurs, dans une excitation que l'on a du mal à imaginer. Allez, on imagine très bien ! Les rues n'étant pas éclairées, le boulevard pas encore entièrement loti, on concluait pour ainsi dire sur place les rencontres d'une soirée...

★ Par le boulevard, à droite et en face, empruntons la rue Campagne-Première, jusqu'au ***n° 29*** *(plan, **12**),* où se trouve ***l'hôtel Istria***, qui abrita toutes sortes d'amours plus ou moins légitimes, d'Aragon et Elsa Triolet à Nancy Cunard, riche héritière et grande amoureuse de l'amour qui n'y venait jamais seule, ou même Raymond Radiguet, qui n'hésitait pas à y tromper Cocteau avec... une femme.

★ Bon, traversons le boulevard Raspail et prenons le boulevard Edgar-Quinet. Au ***n° 31*** *(plan, **13**)* – mais il n'en reste rien aujourd'hui – se trouvait le ***Sphinx,*** un « établissement » sans équivalent, dédié, sur quatre étages, au luxe et aux voluptés. Bar au rez-de-chaussée, *dancing* avec orchestre, salons, chambres plus luxueuses les unes que les autres : on est loin de la sordide maison d'abattage de la rue de Fourcy. Tout le Paris des lettres, du music-hall, du cinéma, de la politique aussi, ira s'y faire voir. Maurice Chevalier, Mistinguett, Colette y passeront des soirées arrosées au champagne, Michel Simon, grand érotomane devant l'Éternel, y prendra pension, Albert Londres, Simenon s'y installeront pour y écrire, mais pas seulement, Henry Miller en rédigera la publicité contre quelques instants d'intimité avec une des très jolies pensionnaires, recrutées aux Folies-Bergère ou au Casino de Paris... Endroit étonnant, fascinant, spectaculaire, parmi les nombreux établissements qui, à Montparnasse, avaient accueilli une clientèle fortunée ou extravagante, où s'étaient mêlés peintres reconnus, ou qui n'allaient pas tarder à l'être, modèles et égéries à la liberté de mœurs peu commune comme la belle Kiki, qui posa pour les plus grands et les eut aussi pour amants, écrivains fauchés, simples noceurs ou révolutionnaires en exil. Entre la boucherie de

1914-18 et celle à venir, avec son cortège d'horreurs bien pire encore, Paris y a été une fête, Éros y a été roi.

Fin de la balade

Allez, pour nous, la balade s'arrête là... Retour par le ***métro Edgar-Quinet*** tout proche *(plan,* ***14****)*.

LE PARIS DES PASSAGES LES PLUS INSOLITES ET MYSTÉRIEUX

BALADE N° 14 : 3,5 km – 2 h 30.

Un peu d'histoire

Voici un itinéraire assez insolite qui vous mènera à travers un Paris curieux, surprenant, plein de clins d'œil et, surtout, intéressant les jours pluvieux... si on a oublié son parapluie ! Les passages se révèlent de deux types : traditionnels, reliant deux rues à travers un ou plusieurs immeubles ou bien dédié au commerce. Les premiers, bruts de forme, ne sont que de tortueuses voies de communication entre deux rues, parfois difficiles à repérer. Les seconds furent créés et connurent leur âge d'or au XIXe siècle. En 1840, on en dénombrait plus de 130. Vous revivrez le temps pas forcément béni où Paris n'avait ni trottoirs ni électricité et où les gens étaient heureux de se réfugier dans les passages pour le lèche-vitrine, fuyant boue et fiacres. Des spéculateurs avisés suivirent les traces du duc d'Orléans, le premier qui eut l'idée de lotir les jardins de son Palais Royal pour toucher des loyers. On construisit donc des passages sur des terrains réquisitionnés à la Révolution. À l'époque, louer des boutiques et leur logement était le placement le plus rentable qui soit. On s'y bouscule, on s'y amuse bien, on y consomme beaucoup. C'est l'époque des premiers restos dignes de ce nom, des cafés où l'on joue aux dames et aux dominos, des bals, des théâtres, des estaminets où l'on boit l'absinthe... *Melting pot* de bourgeois, d'aristos désargentés, poètes et théâtreux, employées de maison et vraies laborieuses. Puis vint le déclin lié à l'essor des grands magasins et à l'importance grandissante de la voiture. Les gens marchant de moins en moins à pied, ils en oublièrent les passages. Aujourd'hui, par un juste retour des choses, les embouteillages ont ramené les humains sur les trottoirs et les passages revivent une seconde jeunesse.

Départ

Départ de l'itinéraire au ***métro Château-d'Eau*** *(plan, **1**).* Compter 3,5 km et 2 h 30 à 3 h de balade.

À voir

★ ***Passage du Désir*** *(plan, **2**)* **:** entrée au n° 84, faubourg Saint-Denis. S'appelait auparavant *passage du Puits.* Il prit son nouveau nom d'une enseigne d'hôtel qui comptait d'autres activités lucratives. Construit pour abriter des boutiques d'artisans, dont de nombreuses devantures subsistent encore du côté Saint-Denis. Éventré au moment du percement du boulevard de Strasbourg. On le retrouve par chance de l'autre côté. Noter la belle inscription au-dessus de l'arcade d'entrée. Les urbanistes haussmaniens et leurs successeurs avaient obligation, lorsqu'un nouveau boulevard coupait un vieux passage, de le refaire démarrer par une élégante arcade (en général sous un immeuble de rapport). Portion de passage assez austère reconstruit ici en style Louis XIII et débouchant au n° 89, faubourg Saint-Martin. À noter que le passage du Désir n'est guère loin de la ***rue de de la Fidélité***, qui elle-même conduit ***rue de Paradis*** (pour bonne conduite ?). Enfin, rêve d'adultère ? La rue des Petits-Hôtels est à deux pas !

★ ***Passage du Marché-Saint-Martin*** *(plan, **3**)* **:** prendre un bout de la rue du Château-d'Eau (tiens, au n° 39, ***la maison la plus petite de Paris***), pour rejoindre la rue Bouchardon. De l'ancien Marché-Saint-Martin (1879), ne subsistent plus que les arcades de pierre qui, ultime remord du promoteur, ont été intégrées dans le nouvel immeuble. Le passage du Marché-Saint-Martin permettait dans le temps de regagner, lourdement chargé, le faubourg plus rapidement. Aujourd'hui, il conserve toujours un certain caractère, avec son bout de rue évasé, ses vieux bistrots et restos populaires et leurs terrasses sans voitures aux beaux jours.

★ À voir

2 Passage du Désir
3 Passage du Marché-Saint-Martin
4 Passage Brady
5 Passage de l'Industrie
6 Passage du Prado
7 Passage Beauregard
8 Passage Sainte-Foy
9 Passage Lemoine
10 Passage des Dames-de-Saint-Chamond
11 Passage du Caire
12 Passage du Ponceau
13 Passage Basfour
14 Passage de la Trinité
15 Passage du Bourg-L'Abbé
16 Passage du Grand-Cerf

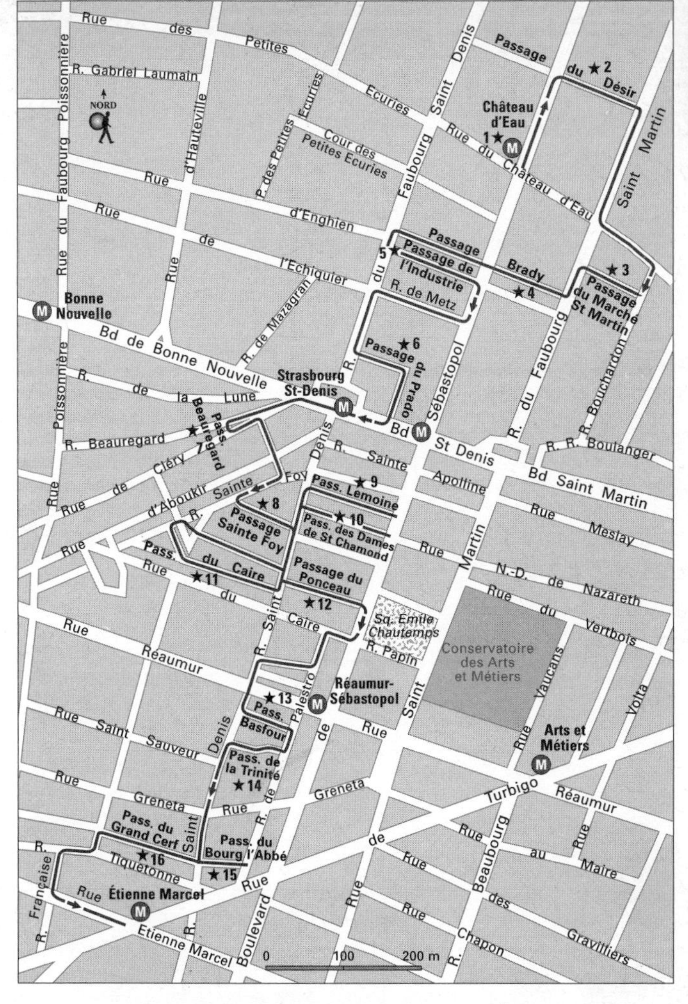

LES PASSAGES INSOLITES ET MYSTÉRIEUX

★ ***Passage Brady*** *(plan, **4**)* **:** il débute au n° 43, rue du Faubourg-Saint-Martin. Voie privée ouverte par M. Brady, propriétaire, en 1828. Également coupé en deux par le percement du boulevard de Strasbourg. Dans la première partie, jolie placette pavée et quelques demeures anciennes. C'est ici que vous trouverez les meilleurs loueurs de costumes pour vos fêtes. Le deuxième tronçon débouchant n° 46, faubourg Saint-Denis, est devenu le ***Little India*** parisien. Le premier resto s'y installa en 1973. Depuis, tous les magasins du passage sont indo-pakistanais (restos, coiffeurs, boutiques). Avec ses terrasses s'interpénétrant, ses clientèles au coude à coude, son animation permanente, ses effluves de curries parfumés, atmosphère comme là-bas garantie ! Côté Faubourg-Saint-Denis, dans la dernière verrière, vestiges des glaces gravées d'origine sur le côté.

★ ***Passage de l'Industrie*** *(plan, **5**)* **:** entrée au n° 42, rue du Faubourg-Saint-Denis. Ouvert en 1827, amputé par le boulevard de Strasbourg, il perdit son tronçon côté Faubourg-Saint-Martin en 1936, lorsqu'il se transforma en rue Gustave-Goublier. Comme son nom l'indique, à l'époque destiné à la petite industrie. Les hautes voûtes devaient faciliter le passage des charrettes. Aujourd'hui, les anciens ateliers abritent les grossistes pour coiffeurs.

★ ***Passage du Prado*** *(plan, **6**)* **:** 12, Faubourg-Saint-Denis. Passage en angle droit ouvert en 1785. Il s'appela d'abord Bois-de-Boulogne du nom d'un bal qui s'y tenait. Son nouveau propriétaire, amoureux du musée du Prado à Madrid, le rebaptisa en 1930. Décor pur *art déco* de cette époque d'ailleurs. Noter la technique dite « carton-pierre », une sorte de bouillie de sable et de carton qui se moule sur une armature en fer. À l'angle, une rotonde qui dut être élégante. Commerces et restos la plupart turcs. On débouche boulevard Saint-Denis. Admirer à cette occasion la belle porte du même nom. En fait, ce n'est pas une ancienne porte de la ville mais un arc de triomphe élevé pour commémorer les quarante villes prises par Louis XIV lors de la bataille du Rhin. Rejoindre ensuite la rue Sainte-Foy par la pittoresque rue des Degrés (la rue la plus courte de Paris).

★ ***Passage Sainte-Foy*** *(plan, **8**)* **:** 14, rue Sainte-Foy. Passage bizarre aussi, mystérieux, étroit, dégradé, un peu défoncé même, avec ses détours, ses escaliers, ses sirènes... Ancienne contrescarpe (défense avancée) du rempart de Charles V, ce qui explique les différences de niveau. Sortie au n° 261, rue Saint-Denis.

★ ***Passage Lemoine*** *(plan, **9**)* **:** 232, rue Saint-Denis. Date du XVIIe siècle. Là aussi, pas vraiment linéaire. À la sortie, au n° 135, boulevard Sébastopol, grosse grille et cartouche avec décor floral au-dessus du porche.

★ ***Passage des Dames-de-Saint-Chamond*** *(plan, **10**)* **:** 226, rue Saint-Denis. Un des plus insolites. Plutôt une sorte de traboule horizontale qu'un passage d'ailleurs. Tout au fond, une surprise : un superbe hôtel du XVIIIe siècle, celui des Dames de Saint-Chamond justement. Un dernier étage intempestif lui fut rajouté ultérieurement, mais l'ensemble présente toujours un élégant portail sculpté, surmonté d'un balcon en fer forgé.

★ ***Passage du Caire*** *(plan, **11**)* **:** entrée au n° 239, rue Saint-Denis, rue d'Alexandrie et au n° 44, rue du Caire. Construit en 1798-1799, sur l'emplacement du couvent des Filles-Dieu. Auparavant, c'est là que se tenait la célèbre ***cour des Miracles***. Celle-ci devait son nom, on s'en doute, au fait, qu'au soir venu « les aveugles voyaient clair... les estropiés retrouvaient l'usage de leurs jambes ». On y trouvait aussi des milliers de mendiants, tire-laines et « vendangeurs de coste » (les pickpockets de l'époque), faux et vrais aveugles, faux paralytiques, soldats déserteurs, filles de joie, etc. Tous ces gueux élisaient leur roi et reine. Il y avait une bassine devant une statue de saint volée dans une église. Les gens qui passaient devant étaient obligés d'y jeter une pièce, d'où l'expression « cracher au bassinet ». Le premier lieutenant de police La Reynie nettoya la cour des Miracles en 24 h, promettant aux six derniers mendiants encore présents d'être pendus sur place. « Bonne nouvelle », s'écria le voisinage et les braves gens (d'où, dit-on, le nom du quartier). C'est Bonaparte, de retour d'Égypte, fasciné par les souks du Caire qui fut à l'origine du passage (description pour ceux que ça intéressent à l'itinéraire « Paris égyptien) ». Trois longues galeries marchandes dont, au début, le dallage était constitué des pierres du cimetière du couvent. Le succès fut immédiat. Pour une des premières fois, les clientes pouvaient flâner et effectuer leurs emplettes à l'abri des chevaux, des voitures, sans souiller robes et petons dans la boue, protégées de la pluie plus tard grâce aux verrières. Dans les premiers temps, pas mal d'ateliers et de boutiques de lithos. Aujourd'hui, la fringue et les articles d'étalage, on est au cœur du Sentier.

★ ***Passage du Ponceau*** *(plan, **12**)* **:** 212, rue Saint-Denis. Finit au n° 119, boulevard de Sébastopol. Ouvert en 1826. Haut passage et grandes fenêtres. Il donnait dans la partie de la rue du Ponceau emportée en 1854 par le boulevard Sébastopol. Il tenait son nom d'un petit pont couvrant, au-dessus de la rue Saint-Denis, un égout à ciel ouvert. En 1413, ce petit pont s'appelait d'ailleurs le « ponceau Saint-Denis auprès des Nonnains (des Filles de Dieu) ». L'égout fut recouvert par François Miron, prévôt des marchands, le nom resta. Retour rue de Palestro croisant le dernier vestige de la rue du Ponceau qui fut longtemps l'une des rues les plus chaudes du quartier. Un matin, on y retrouva le cadavre d'un archevêque d'une grande ville du Sud-Ouest (non, pas Daniélou, un autre !). Pas de plaque sur le mur.

★ ***Passage Basfour*** *(plan,* ***13****)* **:** une voie existait déjà au Moyen Âge sous le nom de ruelle Sans-Chef, puis des Bas-Fours, ce dernier nom évoquant des fours à plâtre fonctionnant dans le secteur. Puis, l'hôpital de la Trinité installa son cimetière en 1224 dans le coin (du n° 164 au 176 rue Saint-Denis). Au coin de Basfour et Palestro, un carré caché par des palissades accueillit, de 1576 à la Révocation de l'Édit de Nantes (1685), les dépouilles de protestants. Une réglementation draconienne exigeait que les inhumations s'effectuent une demi-heure avant le lever et une demi-heure après le coucher de soleil. Noter les deux belles maisons à pignon au coin de la rue Saint-Denis (n° 174-176).

★ ***Passage de la Trinité*** *(plan,* ***14****)* **:** 164, rue Saint-Denis et 21, rue de Palestro. L'un de nos préférés. Ouvert en 1827, il correspond à l'ancienne entrée de l'hôpital de la Trinité (ou hospice des Enfants bleus) et de son cimetière. Ce dernier ferma pour des raisons de salubrité publique en 1678. Mais réellement vidé de ses locataires qu'en 1843 et 1859 (cette année-là, vingt voitures d'ossements furent vidées dans les catacombes). L'hospice et son église, quant à eux, fondés en 1201, accueillirent des orphelins à partir de 1545 (appelés Enfants bleus à cause de leur uniforme). Supprimés à la Révolution, puis démolis en 1817. Ce passage se révèle donc l'ultime vestige de cette institution. Lugubre à souhait. À faire résolument de nuit, vous comprendrez ce que le mot coupe-gorge veut dire. Depuis la suppression des vespasiennes, sert d'urinoir aux promeneurs de la rue Saint-Denis. Heureusement, il possède encore son ruisseau axial. Retour rue de Palestro, presque belle...

★ ***Passage du Bourg-l'Abbé*** *(plan,* ***15****)* **:** 3, rue de Palestro. Doit sa dénomination à la rue du même nom pas loin. À l'entrée, belle arcade avec deux statues symbolisant, à gauche, l'artisanat et la petite industrie (enclume, roue dentée), à droite le commerce (ancre, ballot de marchandises). Tombé un peu en douce décrépitude, mais on l'aime bien. Verrière en plein cintre, vieux baromètre et une pendule en grève qui s'observent avec lassitude. On y trouve encore un artisan menuisier. Débouché au n° 120, rue Saint-Denis.

★ ***Passage du Grand-Cerf*** *(plan,* ***16****)* **:** 145, rue Saint-Denis. Ce fut d'abord une ruelle servant de débouché à la célèbre hôtellerie du Grand-Cerf et d'où partirent coches et diligences vers l'est de la France jusqu'à la Révolution. Couverte en 1835 et transformée en passage avec boutiques d'artisans. Peut-être le plus beau de tous ceux que l'on a parcourus jusqu'à présent. Très jolies passerelles et élégantes ferronneries évoquant les prisons de Piranèse. On a vu partir ses derniers artisans et disparaître le restaurant du Grand-Cerf (chez Pépito), chez qui des milliers d'étudiants fauchés et de chômeurs purent se nourrir pendant des années pour trois fois rien ! Remplacé aujourd'hui par des boutiques de luxe ou branchouillées. Atmosphère quelque peu aseptisée et tristounette. Heureusement, à l'entrée, il y a toujours le vénérable *Royal Bar* et ses belles céramiques. Une curiosité : les appartements en étage sont des... HLM ! Jusqu'où vont-ils se nicher et heureux locataires qui ne verront jamais leur « barre » s'effondrer sous 500 kg de dynamite !

Fin de la balade

Fin de l'itinéraire, tiens quelques gouttes, il est temps de s'engouffrer dans le ***métro Étienne-Marcel*** tout proche.

LE PARIS CRIMINEL, GLAUQUE ET MORBIDE : DU SQUARE LOUVOIS À LA PLACE MAUBERT

BALADE N° 15 : 3,5 km – 2 h (frissons compris).

Cet itinéraire, déconseillé aux âmes sensibles, vous propose de retracer les grands crimes parisiens : régicides, brigands de tous poils, complots et châtiments qui vous dévoileront un Paris parfois sombre, souvent caché et en tous cas inquiétant...

Départ

Départ de l'itinéraire au ***métro Quatre-Septembre***. Compter 3,5 km et 2 h de balade.

À voir

★ ***Square Louvois*** *(plan,* ***1****)* **:** voici un petit square charmant en apparence, avec sa fontaine centrale par Louis Visconti (1836-39) ornée de quatre statues féminines de Jules Klagmann qui personnifient les quatre fleuves féminins : la Seine, la Loire, la Garonne et la Saône. Il tente cependant de faire oublier une histoire bien tourmentée en marquant l'emplacement d'un théâtre construit en 1792 pour accueillir la troupe de

★ **À voir**

1 Square Louvois
2 Galerie Vivienne
3 Rue Vide-Gousset
4 Le 19, rue Hérold
5 Rue Mauconseil
6 Le 20, rue Etienne-Marcel
7 Rues de la Grande et Petite-Truanderie
8 Place de Grève
9 Rue d'Arcole
10 Place Maubert
11 Le 1*bis,* rue des Carmes

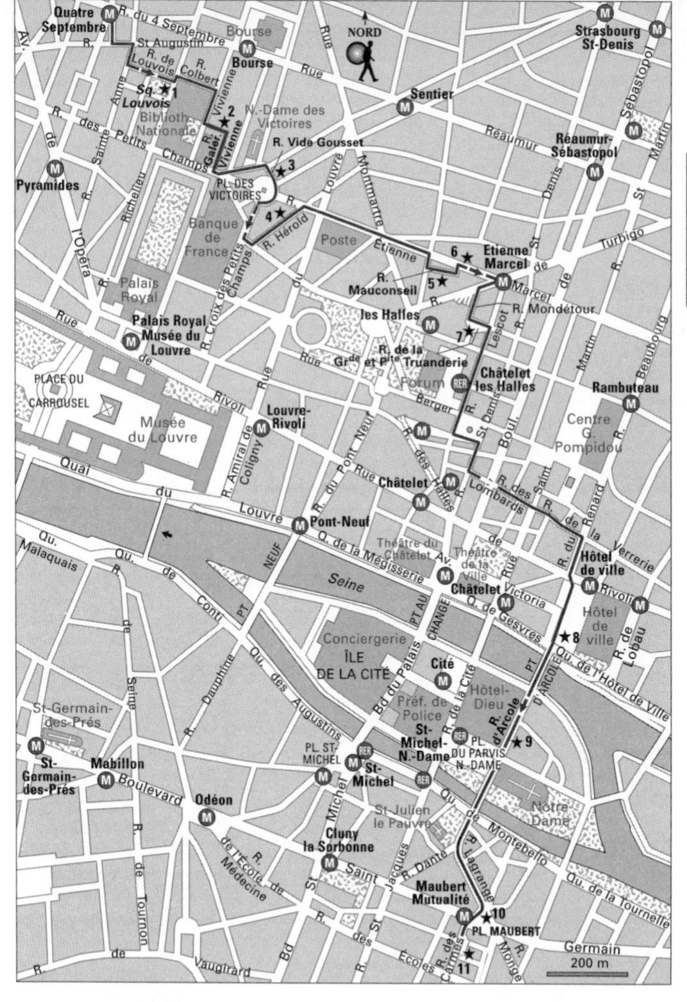

PARIS CRIMINEL (DU SQUARE LOUVOIS À LA PLACE MAUBERT)

l'Opéra avant la construction de l'opéra Garnier. C'est ce théâtre qui a vu se tramer de sanglants complots, prouvant qu'il n'a pas toujours été sans risque d'aller y passer une soirée.
Ainsi, le 24 décembre 1800, Bonaparte a échappé de justesse à un attentat alors qu'il se rendait à l'opéra du square Louvois. Georges Cadoudal, chef des brigands ayant fait exploser sa « machine infernale » (tonneau rempli d'explosifs et placé sur une charrette), sera arrêté quatre ans plus tard et enfermé au Temple. Vingt ans plus tard, c'est devant ce même opéra qu'a eu lieu l'assassinat du duc de Berry par Louvel. Le 13 février 1820, Louvel, ouvrier sellier de son état, tente d'exterminer les Bourbons qu'il déclarera considérer comme les ennemis de la France en frappant mortellement le duc d'un coup de couteau. Le duc de Berry, fils du futur Charles X, devait succéder à Louis XVIII. Mais ce meurtre fut inutile, puisque la duchesse de Berry devait mettre au monde, le mois de septembre suivant, un fils posthume, « l'enfant du miracle », appelé duc de Bordeaux, puis comte de Chambord, et qui, héritier du trône, mourut en 1883 sans postérité.
Après ces assassinats, on résolut de raser le théâtre maudit en 1830 et il en résulte aujourd'hui le seul havre de verdure du IIe arrondissement. Notons encore qu'en 1858, la malédiction continua, avec l'attentat d'Orsini contre Napoléon III. Il se déroula rue Le Peletier où se situait alors la salle qui lui avait succédé.

★ ***Galerie Vivienne*** *(plan,* ***2****) :* construite en 1823 par l'architecte F.-J. Delannoy, cet élégant passage (qu'on peut trouver aujourd'hui un peu guindé) a connu un succès immédiat. Au ***n° 13,*** un escalier en fer forgé du XVIIe siècle fut fréquenté par un brigand qui s'en est plutôt bien sorti. François ***Vidocq***, grand habitué des prisons, mais aussi des évasions, évita le bagne en s'évadant à Lyon. Il proposa au chef de la police de débarrasser la ville de tous les criminels en échange d'un laissez-libre. Grâce à ses contacts avec les bagnards, il réussit son pari et monte à Paris. Mais emprisonné encore une fois, il propose ses services au chef de la police et crée la Sûreté dont il se nomme chef. En 5 ans, il arrête 17 000 personnes, poussant les criminels qu'il envoie au bagne à lui donner des indices contre de bonnes situations à leur sortie. Dans la galerie se trouvaient ses bureaux où il avait installé une police privée pour défendre les commerçants des escrocs et d'où il a aidé beaucoup d'artistes et d'écrivains pauvres. Ami de Dumas et d'Appert (inventeur de la boîte de conserve), Vidocq fut paradoxalement l'un des hommes les plus intelligents et charitables du siècle, il fut même qualifié par Balzac de « grand médecin des âmes ».

★ ***Rue Vide-Gousset*** *(plan,* ***3****) :* certains noms de rue incitent à la prudence en décrivant les dangers qu'on y court. Tel est le cas de la rue Vide-Gousset, mais de bien d'autres encore que vous croiserez comme les rues Mauconseil ou Mauvoisin (déformation de mauvais conseil ou mauvais voisin), Mal-parole, de la Grande et de la Petite-Truanderie, des Mauvais-Garçons...

★ ***N° 19, rue Hérold*** *(plan, **4**)* **:** à cette adresse se trouvait l'hôtel d'où partit ***Charlotte Corday*** pour assassiner Marat. Arrière-arrière-petite nièce de Corneille, celle que Lamartine appelle « l'ange de la Terreur », n'est pas royaliste mais indignée par les excès de la Terreur. « Je n'ai jamais haï qu'un seul être et j'ai fait voir avec quelle violence; mais il en est mille que j'aime encore plus que je ne le haïssais ». Ne parvenant pas à rencontrer Marat après s'être présentée deux fois chez lui, au n° 20, rue de l'École-de-Médecine dans la journée du 13 juillet, elle retourne à son hôtel et rédige sa célèbre *Adresse aux Français* dans laquelle elle explique à ses compatriotes pourquoi il faut se débarrasser de la tyrannie de la Montagne. Puis elle retourne chez Marat, est admise et le poignarde dans son bain d'eau sulfureuse avec un couteau qu'elle a acheté au coutelier Badin, dans la galerie de Valois du Palais-Royal. Enfermée à la Conciergerie, jugée le 17 juillet et condamnée à mort, elle est conduite à la guillotine. Dans la charrette des condamnés elle se penche pour mieux voir l'échafaud : « J'ai bien le droit d'être curieuse... je n'en ai jamais vu ». Sur Marat, voir aussi l'itinéraire « La Révolution française au Quartier latin ».

★ ***Rue Étienne-Marcel*** *(plan, **6**)* **:** entre les rues Mauconseil *(plan, **5**)*, Montorgueil, Tiquetonne et Saint-Denis se trouvait la résidence parisienne des ducs de Bourgogne, habitée en 1402 par le duc Jean de Bourgogne, dit ***Jean sans Peur***. Au n° 20 de la rue Étienne-Marcel se trouve la tour que Jean sans Peur a fait construire au centre de son hôtel pour sa propre protection après l'assassinat sur ses ordres du duc d'Orléans. Son hôtel était pourtant bien défendu par de solides murailles avec créneaux et mâchicoulis, mais le dernier étage de cette tour abritait « une forte chambre pour dormir », peu accessible et dans laquelle il pouvait dormir sans crainte d'être assassiné. Cette tour rectangulaire est le seul spécimen de l'architecture militaire et féodale du Moyen Âge à Paris. Rappelons que cette précaution n'empêchera pas Jean sans Peur de mourir assassiné en 1419 mais... ailleurs, au pont de Montereau, par les chefs du parti des Armagnacs.

★ ***Rue de la Grande-Truanderie*** *(plan, **7**)* **:** deux hypothèses expliquent l'origine du nom de cette rue du XIIIe siècle. La première vient du *truage* qui, à cette époque désignait un impôt, tribut; la seconde du *truand* (fainéant, vaurien). Cette dernière possibilité est la plus probable, puisque le quartier de la Truanderie est situé au nord de Paris, le long du rempart de Philippe Auguste, qui était une véritable cour des miracles. On y relate un nombre incalculable de délits, notamment commis par des bandes organisées. Au XVIIe siècle, ces bandes adoptaient même des uniformes (Grisons, Rougets, Manteaux rouges...) et semaient la terreur sur leur passage. Le pilori des Halles tentait de leur faire peur et fut dressé dans le quartier sous Saint Louis et maintenu jusqu'à la Révolution. Les condamnés y étaient attachés par la tête et les mains et répartis autour d'un axe vertical. Il s'agissait, pour la plupart, de commerçants ayant utilisé de faux poids, des voleurs, des blasphémateurs, des entremetteuses... qui y étaient exposés deux heures par jour pendant trois marchés consécutifs pour subir les regards et injures du public qui pouvait leur jeter de la boue et des ordures mais pas de pierres. De demi-heure en demi-heure, l'axe tournait de 90 degrés, ce qui fait, qu'après deux heures d'exposition, les condamnés avaient fait une pirouette d'un tour complet.

★ ***Place de Grève*** *(plan, **8**)* **:** jusqu'au XIIe siècle, la place de l'Hôtel-de-Ville n'était qu'un lieu désert, constitué par une grève descendant en pente douce vers la Seine et ce nom lui restera jusqu'en 1830. Important lieu de rassemblement, elle sera le théâtre d'exécutions capitales jusqu'à la Révolution de Juillet. Il est vrai que, jusqu'au XIXe siècle, on exécutait les criminels un peu partout à Paris, souvent à un carrefour et parfois même dans les rues. Ces exécutions faisaient l'objet de tout un cérémonial et étaient précédées de préliminaires d'une lenteur désespérante. Enfin, quelques minutes avant quatre heures, le condamné était hissé sur une charrette découverte et dirigé à travers la foule jusqu'à la place sinistre où il devait mourir. En place de Grève, du haut de l'échafaud tourné vers la Seine, il pouvait voir le Palais de Justice et Notre-Dame.

★ ***Rue d'Arcole*** *(plan, **9**)* **:** alors que cette rue s'appelait rue des Marmousets en 1387 (sous Charles V), deux commerçants voisins, un ***barbier*** et un ***pâtissier***, avaient trouvé un drôle d'arrangement. Il arrivait au barbier d'étriper certains de ses clients. Au moyen d'une trappe, il faisait basculer les corps chez son voisin qui s'employait à hacher menu le cadavre pour en faire des pâtés. Tout le voisinage trouvait les pâtés fort bons jusqu'à ce qu'un chien hurle à la mort des jours entiers devant l'échoppe du barbier, pleurant son maître. Les soupçons s'éveillèrent et les deux commerçants terminèrent en place de Grève.

★ ***Place Maubert*** *(plan, **10**)* **:** le nom de la place vient de la déformation du nom Jean Aubert, deuxième abbé de Sainte-Geneviève en 1161. Le saint homme et sa place ne virent, jusqu'au XVIIe siècle, que des écoliers et des suppliciés. Lieu patibulaire : la potence, la roue, le bûcher y alternaient. Au XVIe siècle, c'est ici qu'on torturait les disciples de Luther. Sous les yeux des étudiants descendant de Sainte-Geneviève, on brûlait vifs ces « hérétiques » ou on leur perçait la langue avant de les étrangler. Il y avait aussi des exécutions ordinaires et dans le grand nombre l'une d'elles est restée fameuse : celle d'un domestique de 20 ans, soupçonné d'avoir assassiné son maître. Pendu pendant quelque temps, le bourreau détacha son corps, comme c'était la coutume, pour le porter au charnier du gibet de Montfaucon. Mais l'homme commença alors à s'agiter ; surpris, le bourreau voulut lui couper la gorge, mais les femmes, venues nombreuses au spectacle crièrent au miracle et lui refusèrent ce plaisir légitime. Le garçon, à qui rien n'échappait, prétendit qu'il avait été bien « mort », mais, qu'ayant adressé une prière à Notre-Dame de la Reconnaissance des Carmes avant de trépasser, elle avait eu le soin de le ressusciter. Porté au couvent des Carmes, il y fut bien soigné et François Ier lui-même le gracia. Une enquête ultérieure, qui prouva que le maître avait été assassiné par sa femme, confirma le miracle.

Au XIXe siècle, toute la truanderie parisienne se réunissait en cet endroit qui était alors entouré de bouges et de salles de jeux. Aujourd'hui, c'est une place de quartier résidentiel très recherché. Certes, un peu bruyante à cause du flux de voitures du boulevard Saint-Germain, mais cependant ombragée et qui accueille un agréable petit marché.

★ ***N°1 bis, rue des Carmes*** *(plan, **11**)* **:** pour clore ce circuit, ne manquez pas de visiter le ***musée de la Préfecture de police***, ouvert du lundi au vendredi de 9 h à 17 h et le samedi de 10 h à 17 h. ☎ 01-44-41-52-50. Entrée gratuite. Vous y découvrirez le registre d'écrou de Ravaillac, une vitrine consacrée à la Brinvilliers, des documents sur Vidocq, le joli viseur qui permettait au docteur Petiot de surveiller la cuisson de ses victimes, etc.

Fin de la balade

Fin de l'itinéraire au ***métro Maubert-Mutualité***.

LE PARIS CRIMINEL, GLAUQUE ET MORBIDE : DU LOUVRE AU MARAIS

BALADE N° 16 : 3 km – 2 h.

Départ

Départ du ***métro Louvre***. Compter 3 km et 2 h de balade.

À voir

★ ***Rue de l'Arbre-Sec*** *(plan,* ***1****)* **:** le carrefour des rues Saint-Honoré et de l'Arbre-Sec fut longtemps appelé la place de la Croix-du-Trahoir. Celle-ci fut un lieu patibulaire jusqu'en 1737. On y coupait plus spécialement les oreilles des serviteurs indélicats. Une potence (l'arbre sec) et la roue y furent longtemps dressées. Bien sûr, des potences s'élevaient dans tous les quartiers de la ville, porteuses presque chaque jour de belles grappes de pendus ! Mais ici, à proximité du grand marché, on trouvait une de ces croix qui côtoient les potences et dont les degrés étaient loués comme étals à des bouchers et des marchands de légumes !

★ ***Impasse des Bourdonnais*** *(plan,* ***2****)* **:** on y procédait à des exécutions de sorcières et de faux-monnayeurs (avant appelée *Impasse de la Fosse-aux-Chiens*)

★ ***Rue Courtalon*** *(plan,* ***3****)* **:** dans une maison de la rue Courtalon s'est déroulée une étrange affaire. Dans le courant de l'année 1684, 26 jeunes disparurent. Les bruits coururent qu'une princesse avait besoin de prendre des bains de sang humain pour soigner une maladie incurable. Finalement la police arrêta une bande de malfaiteurs. Parmi ceux-ci, une jeune femme se faisait passer pour la fille d'un prince polonais. Par sa grande beauté, elle attirait les jeunes hommes dans une demeure de la rue Courtalon. Là, des complices les assassinaient. Desséchées et embaumées, les têtes étaient emmenées en Allemagne pour servir à des recherches phrénologiques. Afin que rien ne se perde, les corps étaient vendus à des étudiants en médecine. La fausse princesse de la rue Courtalon et ses complices furent jugés et pendus.

★ ***Rue de la Ferronnerie*** *(plan, **4**)* **:** d'abord appelée rue de la Charronnerie, la rue de la Ferronnerie tient son nom d'une autorisation donnée par saint Louis aux ferrons (marchands de fer) de dresser leurs éventaires près du charnier des Innocents. Cette activité attira des boutiques puis de nouvelles constructions qui rendirent la rue très étroite. C'est l'effervescence et l'étroitesse de la rue qui facilitèrent la tâche de ***Ravaillac***. Le 14 mai 1610, vers 16 heures, ***Henri IV*** quitta le Louvre pour se rendre à l'Arsenal voir Sully qui était souffrant. On traversa sans trop de mal la rue Saint-Honoré et la rue de la Croix-du-Trahoir mais, en arrivant rue de la Ferronnerie, son carrosse fut stoppé devant les échoppes par un chariot de vin et une charrette de foin. Les valets et l'escorte royale, afin de gagner du temps, coupèrent par le cimetière des Innocents, pour attendre le cortège dans la rue Saint-Denis. C'est de ce moment que profita Ravaillac, posté près de la boutique du *Cœur couronné d'une flèche*, à la hauteur du ***n° 11***. Il monta sur une borne, puis sur une roue de carrosse, et frappa le roi de trois coups d'un couteau qu'il avait dérobé à l'*auberge des Trois-Pigeons*, en face de l'église Saint-Roch. Ravaillac fut écartelé en Place de Grève.
Ce n'est qu'en 1669 qu'un édit royal ordonna de démolir « les petites maisons, boutiques et échoppes qui sont adossées contre les murs du charnier, et de porter la largeur de la rue à 30 pieds ». Le directeur des musées à Saint-Denis, Lenoir, raconta à Alexandre Dumas que, pendant la Révolution, le corps de Henri IV, toujours intact, fut exhumé de la basilique de Saint-Denis et giflé par un travailleur; hanté par le fantôme du roi qu'il ne cessa de voir la nuit, il délira et mourut trois jours après.

★ ***Rue des Innocents*** *(plan, **5**)*. Le ***cimetière des Saints-Innocents :*** la vieille règle romaine d'inhumer les morts à l'extérieur des villes et de dresser des tombeaux en bordure des grandes voies d'accès à celles-ci étant encore en usage au Xe siècle, c'est le long du chemin qui conduisait à Saint-Denis que l'on a ouvert à cette époque, hors de Paris, le grand cimetière qui devenait nécessaire à l'agglomération parisienne. Son importance fut considérable, puisqu'il fut le cimetière de toutes les paroisses de Paris qui n'en comptaient pas (soit près de 22 églises) et, pendant longtemps, avant qu'ils ne soient inhumés au cimetière de Clamart, celui des morts de l'Hôtel-Dieu, celui des pestiférés (50 000 décès en 5 semaines en 1418), celui des inconnus de la morgue et des personnes trouvées mortes sur la voie publique (pour ces deux dernières catégories, il y avait une plate-bande à part, non bénite, parallèle à la rue de la Lingerie). Les inhumations avaient lieu dans une vaste fosse commune pouvant contenir 1 500 corps superposés; lorsqu'elle était pleine, on en creusait une autre à côté. Une légende voulait que la terre de ce

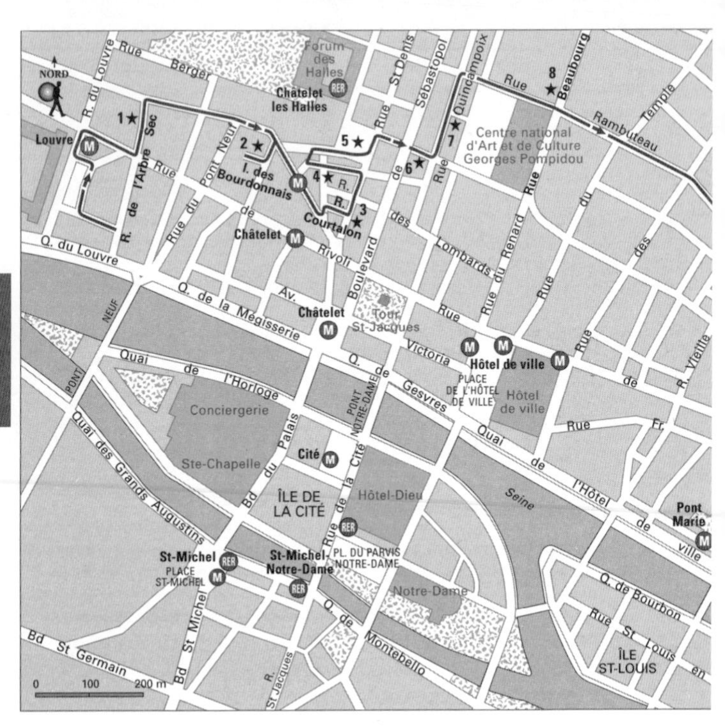

cimetière « soit excellente et mange son cadavre en 9 jours » ; aussi des évêques, inhumés, eux, dans les églises, demandèrent-ils qu'on mette dans leur cercueil un peu de terre du cimetière des Innocents.

★ ***Rue Aubry-le-Boucher*** *(plan,* ***6****) :* dans cette rue s'est déroulée une affaire qui illustre les aléas de la justice à une époque pourtant toute proche. ***Liabeuf*** était recherché pour proxénétisme (il était alors officiellement ouvrier cordonnier). Mais il résiste à la police qui tentait de l'appréhender dans cette rue, tout en ne cessant de clamer son innocence. Un policier est tué, six autres blessés. Aux assises, il affirme qu'il n'était pas

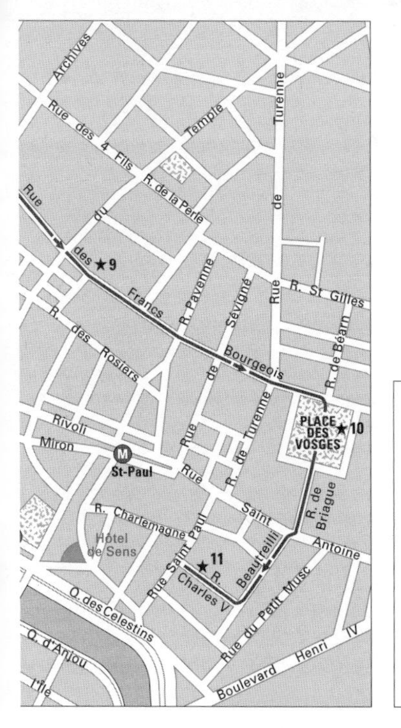

★ À voir

1. Rue de l'Arbre-Sec
2. Impasse des Bourdonnais
3. Rue Courtalon
4. Le 11, rue de la Ferronnerie
5. Rue des Innocents
6. Rue Aubry-le-Boucher
7. Le 54, rue Quincampoix
8. Rue Beaubourg
9. L'impasse des Arbalétriers
10. Place des vosges
11. Le 12, rue Charles V

PARIS CRIMINEL (DU LOUVRE AU MARAIS)

souteneur et déclare même préférer la guillotine (qu'on réserve aux assassins) plutôt qu'une condamnation pour proxénétisme qu'il trouvait ignoble. Liabeuf sera guillotiné le 30 juin 1910.

Une autre anecdote, médiévale celle-là : traversant un jour la rue Aubry, le ***cardinal Eusèbe*** croise un condamné à mort en route vers son lieu d'exécution. Une coutume voulait que, lorsqu'une telle rencontre était fortuite, la grâce puisse être accordée au criminel. Ce fut le cas et le cabaret au coin de la rue Saint-Martin, pour honorer cette générosité, s'orna d'un chapeau de cardinal... qui ne disparut qu'en 1910 !

Dans *Les Misérables*, **Gavroche** tombe d'ailleurs à l'angle de la rue

Saint-Martin et rue Aubry-le-Boucher en chantant : « C'est la faute à Voltaire... c'est la faute à Rousseau ».

★ ***Rue Quincampoix*** *(plan, 7)* **:** il s'en passa des choses dans cette rue mais, pour mieux encore s'imprégner de l'ambiance de ces quartiers, il faut peut-être rappeler la configuration des rues du Paris médiéval. Souvent jusqu'à la moitié du XIXe siècle, ces quartiers n'étaient qu'un entrelacs de ruelles sombres, boueuses, sans trottoirs ni pavés. Noires d'ordures et suintantes d'humidité, elles avaient l'aspect de basses-cours : toutes les bêtes de la ferme s'y donnaient rendez-vous en toute liberté. Ces caractéristiques donnaient lieu à des noms de rue bien évocateurs. Dans un registre fleuri et truculent on pouvait trouver la rue brenneuse (autrement dit pleine de « boue »), l'orde-rue (parsemée d'ordures), les carrefours du Trou-punais, du Pet-au-diable, de la Fosse-aux-Chiens et autres charmants qualificatifs ! On comprendra que ces rues aient été débaptisées depuis...

★ ***Le cabaret de l'Épée de Bois :*** 54, rue Quincampoix. *L'Épée de Bois* reste lié au meurtre de Lacroix perpétré par le comte de Horn. La victime s'était enrichie dans les manipulations financières en rapport avec le « système » de Law. Le scandale fut considérable en raison de la personnalité du comte Antoine de Horn, frère d'un prince allemand et surtout parent du régent Philippe d'Orléans qui gouvernait la France. Vendredi Saint, le 20 mars 1720 : de Horn, accompagné d'un gentilhomme piémontais dénommé Demiles, y rencontrèrent Lacroix, soi-disant pour parler affaires. Les trois hommes s'installèrent au 1er étage, tandis que quelqu'un faisait le guet dans la rue. Horn et Demiles tuèrent Lacroix. Un valet alerta la garde qui les arrêta. Des nobles tentèrent d'influencer Philippe d'Orléans quant au jugement. Ce dernier répondit : « Quand j'ai du mauvais sang, je me le fais tirer ». Ils furent roués le 26 mars 1720 en Place de Grève.

★ ***Rue Beaubourg*** *(plan, 8)* **:** auparavant appelée rue Transnonnain, inscription encore gravée au n° 79 (Trousse-nonnain) puis Trace-putain pour décrire certaines activités du quartier. Le 13 avril 1834 : journée insurrectionnelle et massacre. D'une fenêtre, un insurgé tue un soldat blessé qu'on emmenait sur une civière. Les habitants de cette maison furent tués étage par étage.

★ ***Impasse des Arbalétriers*** *(plan, 9)* **:** pavés disjoints, bornes, encorbellements... tous les attributs (ou presque) de la rue médiévale sont réunis dans la pittoresque impasse des Arbalétriers. Il s'agit de l'ancienne entrée secondaire de l'hôtel Barbette, aujourd'hui disparu, qui était la résidence de la reine Isabeau de Bavière au début du XIVe siècle. L'impasse (il s'agissait alors d'une allée) menait à un champ où s'entraînaient les arbalétriers. Les historiens pensent que c'est en ce lieu précis, le

23 novembre 1407, que Louis d'Orléans, frère du roi Charles VI et grand rival de Jean sans Peur, duc de Bourgogne, fut assassiné sur les ordres de Jean, alors qu'il s'en retournait d'une visite à la reine Isabeau de Bavière. L'impasse mène à une vaste cour elle-même reliée à la rue Vieille-du-Temple.

★ ***Place des Vosges*** *(plan, **10**) :* elle se situe à l'emplacement du magnifique palais des Tournelles, résidence royale bâtie en 1388. C'est en 1559, à l'occasion du mariage d'Élisabeth de France avec Philippe II d'Espagne que le roi ***Henri II*** est blessé mortellement. De grandes fêtes sont organisées à Paris à la fin du mois de juin 1559 et un tournoi a lieu à proximité du Palais où Henri participe aux joutes portant les couleurs de sa maîtresse, Diane de Poitiers, qui est assise à côté de la reine Catherine de Médicis. Le capitaine des gardes écossais, Montgomery, a le malheur de blesser mortellement Henri : sa lance entre dans son œil et malgré des expériences faites par des médecins sur les crânes des condamnés décapités sur le champ pour la circonstance, le roi meurt le 10 juillet 1559 à l'hôtel des Tournelles après dix jours d'agonie. Montgomery est enfermé puis libéré et il se réfugie en Angleterre, revenant en France aux côtés des Hugenots; capturé sur les ordres de Catherine de Médicis, il est décapité sur la place de Grève en 1574. Catherine de Médicis fera détruire le palais des Tournelles en 1663. C'est Henri IV qui décide de créer la Place Royale, dont il ne verra pas l'inauguration en 1612, ayant été assassiné deux ans plus tôt. Comme ironisa Victor Hugo : « C'est le coup de lance de Montgomery qui créa la Place des Vosges ». Elle reçut son nom actuel en 1800, en hommage au premier département à avoir payé ses impôts en totalité.

★ ***N°12, rue Charles V*** *(plan, **11**) :* hôtel de la ***marquise de Brinvilliers***, dit aussi hôtel d'Aubray. Cet hôtel, construit en 1620, fut habité par la ***célèbre empoisonneuse*** Marie-Madeleine de Dreux d'Aubray, après qu'elle eut épousé, à 21 ans, en 1651, Antoine Gobelin, marquis de Brinvilliers, militaire de son état. Marie-Madeleine avait reçu une bonne éducation et une bonne instruction, mais elle n'eut jamais une bonne moralité; elle nous a appris elle-même qu'elle avait été « dévergondée » à 7 ans. En 1659, elle devint la maîtresse du chevalier Godin, dit de Sainte-Croix, qui l'initia à la confection des poisons. Dame de charité ayant ses entrées à l'Hôtel-Dieu, elle expérimenta sur les malades différents dosages du poison étudié par Godin, soit un mélange de venin de crapaud, d'arsenic et de vitriol. Le dosage trouvé, elle empoisonna son père, en 1666, mais dut recommencer dix fois avant de réussir. En 1670, elle empoisonna son frère aîné, et presque sa belle-sœur, puis, sept mois après, son frère cadet; elle tenta aussi, mais vainement, d'empoisonner son mari, car Godin, craignant d'être obligé d'épouser la marquise si elle devenait veuve, désempoisonnait le marquis chaque fois que la marquise l'empoisonnait ! En juillet 1672, Godin de Sainte-Croix mourut subitement – et naturellement. La marquise, aussitôt informée, voulut retirer du domicile de son amant une certaine cassette ; son insistance la rendit suspecte, aussi s'enfuit-elle vite à l'étranger. La police ouvrit la cassette le 18 août et y trouva 34 lettres de la marquise traitant de ses crimes, 27 recettes intitulées « secrets curieux » et de nombreux échantillons de poisons divers. Colbert demanda à l'Angleterre son extradition. Prévenue à temps, elle se réfugia aux Pays-Bas dans un couvent où un habile agent du lieutenant de police de la Reynie, nommé Desgrais, réussit à s'emparer d'elle au printemps de 1676. Ramenée à Paris, elle fut condamnée, en sus de la question ordinaire et extraordinaire, à faire amende honorable devant Notre-Dame, nu-pieds, la corde au cou, une torche ardente à la main, à être décapitée en Grève, son corps devant ensuite être brûlé et les cendres jetées au vent. Le jour de son exécution, il y eut tant de monde place de Grève que les théâtres ne jouèrent point. La marquise de Brinvilliers laissa des adeptes. Dès 1667, les empoisonnements se multiplièrent, au point que le roi dut sévir et créer, à l'Arsenal, en janvier 1680, une « chambre ardente » chargée de juger les empoisonneurs. De ceux-ci, la veuve Monvoisin, dite ***la Voisin***, fut la plus célèbre. Ancienne sage-femme, avorteuse, cartomancienne, elle commença par vendre des secrets pour conserver la jeunesse et gagner au jeu, puis des philtres d'amour et, enfin, ce qu'on appelait la « poudre de succession ». Arrêtée et torturée, elle accusa tant de personnes de la Cour d'être en correspondance avec elle qu'on coupa court à ses accusations en la condamnant à être brûlée vive. L'***affaire des poisons*** entraîna 442 arrestations. De celles-ci, 218 furent maintenues et se terminèrent par 36 exécutions, 5 envois aux galères et 23 bannissements.

Fin de la balade

Retour par les ***métros Saint-Paul***, ***Bastille*** ou ***Sully-Morland***.

LE PARIS EXISTENTIALISTE : SAINT-GERMAIN-DES-PRÉS

BALADE N° 17 : 3 à 4 km – 3 h pour bien se pénétrer de l'atmosphère du quartier.

Un peu d'histoire

Dans *Le Piéton de Paris,* Léon-Paul Fargue comparait Saint-Germain à « des terrasses qui gazouillent comme un four à frite ». C'était vrai au début du XXe siècle, c'est encore vrai aujourd'hui, avec la persistance de ces tours Eiffel que sont le ***Café de Flore,*** les ***Deux Magots*** et la brasserie ***Lipp***. On oublie souvent que les membres de l'Action Française (Maurras, Barrès, Bainville) avaient pris l'habitude de se réunir au *Flore* à cette époque. Le quartier fut surtout un repaire d'intellectuels de droite jusqu'à la Seconde Guerre mondiale. Puis les Zazous s'y distinguèrent pendant l'Occupation, ainsi que le groupe Octobre et son animateur Jacques Prévert, considéré comme le précurseur de la vogue germanopratine. Rendu célèbre par les répliques des films de Carné et les poèmes de *Paroles* (1945), le « vrai père » (anagramme de Prévert) devient l'idole de la jeunesse d'après-guerre, qui se presse dans les cafés de Saint-Germain pour le rencontrer.
La proximité du siège des principales ***maisons d'édition*** (la trilogie *Gallimard*, *Grasset*, *Le Seuil*) fait le reste : les écrivains viennent travailler dans les cafés du boulevard, mieux chauffés que les logements de l'époque. En plus – luxe suprême ! – on y sert des œufs aux plats. Parmi ces plumitifs transis, un couple qui reste indissociable de la mythologie « rive gauche », les piliers du carrefour Saint-Germain : ***Sartre et Beauvoir***. En 1943, paraît *L'Être et le Néant*, somme dans laquelle Sartre affirme la primauté de l'existence sur l'essence et la métaphysique de la liberté. En 45, il lance la revue *Temps Modernes*, avec Aron, Beauvoir, Merleau-Ponty, Leiris et Paulhan... En 46, Jean Sol Partre (comme l'appellera Vian) publie *L'Existentialisme est un humanisme,* qui vulgarise ses thèses

sur le sujet. L'Église et la presse de droite l'accablent de tous les maux, contribuant à le rendre à la mode.

Parallèlement, la folie du ***jazz***, arrivé dans les malles des Libérateurs, s'empare des caves du quartier à la suite du succès du Tabou. La presse à sensation va vite amalgamer l'existentialisme sartrien et le « mouvement existentialiste », à savoir les jeunes branchés de l'époque, amateurs d'alcool, de danse et de *be bop*, en quête de liberté et de nouveauté. On les a appelés « Rats des caves », « troglodytes », on disait d'eux qu'ils attendaient l'explosion de la bombe atomique... Le plus célèbre d'entre eux, ***Boris Vian***, alias Bison Ravi, alias Vernon Sullivan, écrivit un *Manuel de Saint-Germain-des-Prés* pour rétablir la vérité : « Jean-Paul Sartre : écrivain, dramaturge et philosophe dont l'activité n'a rigoureusement aucun rapport avec les chemises à carreaux, les caves ou les cheveux longs, et qui mériterait bien qu'on lui foute la paix, parce que c'est un chic type. »

L'***existentialisme*** devint un véritable phénomène de société à partir de 1946 et perdura jusqu'en 55 environ (mais Vian avait déjà fui les lieux en 52 pour retrouver Prévert à Montmartre). En 1960, Gréco chante : « Il n'y a plus d'après, à Saint-Germain-des-Prés »... Pendant toutes ces années, le quartier fut surtout un formidable vivier artistique. Ses cabarets, clubs et cafés-théâtres servirent de tremplins à une pléthore de chanteurs, acteurs, musiciens et metteurs en scène : Gréco, bien sûr, mais aussi Brel, Gainsbourg, Ferré, Brassens, Montand, Moustaki, Henry Salvador, sans oublier Catherine Sauvage, Philippe Clay, Roland Petit, Jean Vilar, Alexandre Astruc, Yves Allégret, Rosy Varte, les Frères Jacques, Yves Robert, Gérard Philippe, Maria Casarès, Mouloudji...

N'oublions pas non plus qu'une ribambelle de peintres et dessinateurs y ont flâné ou travaillé (Giacometti, Nicolas de Staël, Siné), qu'un nombre hallucinant d'écrivains y ont traîné (entres autres Genet, Camus, Queneau, Cocteau et Duras – qui elle aussi adorait écrire dans les cafés) et que la Série Noire y est née (le titre fut trouvé par Prévert).

Aujourd'hui, malgré l'invasion des touristes, la prolifération des boutiques de fringues et le prix exhorbitant des loyers, le quartier tente de garder, tant bien que mal, son éternel côté « intellectuel », grâce à ses cafés mythiques. Mais les librairies et les cinémas disparaissent peu à peu. Il faut pas mal d'imagination pour apercevoir les fantômes des artistes et des écrivains errer dans Saint-Germain. Mais de ce côté là, on fait confiance à nos lecteurs. Bienvenue chez nos cousins Germanopratins !

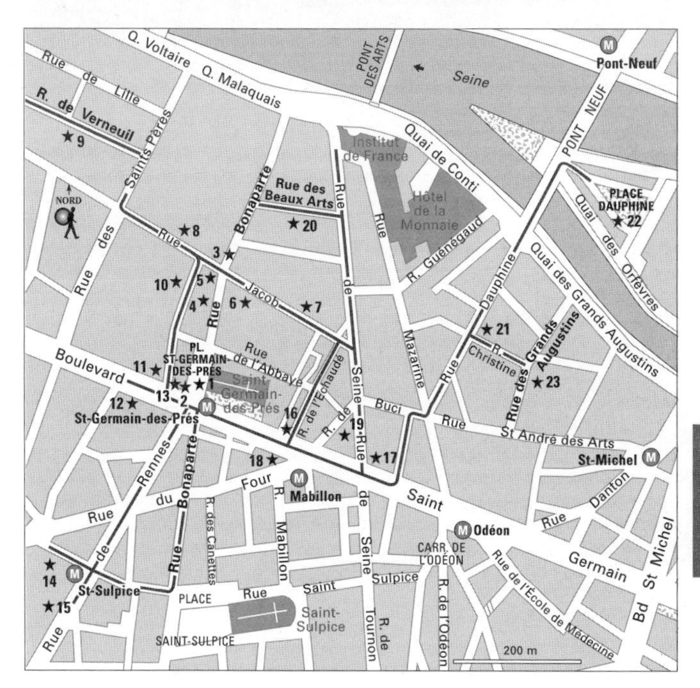

PARIS EXISTENTIALISTE : SAINT-GERMAIN-DES PRÉS

★ **À voir**

1. Place Saint-Germain-des-Prés
2. Les Deux-Magots
3. Rue Bonaparte
4. L'hôtel Saint-Germain-des-Prés
5. Le Pré aux Clercs
6. L'hôtel du Balcon
7. Le Bar Vert
8. L'hôtel d'Angleterre
9. Rue de Verneuil
10. Le Petit Saint-Benoît
11. Le café de Flore
12. La brasserie Lipp
13. La Hune
14. Le Vieux Colombier
15. La Rose rouge
16. La Rhumerie
17. Le Mandarin
18. Le Palace Hôtel
19. L'hôtel La Louisiane
20. Rue des Beaux-Arts
21. Le Tabou
22. Place Dauphine
23. Rue des Grands-Augustins

Départ

Départ du circuit à l'***église Saint-Germain-des-Prés*** (M. : Saint-Germain-des-Prés).

À voir

★ ***Place Saint-Germain-des-Prés*** *(plan, **1**)* **:** une partie de la place, côté église, a été rebaptisée *place Sartre-Beauvoir.* L'église, l'une des plus vieilles de Paris, mérite évidemment une visite. Comme son atmosphère de recueillement contraste avec l'agitation du boulevard ! Même son curé est un intello : la dernière fois que nous sommes passé, il parlait de Boris Pasternak à une étudiante russe...
– À l'angle de la place et du boulevard : ***Les Deux-Magots*** *(plan, **2**),* surnommé le « café des deux mégots » par les habitués. Parmi eux : Giraudoux, Faulkner, Cossery et bien évidemment Sartre et Beauvoir, qui s'y réfugiaient quand ils ne voulaient pas être dérangés au *Flore*... Le café décerne un prix littéraire chaque année en janvier, depuis 1933. Il fut paraît-il créé pour honorer Raymond Queneau, qui fut le premier à l'obtenir. « Un café assez prétentieux et solennel où chaque consommateur représente pour son voisin un littérateur », écrivait déjà Léon-Paul Fargue en 1936...
– À côté, le ***Club Saint-Germain***, ouvert en 1948 et aujourd'hui disparu, avait l'originalité de faire à la fois bar, librairie et salle de concerts. Les plus grands jazzmen y défilèrent : Ellington, Charlie Parker, Max Roach, Kenny Clarke... C'est ici que débuta Claude Luter. On y lança les premières « nuits » : du cinéma, de l'Innocence, etc. En réaction, les concurrents du *Tabou* créèrent la « nuit du Vice » !
– Située à l'angle Bonaparte-Abbaye, ***Le Divan***, l'une des librairies mythiques du quartier, une des rares où l'on mettait en vitrine les livres du poète génial (mais trop discret !) Philippe Denis, a été liquidée il y a quelques années pour laisser la place à une boutique *Dior.* Scandale ! Alain Souchon en a fait une jolie chanson *(Rive Gauche à Paris).* On est bien d'accord avec lui : Saint-Germain-des-Prés n'est plus ce qu'il était...

★ ***Rue Bonaparte :*** à l'angle de la place Saint-Germain et de la rue, le ***café Bonaparte*** *(plan, **3**)* : Sartre y recevait les auteurs des *Temps Modernes.* Le philosophe habitait juste au-dessus, au ***n° 42*** de la rue. Son appartement fut plastiqué par l'OAS en 1960.
– Au ***n° 24,*** un hôtel disparu qui accueillit ***Henry Miller*** à son arrivée à Paris. L'écrivain américain vécut également au ***n° 36,*** à ***l'hôtel Saint-Germain-des-Prés*** (toujours debout) *(plan, **4**).* Il écrivait alors : « J'adore

cet endroit. J'aimerais y vivre pour toujours. Les rues chantent, les pierre parlent, les maisons suintent l'histoire, la gloire et la romance ».
– À l'angle de la rue Bonaparte et de la rue Jacob, ***Le Pré aux Clercs*** *(plan, **5**),* bar à vin que fréquenta beaucoup Hemingway quand il arriva à Paris. La bouteille de vin ne coûtait que 60 centimes à l'époque !

★ ***Rue Jacob :*** l'une des plus fréquentées pendant l'âge d'or de Saint-Germain. C'est peut-être celle qui a le mieux conservé l'esprit de l'époque. Le livre y survit, la fringue se fait discrète. On respire.
– Au *n° 27*, les ***éditions du Seuil,*** qui ont conservé leur cour et sa fameuse grille (reproduite sur le logo). L'immeuble abritait auparavant ***l'hôtel du Balcon*** *(plan, **6**),* où résidèrent Paul Léautaud et l'inénarrable baron Jean Mollet, secrétaire d'Apollinaire et vice-curateur du collège de Pataphysique (qui prit son essor dans les années 1950 et dont firent partie Queneau, Prévert, Boris Vian et François Caradec).
– Au ***n° 17,*** les ***éditions Lattès*** et la librairie d'Outremer, spécialisée dans les ouvrages maritimes.
– Au ***n° 14,*** une plaque posée sur une modeste et vieille maison, indique qu'ici vécut ***Wagner***, en 1841.
– Au ***n° 10,*** le ***Bar Vert*** *(plan, **7**),* lancé par Prévert qui y prenait son café au lait. Puis vinrent Artaud, Matta, Vailland, Queneau, Merleau-Ponty, Tavernier... C'est ici qu'Isidore Isou inventa le lettrisme.
– À côté, on trouvait autrefois le resto ***Cheramy*** (célèbre pour ses pièces de théâtres et ses lectures de poésie) et ***L'Échelle de Jacob***, haut lieu de l'existentialisme nocturne.
– Au fond à droite, la rue donne sur l'adorable ***place Furstenberg,*** îlot de calme grand comme un mouchoir de poche. Juste quatre arbres et un lampadaire : l'essentiel.
Revenir sur ses pas pour parcourir l'autre tronçon de la rue.

★ Au ***n° 44, l'hôtel d'Angleterre*** *(plan, **8**)* fut longtemps le préféré des journalistes et des écrivains américains, parmi lesquels Hemingway et Djuna Barnes. Avec son petit patio, c'est toujours l'un des plus agréables trois étoiles du quartier.
– Juste à côté, le resto ***Aux Assassins***. Ferré y jouait du piano, Henry Salvador y chantait, Greco y passait... Rien n'a bougé : on vous annonce encore une « ambiance paillarde » et la carte précise : « pas de café, pas de téléphone, pas de carte de crédit » !
Poursuivre jusqu'à la rue des Saints-Pères, la prendre à droite, puis tourner à gauche.

★ ***Rue de Verneuil*** *(plan, **9**) **:*** au n° 5 *bis*, la maison recouverte de graffitis libertaires (régulièrement effacés par des névrosés de l'ordre et de la propreté) est celle de ***Serge Gainsbourg***. Jusqu'à sa mort « L'Homme à la tête de chou » resta fidèle au quartier qui le vit démarrer sa carrière, d'abord d'auteur (*Le poinçonneur des Lilas*, puis *La chanson de Prévert*, pour Gréco), puis de chanteur, au cabaret Milord l'Arsouille (situé juste de l'autre côté de la Seine, près du Palais Royal). La révélation fut un concert de Boris Vian. Ces deux-là, mal dans leur peau, avec pour seule arme l'ironie, étaient faits pour s'entendre. En 1958, Vian écrira à propos du premier disque de Gainsbourg : « tirez deux sacs de vos fouilles (...) pour le premier 25 cm de ce drôle d'individu »... Face à cette mystérieuse demeure aux allures d'hôtel particulier pour poète, avec terrasse et jardin, on se souvient que l'endroit abrita les amours du chanteur avec Birkin et Bambou. Les nombreux potes de la bande à Gainsbarre débarquaient quand il leur plaisait : Dutronc, Deneuve, Eddy Mitchell... Ce qu'on sait moins, c'est que le Maître y recevait ses admirateurs (surtout trices) en toute simplicité; il suffisait de sonner à sa porte. Il vivait dans un salon noir et or encombré de souvenirs : une photo de Jane et B.B. nues dans un lit, une autre de Charlotte en chemise de nuit, la « Une » de *Libé* titrant « Je t'aime moi non plus », des dessins d'artistes (dont un Dali), le piano sur lequel il composait ses mélodies... Les héritiers prévoient, paraît-il, d'en faire un musée.

Reprendre la rue des Saints-Pères et la rue Jacob, puis tourner à droite.

★ ***Rue Saint-Benoît :*** au n° 4, ***Le Petit Saint-Benoît*** *(plan, **10**)* est un resto familial très simple, fondé en 1901 et encore en activité. Les artistes fauchés l'ont beaucoup fréquenté. Aux murs, des portraits laissés par des caricaturistes. À côté, on trouvait *Stéphan*, le marchand de journaux le plus populaire de la rive gauche qui, hélas, nous a quittés il y a quelque temps. Fin d'une époque. Sa femme, l'adorable Jacqueline, mit aussi la clé sous le paillasson. On y rencontrait nombre d'auteurs et artistes du quartier : Cabu, Wolinski, Topor, Marguerite qui habitait en face, au n° 3. Aujourd'hui, une maison d'édition leur a succédé. Au moins, on ne leur a pas fait l'injure de les remplacer par une boutique de fringues ou une agence immobilière!

– Un peu plus loin, sur le même trottoir, le ***bar Montana***, l'un des plus fréquentés à l'époque des existentialistes, vient de rouvrir et de retrouver son nom, mais la déco « japoniaise » n'a plus grand chose à voir avec celle des années 1950.

★ ***Boulevard Saint-Germain :*** comme le boulevard Montparnasse à... Montparnasse, le boulevard Saint-Germain est l'artère vitale de Saint-Germain. C'est logiquement autour de l'église qui donna son nom au quartier que l'on trouve la sainte Trinité germanopratine : *Lipp–Flore–Deux-Magots*.

– À l'angle de la rue Saint-Benoît et du boulevard, trône le ***Café de Flore*** *(plan, **11**)*. On ne compte plus les écrivains qui fréquentèrent ce frère ennemi des Deux-Magots : Apollinaire, Breton, Audiberti, Prévert, Camus, etc. Sartre et Beauvoir s'installaient au fond de la salle en été,

aux fenêtres en hiver. Étienne Daho écrivit une chanson en hommage à cette époque révolue. On y trouve peut-être un poil moins de touristes qu'aux Deux-Magots.
– ***Brasserie Lipp*** *(plan,* ***12****) :* impossible d'énumérer les personnalités des Lettres et de la politique qui se sont sustenté d'une choucroute dans ce « lieu de mémoire » : Saint-Ex et André Gide, Léon Blum et Pompidou... Mitterrand, alors jeune clerc débarqué de sa Charente natale, y rencontra l'écrivain Jacques Chardonne. Hemingway, qui raffolait des pommes de terre à l'huile (et de la bière), y écrivit *L'Adieu aux Armes.* Et ici, Jean-Paul Sartre passa une soirée à convaincre une jeune inconnue de se lancer dans la chanson. Trop modeste, celle-ci ne voulait rien entendre. Mais le philosophe (qui avait du flair) sut se montrer convaincant et, en signe d'encouragement, lui écrivit une chanson sur le champ. Quelque temps après, Juliette Gréco faisait ses débuts sur les planches... Mais ce sont les chansons de deux autres écrivains de Saint-Germain qui la rendront célèbre : Queneau et Prévert.
– ***La Hune*** *(plan,* ***13****) :* sur le boulevard, entre le *Flore* et les *Deux-Magots.* Le Divan disparu, c'est le dernier bastion « historique » des bibliophiles, bibliomanes, papivores et autres érudits.
Prendre la rue de Rennes et la remonter jusqu'à la quatrième rue à droite.

★ ***Rue du Vieux-Colombier :*** au n° 21, le **Vieux Colombier** *(plan,* ***14****),* théâtre populaire d'avant-garde fondé en 1913 par Jacques Copeau (cofondateur de la *NRF*), où s'illustra notamment Louis Jouvet et devenu depuis « l'annexe » de la Comédie Française. En 1928, Prévert y giffla publiquement Cocteau. En 44, on y joua *Huis Clos*, de Sartre. Puis le « Vieux Co » devint un haut lieu de l'existentialisme en s'ouvrant aux musiciens de jazz. Pour y inviter le public à boire et manger, Boris Vian, son ami Claude Luther et d'autres « zèbres » publièrent un faire-part de deuil des chemises à carreaux, « perte compensée par le port obligatoire de la chemise rayée »!

★ ***Rue de Rennes :*** un cabinet médical a remplacé **La Rose Rouge** *(plan,* ***15****),* cabaret souvent fréquenté par Boris Vian. On y jouait les *Exercices de style* de Queneau (qui paraît-il riait plus fort que tous les spectateurs), interprétés par les Frères Jacques. À côté, *L'Arlequin,* l'un des derniers cinémas d'art et essai du quartier.
Redescendre jusqu'au boulevard Saint-Germain et le prendre à droite jusqu'à la hauteur du métro Mabillon.

★ ***La Rhumerie*** *(plan,* ***16****) :* 166, boulevard Saint-Germain. Ouvert en 1931, lors de l'Expo coloniale, ce bar-café fut le lieu de rendez-vous des membres du Grand Jeu, de Bataille, Artaud, Man Ray, Roger Vailland, Michel Leiris et autres avant-gardistes (à l'époque, personne ne buvait de rhum!).

★ ***Le Mandarin*** *(plan, **17**)* **:** à l'angle du boulevard et de la rue de Seine. Rebaptisé récemment *Café Mondrian* (sans doute pour faire artiste), ce café fut également fréquenté par l'intelligentsia Rive-Gauche. On peut encore y croiser l'écrivain Albert Cossery, dont la silhouette de dandy jure parmi la clientèle de touristes.

★ ***Le Palace Hôtel*** *(plan **18**)* **:** à l'angle du boulevard et de la rue du Four. Le gratin littéraire s'y pressait avant-guerre (Léon-Paul Fargue, Bertolt Brecht). Malraux, Gide et Aragon y retrouvaient les invités du Congrès pour la Défense de la Culture : Tolstoï, Ivanov, Pasternak, etc. Aujourd'hui disparu.

★ ***Rue de Seine***, au ***n° 60, l'hôtel La Louisiane*** *(plan, **19**)* **:** Simone de Beauvoir y emménage en octobre 43. Sartre la suivra de peu mais prendra une chambre à part. Albert Cossery, écrivain égyptien, grand ami de Camus, débarque en 51 et y demeure encore ! Meilleur client de l'hôtel, il n'a changé qu'une fois de chambre. En face de la sienne, Gabriel Matzneff venait se réfugier pour écrire. L'actrice Eddie Miller *(Pas d'orchidées pour Miss Blandish)* dormait à La Louisiane, ainsi que la plupart des jazzmen américains de passage à Paris. Juliette Gréco y fut photographiée avec sa copine Annabelle (dans le même lit), sous une photo de Miles Davis. Sinon, selon une légende persistante, Jim Morrison y serait mort, mais l'histoire est très controversée. Toujours est-il que cet hôtel mythique, mais pas tapageur, a su gardé son charme désuet des années 50. Il n'est pas cher pour le quartier et le patron refuse (c'est tout à son honneur) de travailler avec les agences de voyage. Aujourd'hui encore, écrivains et cinéastes aiment venir y séjourner en secret.
Continuer la rue de Seine et prendre la dernière rue à gauche.

★ ***Rue des Beaux-Arts*** *(plan, **20**)* **:** au n° 13, ***l'Hôtel*** (ancien *hôtel d'Alsace*) conserve une jolie façade du XIXe siècle. Une plaque nous apprend qu'ici est mort Oscar Wilde, en novembre 1900, une autre que Borges y séjourna à plusieurs reprises, de 1977 à 1984. Aucune n'indique que Proust vint rendre visite à Wilde, ni que Cioran y séjourna lui aussi. Mais on s'éloigne de l'existentialisme. Quoique...
Reprendre la rue de Seine jusqu'au fond, prendre à droite la rue Mazarine et la remonter jusqu'à la troisième rue à gauche.

★ ***Rue Dauphine***, à l'angle de la rue Christine se trouvait ***Le Tabou*** *(plan, **21**)*. Aujourd'hui remplacée par un hôtel de luxe, cette discothèque fut longtemps le phare des nuits germanopratines, bien que située dans une cave. « C'est là que l'on rencontre ces demoiselles énervées (...) qui sont définitivement fâchées avec le peigne et le savon mais qui dansent admirablement le boogie-woogie... » pouvait-on lire dans *La Presse* en 1947, à l'époque où Vadim et Gréco posaient pour les photographes à l'entrée de la cave. Queneau, Sartre et son Castor venaient y écouter leur

ami Boris Vian jouer de la « trompinette ». Le patron de la boîte foisonnait d'idées pour attirer les clients, organisant par exemple l'élection de « Miss Tabou », celle de « Miss Vice », etc.
Prendre le Pont-Neuf, dans le prolongement de la rue Dauphine, pour une petite incursion sur l'île de la Cité, annexe insulaire de Saint-Germain...

★ ***Place Dauphine*** *(plan, **22**)* vécurent deux couples emblématiques de la Rive Gauche : Yves Montand et Simone Signoret, Jean-Louis Barrault et Madeleine Renaud. Seul mythe survivant de la place : l'écrivain-chanteur (ou l'inverse) Yves Simon, digne héritier de la chanson à texte.
Reprendre le pont, puis à gauche le quai des Grands-Augustins puis première rue à droite.

★ ***Rue des Grands-Augustins*** *(plan **23**) :* au ***n° 7***, un bel hôtel particulier de style classique, où vécut ***Pablo Picasso*** de 1936 à 1955 (plaque). Il y peignit *Guernica*. Ironie de l'histoire, c'est à cette adresse précise que Balzac situe l'action de l'une de ses plus belles nouvelles : *Le chef-d'œuvre inconnu* (qui inspira le film *La belle Noiseuse*). Ce que ne précise pas la plaque, c'est que l'hôtel de Savoie-Carignan servit aussi de repaire au « groupe de l'Atelier », emmené par Jean-Louis Barrault. Prévert et le groupe Octobre y retrouvaient Bataille et les surréalistes, Mouloudji y fit ses premiers pas d'acteur. Hélas, ***Le Catalan***, fameux resto de l'époque, lancé par Picasso et où les artistes le retrouvaient, n'existe plus.

Fin de la balade

La rue donne sur les quais. À droite, la ***place Saint-Michel***, où vous attend le ***métro***. D'un saint à l'autre, voici la boucle bouclée.

LE PARIS DE LA BOHÈME : MONTPARNASSE, MONTSOURIS ET ALENTOURS

BALADE N° 18 : 3 – 4 km.

Impossible de calculer un pas bohème ! De plus, nécessité de compter le temps passé dans le cimetière de Montparnasse...

Un peu d'histoire

Selon Sartre, c'est la construction de la ligne de métro nord-sud qui fut à l'origine de l' « émigration » des artistes ***de Montmartre vers Montparnasse***... La bohème de Montparnasse commence vers 1900, avec l'arrivée d'Alfred Jarry et du Douanier Rousseau, suivis d'Apollinaire, Cendrars, Cocteau, Max Jacob... Comme pour Montmartre, ce sont les ***peintres*** (essentiellement étrangers) qui lancèrent le quartier, entraînant les ***poètes*** dans leur sillage. Breton et les compagnons de route du surréalisme (Picasso, Man Ray, Aragon, Fernand Léger...) fréquenteront assidûment ce quartier ou règne désormais « l'esprit parisien », qui a fui Montmartre et se transportera ensuite à Saint-Germain. L'âge d'or de « ce lieu béni de l'exterritorialité qu'était encore le Montparnasse des années 30 » (Brassaï) durera des années folles jusqu'à la guerre d'Espagne. À cette époque, ***Kiki de Montparnasse*** devient le modèle favori des peintres (Kisling, Foujita, Derain, Picasso) et des photographes (Man Ray, Brassaï). Ce formidable brassage enfantera l'***école de Paris*** (Modigliani, Chagall, Soutine, Foujita...) puis la « génération perdue », celle de ces ***écrivains américains*** qui débarquent à Paris après la Première Guerre mondiale, fuyant la prohibition. Autre avantage pour ces artistes fauchés : le taux de change du dollar leur permet d'y vivre à peu de frais. Leurs écrits exprimeront néanmoins le désenchantement de l'après-guerre, d'où le nom que leur attribua Gertrude Stein, cette grande amie de Picasso, Apollinaire, Cocteau et Satie. Celle que l'on surnommait « la mère l'Oie de Montparnasse » lança Hemingway, le plus représentatif des « Américains à Paris », avec ses amis T.S. Eliot (Nobel en 1948), Scott Fitzgerald (l'auteur de *Gatsby le magnifique*), Ezra Pound (le rénovateur de la poésie américaine) et John Dos Passos (popularisé en France par Jean-Paul Sartre). Arrivé à Montparnasse en 1928, Henry Miller sera la dernière grande figure américaine du quartier : il y mena une authentique vie de bohême, fréquentant poètes, peintres, prostituées et expatriés. Il y fit ses débuts littéraires, qu'il racontera dans *Tropique du Cancer*, livre qui fit scandale dans son pays. On comprend mieux pourquoi les cafés de Montparnasse sont aujourd'hui colonisés par autant de touristes américains.

Départ

Départ au ***métro Notre-Dame-des-Champs*** ou ***Vavin***. Compter bien 4 km, entre les aller et retour (difficile d'être linéaire !). Quant à la durée, pour un itinéraire bohème, ça peut aller du simple au double... Plus même si l'on effectue l'extension Alésia-Montsouris.

MONTPARNASSE - VAVIN - PORT-ROYAL

★ ***Rue Notre-Dame-des-Champs*** *(plan, **1**) :* Hemingway habita au n° 113, à partir de 1924. C'est là qu'il écrivit *Paris est une fête*. Rasée, la maison a été remplacée par l'affreux immeuble de la fac de droit. Son ami Ezra Pound habitait au n° 70 (au fond de la cour). Il corrigeait les textes d'Hemingway en échange de leçons de boxe ! Pour la petite histoire, la femme de Pound s'appelait Shakespeare. L'historien des Lettres Jean-Paul Clébert raconte qu'il lisait ses poèmes tout nu à sa fenêtre, une bougie à la main.

★ ***Rue de la Grande-Chaumière*** *(plan, **2**) :* au n° 14, survit l'Académie de peinture et sculpture, fondée en 1904 par Bourdelle, André Menart et d'autres « maîtres ».

★ Le ***Boulevard du Montparnasse*** a gardé ses cafés légendaires, pas moins de cinq, toujours aussi courus malgré l'inflation des tarifs et une proportion artistes/touristes qui ne s'est pas forcément inversée dans le bon sens :
– Au ***n° 171***, la ***Closerie des Lilas*** *(plan, **3**)*. Le bar-resto préféré d'Hemingway, qui adorait contempler la statue du Maréchal Ney depuis la terrasse (il l'appelait « mon vieil ami »). Il y retrouvait ses compatriotes Dos Passos et Fitzgerald, et y croisa Blaise Cendrars et le démonologiste Aleistair Crowley (« l'homme le plus méchant du monde »). L'un des rares cafés littéraires de Paris à avoir conservé son ambiance intello. Le voisinage de Sollers, peut-être...

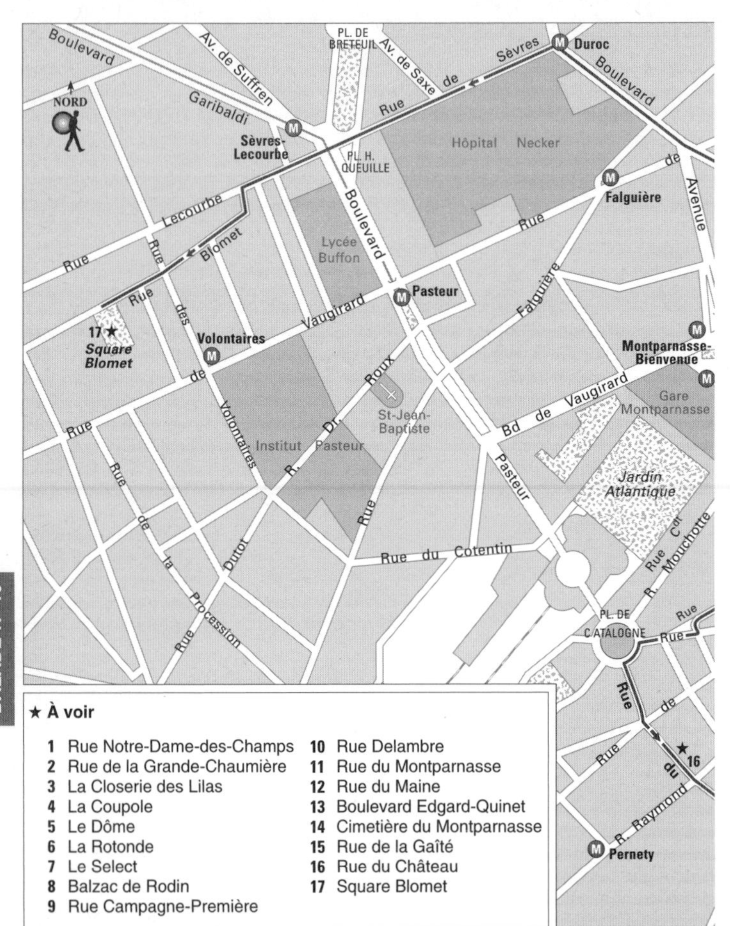
NORD
Boulevard
Av. de Suffren
PL. DE BRETEUIL
Av. de Saxe
Rue de Sèvres
Duroc
Boulevard
Garibaldi
Sèvres-Lecourbe
PL. H. QUEUILLE
Hôpital Necker
Rue Lecourbe
Rue Blomet
Boulevard
Lycée Buffon
Falguière
Rue de
Avenue
Rue
Falguière
Pasteur
Rue de Vaugirard
Volontaires
17 ★
Square Blomet
Rue des Volontaires
R. Dr. Roux
St-Jean-Baptiste
Montparnasse-Bienvenüe
Bd de Vaugirard
Gare Montparnasse
Institut Pasteur
Pasteur
Jardin Atlantique
Rue de la Procession
Rue Dutot
Rue
Rue du Cotentin
Rue Cdt Mouchotte
R.
PL. DE CATALOGNE
Rue
Rue
Rue de
Rue du
★ 16
R. Raymond
Pernety
★ À voir
1 Rue Notre-Dame-des-Champs
2 Rue de la Grande-Chaumière
3 La Closerie des Lilas
4 La Coupole
5 Le Dôme
6 La Rotonde
7 Le Select
8 Balzac de Rodin
9 Rue Campagne-Première
10 Rue Delambre
11 Rue du Montparnasse
12 Rue du Maine
13 Boulevard Edgard-Quinet
14 Cimetière du Montparnasse
15 Rue de la Gaîté
16 Rue du Château
17 Square Blomet

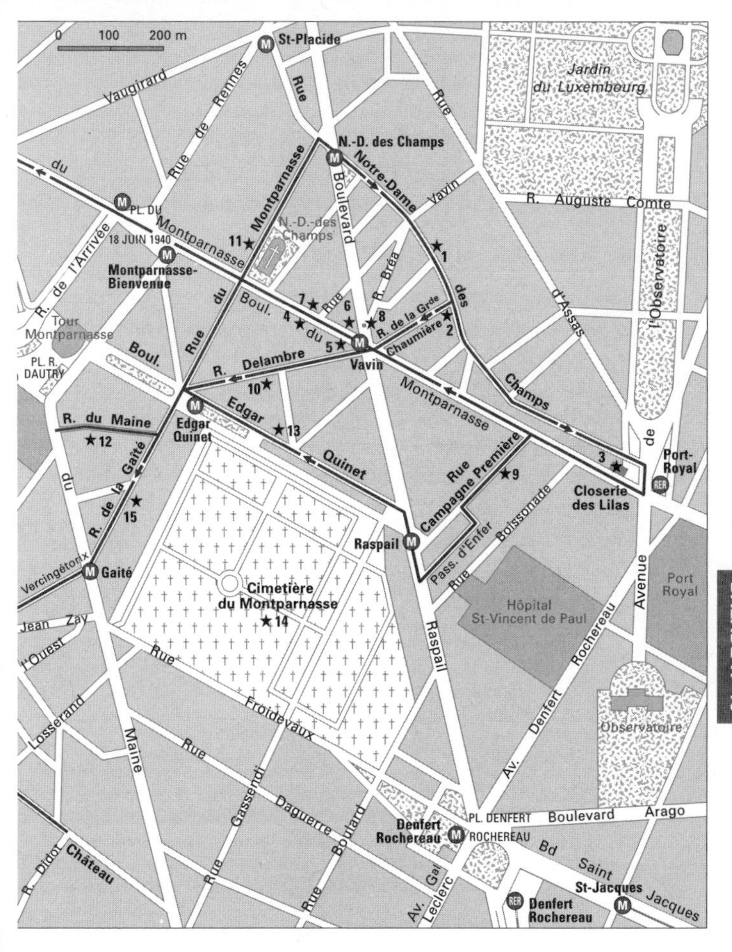

LE PARIS DE LA BOHÈME (MONTPARNASSE-VAVIN-PORT-ROYAL)

– Au ***n° 102*, *La Coupole*** *(plan, **4**)*. Ouverte en 1927. Présents à l'inauguration : Cocteau, Man Ray et Blaise Cendrars ! En 1929, Aragon y rencontre Elsa Triolet (au bar). Tout le gratin des Arts et des Lettres y défila : Dali, Buñuel, Picasso, Colette, Artaud, Miller et son ami Durrell, Simenon, Sartre et Beauvoir... En se rappelant la grande époque de la brasserie, Hemingway écrivit : « les tables sont pleines – elles sont toujours pleines, des gens arrivent sans cesse et les portes dansent »... Dans les années 1980, on y croisait encore Sapho, Karl Zéro, Cyril de Gunzburg et Jean-Pierre Léaud. Racheté par le groupe *Flo* et rénové en 1988, le café a perdu sa glorieuse coupole pour laisser place à un immeuble sans grâce qui fit pleurer plus d'un fidèle. Mais l'intérieur a conservé colonnes, fresques, et carrelages cubistes ! Dans la salle toujours pleine, la magie peut encore opérer, malgré les vieilles Américaines...
– Au ***n° 108 : Le Dôme*** *(plan, **5**)*. Le lieu favori des Américains dans les années 1920. « Au Dôme, tout de suite, j'ai rencontré un tas de gens de mon espèce avec lesquels je pouvais enfin échanger une parole sensée », raconte Henry Miller. À l'intérieur du resto, une galerie de photos (on reconnaît le beau profil d'aigle de Beckett) et des petites plaques de cuivre aux noms des peintres qui y défilèrent : Foujita, Modigliani... Le cadre s'est nettement embourgeoisé mais l'accueil est plus cordial que chez les concurrents d'en face (et les fruits de mer restent d'une grande fraîcheur).
– Au ***n° 105*** (à angle du boulevard Raspail) : ***La Rotonde*** *(plan, **6**)*. Ouvert en 1911, ce fut longtemps le lieux de rendez-vous des peintres (Modigliani, Vlaminck...). C'est ici que le photographe Brassaï, débarqué de Hongrie en 1921, rencontra Tristan Tzara et Henri Michaux. Pour les chroniqueurs de l'entre deux guerres, l'endroit était constamment enfumé, bondé et on y buvait plus que de raison, quand on ne dégustait pas la fameuse choucroute garnie. Dans *Le Soleil se lève aussi*, Hemingway remarquait : « si vous demandez à un taxi de vous emmener dans n'importe quel café, il vous conduit toujours à La Rotonde »...
– Au ***n° 99, Le Select*** *(plan, **7**)*. Inauguré en 1924, ce café devint vite à la mode. Quand il logeait rue Notre-Dame-des-Champs, Hemingway y venait chaque matin. Cela dit, il n'appréciait pas toujours la clientèle particulière du café. C'est pourtant ici qu'il rencontra Miró pour la première fois et qu'il décida de partir en Espagne comme correspondant de guerre, après une soirée de discussion avec Robert Desnos. Autre mythe des lieux : Isadora Duncan (muse de Rodin, considérée comme la plus grande danseuse du siècle), qui prit à parti des journalistes américains au sujet de la condamnation à mort des anarchistes italiens Sacco et Vanzetti. Les clients du café s'en mêlèrent avec une telle passion que la police dut intervenir...
Sur un mur, des coupures de presse présentent les dernières célébrités à

avoir honoré le *Select* : l'écrivain américain Jim Harrison (fils spirituel d'Hemingway), qui y a rencontré Philippe Djian et un auteur de guides qui habite à deux pas et que les lecteurs du *Routard* connaissent bien : Philippe Gloaguen.

★ ***Boulevard Raspail :*** place Pablo-Picasso; profitez-en pour saluer le *Balzac* de Rodin *(plan, **8**),* installé en 1939. Le remonter (pas Balzac, le boulevard) jusqu'au ***passage d'Enfer,*** sur la gauche. Vous y retrouverez l'atmosphère quasi-intacte du Paris d'antan, avec les vieilles façades de ses maisons populaires... Sapho consacra une chanson à ce passage (récemment classé, ouf!).

★ ***Rue Campagne-Première*** *(plan, **9**)* ***:*** Rimbaud y occupa une chambre de bonne, puis Rilke s'installa dans un atelier de la rue en 1913. Il y recevra notamment Stefan Zweig. En 1929, Aragon y rejoignait régulièrement Elsa Triolet. Un an plus tard, c'est au tour de Jean Paulhan de s'installer dans cette ***rue des poètes***. Serait-ce en souvenirs d'eux que Godard y fit mourir Belmondo dans *À bout de souffle* et que la regrettée Jean Seberg s'interrogeait : « C'est quoi dégueulasse? »
– Au niveau du ***n° 17***, une ravissante impasse bordée d'***ateliers d'artistes***.
– Au ***n° 17 bis***, le restaurant ***Natacha***, fréquenté par de nombreux artistes. Il n'y a pas si longtemps, on y croisait Yves Simon, Higelin et des gens de cinéma.
– Au ***n° 21***, la ***Société de psychanalyse freudienne*** ne jure pas dans le décor.
– Au ***n° 29***, ***l'hôtel Istria.*** Un lieu mythique! Une plaque indique qu'il reçut Maïakovski, Rilke, Marcel Duchamp, Tzara, le peintre Kisling, Man Ray, Picabia, Erik Satie et Kiki de Montparnasse, l'égérie des artistes. Excusez du peu! Ce que ne mentionne pas la plaque, c'est que Radiguet venait y tromper Cocteau avec... une femme!
– Au ***n° 31***, ne pas manquer la gigantesque ***façade en céramique***, décorée de fleurs, chef-d'œuvre de l'Art nouveau. Qui ne rêverait d'y posséder un atelier de peintre?

★ ***Rue Delambre*** *(plan, **10**)* ***:*** à l'écart de l'agitation du boulevard, cette petite rue populaire attira de nombreux artistes comme en témoigne le nom des hôtels : Modigliani, Apollinaire...
– Au ***n° 35***, ***l'hôtel Delambre***, où André Breton s'installa en 1921 (plaque à l'entrée), ainsi que Man Ray, qui transforma sa chambre en labo (mais lui n'a pas de plaque, le comble pour un photographe!).
– Au ***n° 11 bis***, le ***Rosebud***, bar de nuit plus discret que ceux du boulevard. Il attira une clientèle d'artistes, écrivains et journaleux. Sartre y venait souvent, ainsi que Romain Bouteille quand le Café de la Gare était

passage d'Odessa. Resté authentique, le Rosebud conserve une clientèle de Parnassiens fidèles.
– Au ***n° 10***, le ***Dingo*** (aujourd'hui *Auberge de Venise*), où Scott Fitzgerald et Hemingway se rencontrèrent pour la première fois.
– Au ***n° 5***, l'immeuble où vécut le peintre ***Foujita***, de 1917 à 1924. Un charme tout parisien, avec sa cour de verdure.

★ ***Rue du Montparnasse*** *(plan, **11**) :* Sainte-Beuve vécut dans cette petite rue tranquille et l'éditeur Larousse s'y installa. Au ***n° 42, Le Falstaff*** : Hemingway venait boire un verre de temps en temps dans cet élégant bar à bière qui a conservé sa chaleureuse déco de bois. Pour la petite histoire, il y disputa un soir un combat de boxe avec l'écrivain canadien Callaghan. Scott Fitzgerald faisait office d'arbitre. Mais il avait tellement bu qu'il oublia de sonner la fin du combat. Le Canadien en ressortit complètement sonné.

★ ***Rue du Maine*** *(plan, **12**) :* à ne pas confondre avec l'avenue du même nom, cette petite rue a gardé son aspect populaire. Au ***n° 1 bis,*** le modeste ***hôtel Central,*** où habitait Henry Miller. En face, un square où trône une intéressante statue de Soutine, par Blatas.

★ ***Boulevard Edgard-Quinet*** *(plan, **13**) :* au ***n° 31*** se tenait ***Le Sphinx,*** aujourd'hui disparu. C'était le bordel le plus connu de Montparnasse, ouvert en 1930 et fréquenté par des personnalités comme Albert Londres ou Simenon. Henry Miller rédigea la plaquette publicitaire ! Il raconte dans *Tropique du Cancer* qu'il fut payé avec une bouteille de champagne et une partie de jambes en l'air gratuite dans l'une des chambres égyptiennes. Les stock-options n'existaient pas encore... Ironie de l'histoire, la maison close a laissé la place à un cabinet de psy.

★ ***Le cimetière du Montparnasse*** *(plan, **14**) :* nécropole littéraire et artistique par excellence, « fréquentée » par les éditeurs (Larousse, Hachette, Flammarion, Hetzel, Littré, Seghers), cinéastes (Demy, Becker, Rossif), comédiens (Carmet, Poiret, Jean Seberg, Delphine Seyrig), journalistes (Mourousi, Siegel), philosophes (Aron, Cioran), dessinateurs (Reiser, Topor), peintres (Soutine, Man Ray, Atlan) et sculpteurs (Houdon, Bourdelle, Bartholdi, Brancusi, Paul Belmondo, César). Et bien sûr le plus grand nombre d'écrivains au mètre carré : Baudelaire, Huysmans, Sainte-Beuve, Banville, Maupassant, Maurice Leblanc, Pierre Loüys, Emmanuel Bove, Desnos, Mauriac, Jouve, Vercors, Cortazar, Ionesco, Tzara, Kessel, Bodart, etc. Et beaucoup de figures de Saint-Germain-des-Prés et de Montparnasse : Sartre et Beauvoir, Brassaï, Beckett, Duras... La tombe la plus fréquentée est celle de Gainsbourg (couverte de tickets de métro).

★ ***Rue de la Gaîté*** *(plan, **15**) :* elle portait bien son nom, ses cabarets,

guinguettes, théâtres et cafés-concerts ayant fait danser des générations de parisiens depuis le XIXe siècle. Quelques vestiges de la belle époque : les cariatides du ***théâtre Montparnasse*** (transformé en bar-resto) et en face, au ***n° 26***, le théâtre de ***La Gaîté-Montparnasse***, à la façade également ouvragée. ***Bobino*** a rouvert, mais la déco n'est plus ce qu'elle était... Quant aux sex-shops qui ont fleuri dans la rue, ils n'incitent pas à la rigolade. Pas d'une franche gaîté, tout ça. On préfère le cimetière. À l'angle de la Gaîté et du boulevard Edgar-Quinet, la ***brasserie La Liberté*** propose aux consommateurs un beau plafond art déco, une fresque nostalgique et des photos de Willy Ronis. Sartre, qui habitait à côté, venait y tremper son croissant.
Au bout de la rue de la Gaîté, prendre à gauche l'avenue du Maine, puis à droite la rue Raymond-Losserand, jusqu'à la troisième rue.

★ ***Rue du Château*** *(plan,* ***16****) :* c'est au ***n° 54***, dans une maison aujourd'hui disparue, que se réunissait dans les années 1920 le « groupe de la rue du Château », autour de l'inséparable trio Yves Tanguy, Jacques Prévert et Marcel Duhamel (futur fondateur de la Série Noire). On y trouvait des artistes comme Masson et Giacometti et la plupart des surréalistes : Breton, Queneau, Soupault, Aragon, Desnos, Leiris, Péret, etc. Entre autres activités poétiques et ludiques, le groupe a inventé les « cadavres exquis » (sur une idée de Prévert), organisé des tables rondes sur la sexualité et lancé une pétition pour défendre Charlie Chaplin, accusé de cruauté mentale par sa femme.
Remonter la rue jusqu'à la place de Catalogne, remonter le boulevard Pasteur, prendre à gauche la rue Lecourbe, puis à gauche la rue Blomet.

★ ***Square Blomet*** *(plan,* ***17****) :* les peintres André Masson et Joan Miró y installent leurs ateliers en 1922. Les surréalistes vont y défiler : Aragon, Desnos, Artaud, etc.
– Juste à côté, au ***n° 33***, rue Blomet, le ***Bal Nègre*** (de son vrai nom Bal colonial) connaîtra une vogue importante dès son ouverture dans l'arrière salle d'un bistrot, en 1924. D'abord bal-musette auvergnat, il fut très vite influencé par son chef d'orchestre martiniquais, qui introduisit la biguine. Les femmes venaient s'y pendre au cou des beaux Antillais, et les bourgeois s'encanailler au milieu des artistes et des écrivains, qui furent nombreux à y passer leurs soirées : Man Ray, Foujita, Henry Miller, Cocteau, André Gide, Paul Morand... Pour l'anecdote, le chef d'orchestre du Bal Nègre, au début des années 1930, fut Ernest Léardée, plus connu sous le nom d'Oncle Ben's : la publicité pour le riz, c'était lui.

EXTENSION ALÉSIA – MONTSOURIS

Départ

Départ du ***métro Plaisance***.

À voir

★ ***Impasse Florimont*** *(plan, **18**)* **:** descendre la rue d'Alésia vers le carrefour Alésia. C'est la première à gauche avant la place du Lieutenant Piobetta. Tout au fond de l'impasse. Ici vécut Georges Brassens, au milieu des poules, des oies et des chats. Il y composa certaines de ses plus grandes chansons : *Les Bancs publics, La Cane de Jeanne,* etc.

★ ***Villa Duthy*** *(plan, **19**)* **:** prendre à droite la rue Didot, puis la cinquième rue à gauche. C'est ici qu'habitait Prévert dans les années 20, à l'époque du groupe de la rue du Château (voir plus haut).
Remonter jusqu'à la rue d'Alésia et la descendre jusqu'à la ***rue de la Tombe-Issoire***. Tourner à droite dans celle-ci.
– Au niveau du ***n° 101,*** se cache la ***Villa Seurat*** *(plan, **20**)*, qui a conservé tout son charme. Découverte par Cendrars, cette adorable impasse a hébergé les ateliers des peintres Lurçat et Soutine. Au ***n° 18***, l'ancien appartement d'Artaud fut récupéré par Anaïs Nin pour son « protégé » Henry Miller. Il y reçut ses nombreux amis, parmi lesquels Lawrence Durrell.

★ En ressortant, prendre à gauche la romantique rue Saint-Yves, qui descend sur l'avenue René-Coty. En la remontant sur la gauche, on trouvera la ***rue Hallé*** *(plan, **21**),* où résidèrent longtemps, au n° 13, Jacques Dutronc et Françoise Hardy (le plus bohème des routards habite aussi à deux pas – coucou Pierre !). Sinon, à droite de la rue Saint-Yves, l'avenue René-Coty donne sur l'avenue Reille et l'entrée du ***parc Montsouris,*** où le petit Emmanuel Bove lançait des cailloux sur la voix de chemin de fer et où Prévert retrouvait sa fiancée : « Des milliers et des milliers d'années / Ne sauraient suffire / Pour dire / La petite seconde d'éternité / Où tu m'as embrassé / Où je t'ai embrassée / Un matin dans la lumière de l'hiver / Au parc Montsouris à Paris ».
– À droite de l'avenue Reille, le ***square Montsouris*** *(plan, **22**)* longe le parc en égrenant de magnifiques demeures. La plupart sont d'une grande originalité, comme l'atelier du peintre Ozenfant, dessiné par Le Corbusier en 1922. On se régale en arpentant les coquette rues perpendiculaires, comme la villa Nansouty et la villa Montsouris. Voir également l'atelier du peintre George Braque, au n° 6 de la rue qui porte son nom.

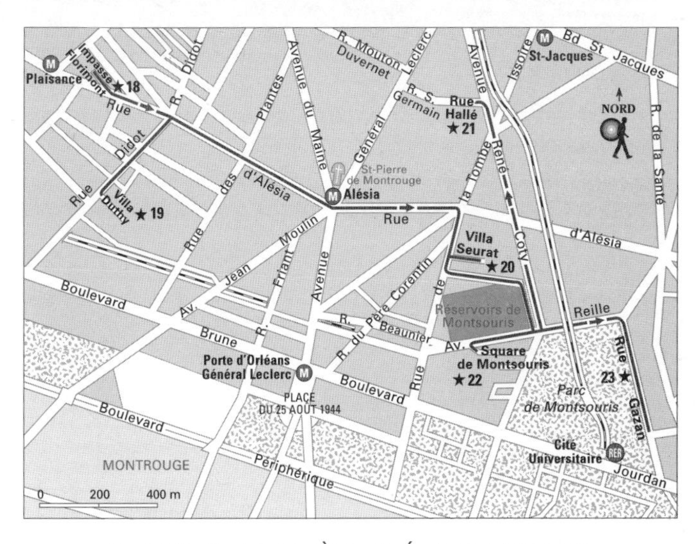

LE PARIS DE LA BOHÈME (ALÉSIA-MONTSOURIS)

★ **À voir**

18 Impasse Florimont
19 Villa Duthy
20 Villa Seurat
21 Rue Hallé
22 Square Montsouris
23 Rue Gazan

– En traversant le parc, on échoue dans la ***rue Gazan*** *(plan, **23**)*, également dévolue aux artistes et aux écrivains. Henry Langlois (fondateur de la cinémathèque) habita au n° 1 (aujourd'hui disparu : la rue commence au n° 3 !) et Mermoz dans le prolongement de la rue (plaque). Malcom Lowry fréquenta la rue, où vivait sa traductrice française. Les deux seules maisons en brique de la rue furent achetées par deux copains qui firent leurs débuts en même temps : Higelin et Coluche, qui donna de nombreuses fêtes autour de la piscine qu'il fit construire dans la cave. Coluche est mort, Higelin a déménagé il y a quelques années. Dans l'immeuble en pierre de taille du n° 39, restent quelques fidèles du quartier :

le philosophe Étienne Balibar (père de l'actrice Jeanne) et l'écrivain François Caradec, régent du collège de Pataphysique, qui fut l'ami de Queneau et Pérec.

Fin de la balade

Et on repart du ***métro Cité universitaire*** ou l'on revient gaillardement à ***Alésia***.

À TRAVERS L'ARCHITECTURE CONTEMPORAINE (AUTOUR DU BASSIN DE LA VILLETTE)

BALADE Nº 19 : 4 km – 2 h.

Départ

Départ au ***métro Colonel-Fabien***. Compter environ 4 km pour l'ensemble de la balade et deux bonnes heures de trek urbain.

Itinéraire

Notre première promenade architecturale commence place du Colonel-Fabien ; elle s'achèvera à Stalingrad. Les habitués de la fête de « l'Huma » auront reconnu les symboles toponymiques (mais oui, du grec *topos,* des noms de lieu...) de la culture communiste. Les autres, avec eux, se rappelleront que nous allons traverser des quartiers à forte densité populaire, bouleversés dans leur tissu urbain et social par des modifications profondes, qui en ont affecté la physionomie, dans certains endroits de manière irréversible. Il y aura des fois de quoi désespérer – des décideurs, des urbanistes, des architectes aussi ; il y aura aussi plus que d'heureuses surprises – quelques chefs-d'œuvre, même.

À voir

★ ***Le siège du Parti communiste français :*** 2, place du Colonel-Fabien *(plan, **1**).* Au début, donc, étaient les lendemains qui chantent... Symbole audacieux de son enracinement dans la société, avec sa vaste façade « transparente » et la salle futuriste, à demi enterrée, de son comité central d'alors, le siège du PCF a été construit, de 1965 à 1971, par l'architecte Oscar Niemeyer, concepteur de la ville nouvelle de Brasilia. Le bâtiment a une incontestable allure, avec son mur-rideau tout en lignes courbes et le large espace sur le devant qui contribue à sa mise en valeur. Architectes de tous les pays : unissez-vous!

★ ***Le Conservatoire municipal de musique et de danse*** *(plan, **2**)* **:** remontons le boulevard de la Villette jusqu'au métro Jaurès et tournons à droite, avenue Jean-Jaurès d'abord, rue Armand-Carrel ensuite. Au ***n° 81-83***, dû à Fernand Pouillon, ce conservatoire aux formes théâtrales et à la spectaculaire façade de pierre, datant de 1987. En face, au ***n° 74***, intéressant immeuble de bureaux (1988, architecte D. Kahane). Plus loin, sur le même trottoir, immeuble d'habitation dû à Christian de Portzamparc, qui intègre une surprenante construction, ***n° 6***, rue Jean-Nohain *(plan, **3**)* : il s'agit en fait d'une ***synagogue***, à la structure métallique, et dont les éléments de façade allient l'acier blanc, l'inox et le granit (1993, architectes Dubosc et Landowsky).

★ Non loin de là, du ***64*** au ***64 ter***, ***rue de Meaux*** *(plan, **4**)* se trouve une grande réussite de ***l'habitat social contemporain***. Passé la grille (soyez polis, n'est-ce pas?), admirez l'harmonie du vaste jardin intérieur planté de bouleaux et les constructions à la façade « allégée » par une couverture en panneaux ocre du plus bel effet, qui rappellent les « habitations à bon marché » des boulevards extérieurs. Mais quel est l'architecte brillant qui a ainsi réussi, en 1991, à concilier les exigences de qualité et d'économie, de fonctionnalité et d'esthétique? Renzo Piano. Oui, LE Renzo Piano du Centre Pompidou... Chapeau! (Dommage, en revanche, pour la publicité un peu trop voyante qui vient déparer la façade sur la rue. Avec un peu d'imagination...).

★ ***La Fédération nationale des artisans taxis :*** continuons rue de Meaux, en traversant la rue Armand-Carrel. Au ***66 bis***, dû aux architectes Francis Soler et Jérôme Lauth, se trouve ce bâtiment très réussi de 1989 *(plan, **5**)*, qui combine, sur chacune de ses façades, une alliance heu-

★ À voir

1 Siège du Parti communiste français.
2 Conservatoire municipal de musique et de danse.
3 Synagogue.
4 64-64 *ter,* rue de Meaux.
5 Siège de la Fédération nationale des artisans taxis.
6 Caisse d'allocations familiales.
7 Collège Tandou.
8 64, quai de la Loire.
9 Passerelle.
10 47, quai de la Seine.
11 Crèche.
12 Orgues de Flandre.
13 18, rue Mathis.
14 46, rue de l'Ourcq.
15 145, rue de l'Ourcq.
16 Agence pour la propreté.
17 Métropole 19.
18 37-37 *bis,* rue de Tanger.
19 21, rue de Tanger.
20 Siège du groupe André.

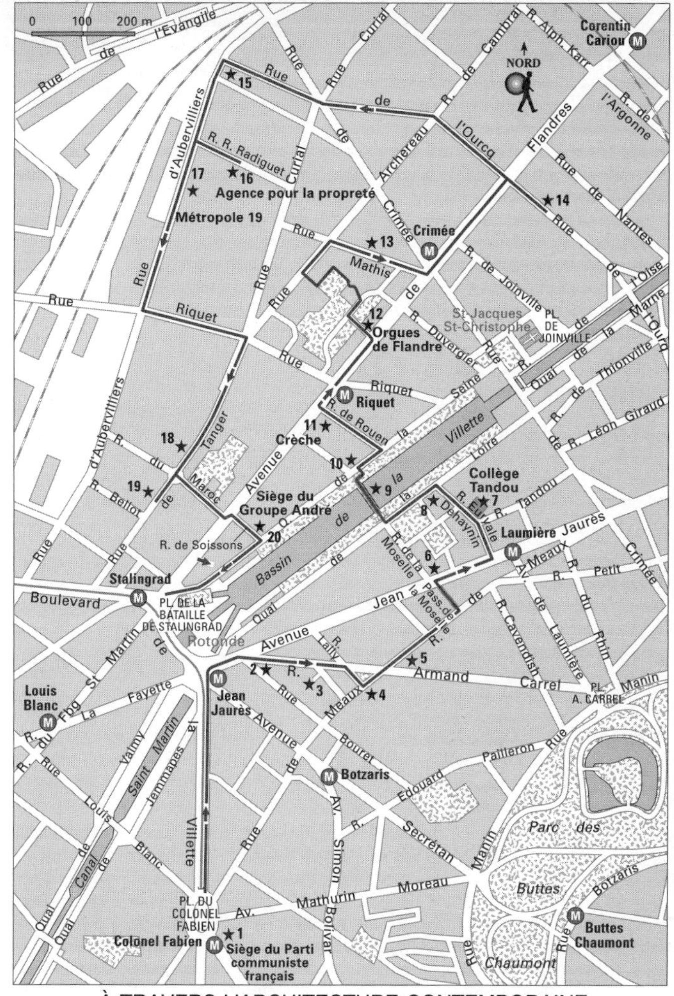

À TRAVERS L'ARCHITECTURE CONTEMPORAINE
(AUTOUR DU BASSIN DE LA VILLETTE)

reuse de différents matériaux, et principalement du verre qui a la caractéristique d'être hautement... transparent et de laisser ainsi visibles les circulations intérieures.

★ Ne cherchant pas de taxi pour l'instant, poursuivons plus avant, à pied, dans la rue de Meaux. Laissons de côté, au n° 80, ***Notre-Dame des Buttes-Chaumont***, étonnante église en béton bâtie en 1968 (!). Tournons à gauche, passage de la Moselle, où nous nargue un chalet en bois qui n'a rien à faire dans notre promenade – mais nous serons tolérants, non? Nous arrivons avenue Jean-Jaurès où, en face, au ***n° 67*** *(plan, **6**)*, « se dresse » l'immeuble de la ***Caisse d'allocations familiales*** (1984, architecte Michel Hébert). « Hautes verticales » et « poids du béton » : tout cela semble inversement proportionnel au montant des fameuses allocs...

★ Ayant traversé, donc, nous avançons dans l'avenue jusqu'au métro Laumière pour jeter un coup d'œil, au ***n° 87***, à un gymnase de la ville de Paris qui fut moderne... dans les années 30. Revenons sur nos pas et tournons dans la rue Euryale-Dehaynin. Au ***n° 7-14*** *(plan, **7**)*, due à Henri Gaudin, l'extension du ***collège Tandou*** (1987), mélange de géométrie droite et de géométrie courbe et intéressant travail sur les surfaces, malgré le sentiment de grisaille qui s'en dégage... À signaler, au bout de la rue Tandou, un ensemble scolaire de 1995.

★ Tournons à gauche, et arrêtons-nous, en prenant du recul, devant le ***n° 64***, quai de la Loire, avant le terrain de sport *(plan, **8**)*. Dû à Édith Girard, cet ***ensemble de logements sociaux,*** construit en 1985, quoique un peu lourd, n'est pas dépourvu d'originalité.

★ Empruntons la passerelle, sur le canal *(plan, **9**)*. Point de vue exceptionnel, avec, à droite, au loin, la ***Cité des Sciences*** et, plus proche, l'entrepôt dont le frère jumeau a brûlé en 1990, en attendant un audacieux projet de reconstruction (en acier et verre, pourquoi pas?). À gauche, on aperçoit au loin la ***rotonde*** de Claude-Nicolas Ledoux (1736-1806) – sacrément moderne, non? –, bien mise en valeur par les aménagements de Bernard Huet (en 1989).

★ De l'autre côté du canal, l'immeuble faisant l'angle avec le ***passage de Flandre*** (47, quai de la Seine, *plan **10***) est dû à Yves Lion. Construit en 1991, il abrite des ateliers d'artistes, des logements et un foyer de personnes âgées. Pensé « de l'intérieur », il a su éviter le tout-béton (« Les Parisiens n'en veulent pas », *dixit* l'architecte – il n'a pas tort, non?) et est recouvert de pierre de Rome (ce qui lui donne un petit côté italien...).

★ Tournons à gauche dans la rue de Rouen. Au ***n° 9***, bâtiment intéressant, plutôt élégant. Au ***n° 13 bis*** *(plan, **11**)*, due à Pierre Granveaud et Pablo Katz, une ***crèche*** (construite en 1991) recouverte de pierre noire, beaucoup moins massive qu'elle ne le laisse paraître, qui tire parti avec habileté de son peu d'espace.

★ Sur la droite, du côté impair de l'avenue de Flandre, spectaculaires constructions dues à Martin S. Van Treek. On pénètre dans les ***Orgues de Flandre*** par la porte de la Cité des Flamands, au n° 69 *(plan, **12**)*. Bien qu'elles aient été construites (de 1973 à 1980) selon des normes de hauteur aujourd'hui dépassées, l'impression qui se dégage n'est pourtant pas écrasante – sûrement en raison de la disposition des encorbellements. Le jardin central a été conçu pour créer une animation et permettre aux relations sociales et familiales de s'épanouir (bon, ne rêvons pas trop quand même...). Sortie de l'autre côté, par le n° 14-24, rue Archereau, où l'on peut aussi voir, sur la droite, ce que, justement, l'on n'aimerait plus voir...

★ Tournons à droite dans la ***rue Mathis***. Au ***n° 18** (plan, **13**)*, Jean-Pierre Buffi a conçu cet immeuble de logements sociaux en 1982. Intéressante utilisation du carrelage en façade. À gauche dans l'avenue de Flandre, puis à droite dans la ***rue de l'Ourcq***. Au ***n° 46** (plan, **14**)*, proposition très réussie de Philippe Gazeau (1993), qui a utilisé de la brique noire et de l'acier peint, en noir également, pour ces logements, avec loggias-paliers, pour postiers. Une incontestable réussite.

★ Revenons sur nos pas, dans la rue de l'Ourcq. Après la rue Archereau, déjà arpentée, nous voyons sur notre droite ***l'église Saint-Luc***, à la fine et élégante croix de métal. Les portes en verre présentent des textes des Apôtres. Il faut dire qu'en matière d'architecture, la maison mère a quelques siècles d'expérience... Poursuivons ***rue de l'Ourcq***. Nombreuses constructions récentes, peu de réalisations convaincantes. Signalons les nombreux vélos accrochés sur les balcons. Mais pourquoi les concepteurs ont-ils oublié les garages à vélos? Il y a bien des parkings, non? Au ***n° 145** (plan, **15**)*, une transformation pleinement réussie d'un ancien entrepôt de meubles, due à Christian Maisonhaute (1980). La meulière en façade et la brique s'allient parfaitement avec les poutres métalliques peintes en rouge. L'espace est totalement habité par les locataires, qui ont su le préserver des dégradations de toutes sortes. C'est possible, alors, de faire beau, pas trop cher?...

★ ***L'Agence pour la propreté :*** tournons dans la rue d'Aubervilliers, à gauche, et empruntons la rue Raymond-Radiguet, qui, à elle seule, vaut la balade. Au ***n° 17** (plan, **16**)*, cette entreprise, qui traite donc les déchets urbains, est une des plus belles réussites de l'architecture industrielle contemporaine parisienne (1988). Fait de verre collé (sans montants métalliques, donc) et d'acier galvanisé (celui des anciennes poubelles parisiennes, clin d'œil subtil qui ne nous avait pas échappé), il est l'œuvre du génial Renzo Piano, une fois de plus hors concours. Plus loin, intéressante construction due à Philippe Gazeau (cantine des écoles de l'arrondissement, 1989).

★ Revenus sur nos pas, à partir du coin, rue d'Aubervilliers, nous allons longer l'hôtel industriel ***Métropole 19*** (entrée au n° 138-140, *plan, **17***), dû à Jean-François Jodry et Jean-Paul Viguier. Là aussi, grande réussite, qui allie le métal galvanisé des monte-charge à la brique, utilisée en placage, dans la cour d'activités, alors que la façade, elle, est plus largement vitrée.

★ ***Service municipal des pompes funèbres :*** au n° 104, beau bâtiment de la fin du XIXe siècle (construit à l'emplacement d'anciens abattoirs) – tout cela étant, bien sûr, sans rapport avec l'architecture contemporaine... Prenons à gauche la rue Riquet, puis, à droite, la ***rue de Tanger***. Au ***n° 37-37 bis*** *(plan, **18**)*, des logements pour postiers ont été aménagés dans un espace long et étroit par Dominique et Christine Carril (1994). Tour élégante, ouvertures en duplex, immeuble-villa avec appartements et studios... *La Poste*, là, fait bien les choses...

★ Après la place du Maroc, au ***n° 21*** *(plan, **19**)*, Christophe Lab a comblé une « dent creuse » avec un petit bâtiment séduisant (achevé en 2000) qui abrite un atelier et UN logement (il y en a qui ont de la chance !). L'utilisation judicieuse du verre, transparent ou dépoli, mérite des compliments, non ?

★ Revenons sur nos pas et tournons à droite, dans la ***rue du Maroc***. Au ***n° 2***, audacieuse construction rouge, en aplomb, avec escalier extérieur et terrasse supérieure. Traversons l'***avenue de Flandre***. Au ***n° 26***, l'immeuble contemporain aux balcons de fer forgé est de Dominique Perrault, l'architecte de la Grande Bibliothèque de France. Au ***n° 2, rue de Soissons*** *(plan, **20**)*, construit par Stanislas Fiszer, le siège social du groupe *André* (« le chausseur sachant chausser... » : à dire à toute vitesse, bien sûr), dont la façade massive longe le quai de la Seine, alliance du béton, de la fonte d'aluminium et du verre. Haussmannien en diable : l'image de marque avant tout, n'est-ce pas ?

★ ***Le cinéma MK2 :*** il est temps de souffler un peu, non ? La terrasse du cinéma nous tend les bras (il ne pleut quand même pas ?). Profitons-en pour admirer les courbes élégantes, de l'autre côté du canal, de l'immeuble qui abrite, entre autres, la filiale multimédia du journal « Le Monde ». Avant de reprendre notre métro à Stalingrad, une petite toile ? Tiens, *Main basse sur la ville*, de Francesco Rosi ! Un chef-d'œuvre sur la corruption, l'incurie administrative et la spéculation immobilière... à Naples. Bon film.

Fin de la balade

Engouffrons-nous dans le ***métro Stalingrad***.

À TRAVERS L'ARCHITECTURE CONTEMPORAINE (CITÉ DES SCIENCES-PARC DE LA VILLETTE-ARCHIVES DE PARIS)

BALADE N° 20 : 2,5 km – 1 h 30.

Départ

Départ au ***métro Porte-de-Pantin***. Si vous déambulez plus ou moins dans le parc de la Villette, compter environ 3 km pour cette balade.

Itinéraire

De la Cité des sciences aux Archives de Paris, nous allons, au cours de cette balade, admirer parmi les plus belles réussites de l'architecture contemporaine à Paris. Spectaculaires, esthétiques, fonctionnelles, ces réalisations – la Cité des sciences, le Parc de la Villette, le Conservatoire national et la Cité de la musique, le Zénith, la Géode, entre autres – marquent de leur empreinte cette partie de l'arrondissement, attirant visiteurs, badauds ou spectateurs. Ajoutons-y quelques routards *pedibus.* Ceux-ci ne le regretteront pas...

À voir

★ ***La Cité des sciences et de l'industrie*** : 30, av. Corentin-Cariou (fermée le lundi). Sortons du métro Porte-de-La-Villette. Après avoir traversé un peu gracieux hôtel, dirigeons-nous vers la Cité des sciences et de l'industrie *(plan, **1**),* dans laquelle nous pénétrons par l'entrée principale. Rappelons que, au début, étaient les abattoirs de la Villette, construction vétuste du XIXe siècle faite de nombreux pavillons et de plusieurs halles, dédiées à la vente des bestiaux. « Faut qu'ça saigne! », chantait Boris

Vian dans *Les Bouchers de la Villette*. Entreprise à la fin des années 1960, la construction de gigantesques nouveaux abattoirs fut interrompue dès 1974, les installations étant obsolètes avant même d'avoir été utilisées. Gros scandale. Mais le béton était coulé. Vint Giscard, qui eut l'idée, grâce lui en soit éternellement rendue, de réaffecter les bâtiments inutilisés à la construction d'un musée des sciences et de l'industrie comme seuls alors savaient en faire les Américains. Confié à Adrien Fainsilber, livré en 1986, sous Mitterrand, donc, le bâtiment ne cesse d'étonner par le parti intelligent qui a été tiré des volumes existants. L'utilisation du verre et de l'acier a contribué à alléger l'effet de masse. Les espaces dévolus aux expositions et les volumes, qui permettent d'abriter une fusée entière, dialoguent fructueusement. Après avoir cheminé la tête tournée vers les cintres, allumons les rétrofusées et amorçons notre trajectoire vers la sortie, en direction du parc, pour enjamber les douves de ce château futuriste.

★ ***La Géode*** *(plan, **2**) :* cette grosse boule d'acier poli, qui abrite un cinéma à écran hémisphérique, doit son nom aux pierres qui renferment des cristaux – d'améthyste, par exemple. Sa forme sphérique parfaite, authentique prouesse technique, en outre qu'elle évoque notre planète, rappelle l'architecture utopique de Claude-Nicolas Ledoux, dont la rotonde conclut le bassin de La Villette. L'utopie, voilà la vraie modernité ! Euh, continuons...

★ ***Le Parc de la Villette :*** conçu par Bernard Tschumi, le plus vaste parc de Paris (30 ha) mérite à lui seul la visite. Ponctué d'une trentaine de « folies », cubes de métal rouge de 10 m de côté dédiés à différentes activités, il est traversé par le canal de l'Ourcq, qu'enjambent deux passerelles. Celle de gauche permet de se rapprocher du ***Zénith*** *(plan, **3**)*, salle de spectacles conçue comme un chapiteau, à savoir une toile de polyester tendue sur une charpente métallique de 70 m de portée. Dû à Philippe Chaix (et inauguré en 1983), ce type de construction a fait des émules en province. Merci, Jack !

★ À voir

1 Cité des sciences et de l'industrie
2 Géode
3 Zénith
4 Conservatoire national de musique et de danse
5 195, avenue Jean-Jaurès et bureau de poste
6 Cité de la musique
7 Holiday Inn
8 Immeubles place du Général-Cochet
9 ZAC Manin-Jaurès
10 Ordre de Malte
11 44, rue d'Hautpoul
12 Collège Georges-Brassens.
13 Immeuble place Francis-Poulenc.
14 DRASS Ile-de-France.
15 Hôpital Robert-Debré.
16 Archives de Paris.

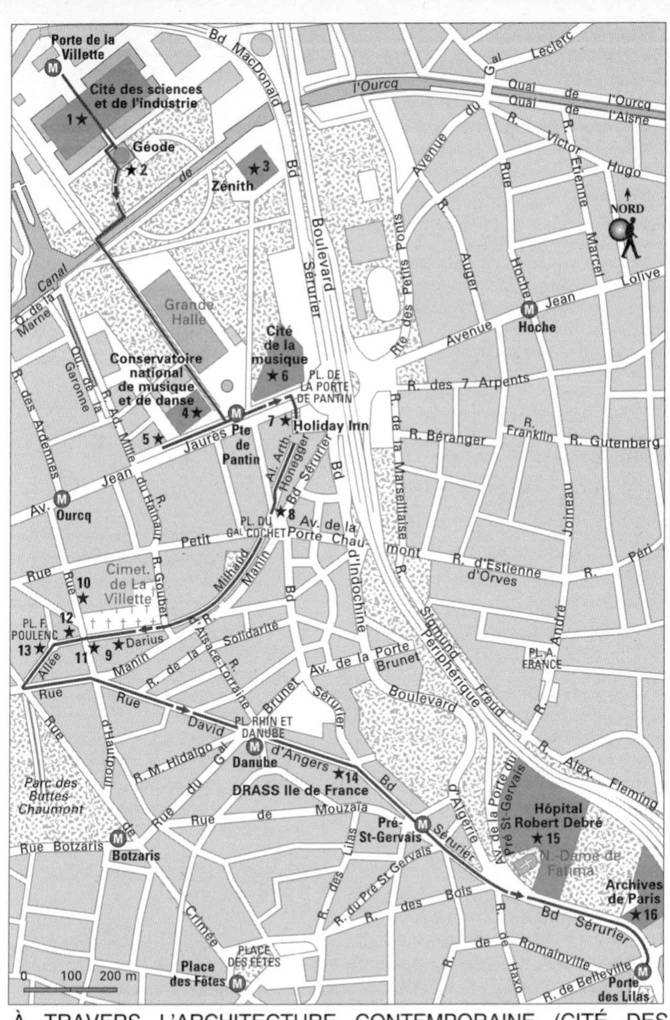

À TRAVERS L'ARCHITECTURE CONTEMPORAINE (CITÉ DES SCIENCES-PARC DE LA VILLETTE-ARCHIVES DE PARIS)

★ Si l'on emprunte la passerelle de droite (qu'on la rende !), on longera la Grande Halle, ancienne halle aux bœufs transformée en espace culturel polyvalent par deux architectes spécialistes du XIXe siècle, Reichen et Robert. Arrivé place de la Fontaine-aux-Lions, on ne peut qu'être séduit par les deux constructions qui se font face dans une assymétrie délibérée, dues à l'un des plus talentueux architectes de sa génération, Christian de Portzamparc. Tout d'abord, dirigeons-nous vers la partie droite.

★ ***Le Conservatoire national de musique et de danse*** *(plan, **4**)* **:** inauguré le 21 juin 1990, lors de la Fête de la musique (encore bravo, Jack !), cet ensemble de bâtiments dissymétriques, aux éléments multiples (incluant une salle d'art lyrique, une salle d'orgue et un espace interdisciplinaire) nettement différenciés, allie une incontestable réussite esthétique à un véritable confort pour ses utilisateurs : enseignants, étudiants, apprentis musiciens, spectateurs aussi. Toit ondoyant de tôle ondulée, piliers, lourdes vagues... L'architecte a parlé de « poétique quotidienne de la vie prévue dans un lieu » : au vu du résultat, lui, on veut bien le croire !

★ Quelques mètres dans l'***avenue Jean-Jaurès***, jusqu'au ***n° 195*** *(plan, **5**)*, pour observer l'immeuble d'habitation dû à Aldo Rossi (1991), dont l'original cylindre d'aluminium aux couleurs de *La Poste* marque l'angle du bâtiment – quoique la comparaison soit écrasante avec l'architecture ludique de son spectaculaire voisin... Mais revenons sur nos pas, vers la porte de Pantin.

★ ***La Cité de la musique*** (achevée en 1994 ; *plan, **6***). Complément harmonieux de son vis-à-vis, sa somptueuse originalité saute aux yeux. Le plan, triangulaire, est un assemblage de géométries diverses, avec une longue circulation en spirale venant s'enrouler autour de la grande salle de concert modulable. L'aménagement du Musée de la musique, lui, a été confié à l'architecte Frank Hammoutène. L'entrée est ponctuée par un portique de métal rouge, déclinaison des « folies » de Bernard Tschumi. Le Café de la musique, de l'écurie Costes, a été décoré par Elizabeth de Portzamparc. L'ensemble, imposant sans être écrasant, est une bien belle réussite, non ?

★ Traversons maintenant l'avenue Jean-Jaurès. Au n° 218 *(plan, **7**)*, entrée de l'hôtel ***Holiday Inn*** (1993), qui s'intègre dans un ensemble de bureaux conçu par Christian de Portzamparc, qui a eu ainsi la possibilité d'aménager tout un secteur à l'entrée de la capitale. Empruntons le grand passage sous l'immeuble, qui nous indique un changement d'échelle, et l'allée Arthur-Honegger. Croisons la sente des Dorées, pour arriver ***place du Général-Cochet*** *(plan, **8**)*, où les bâtiments en vis-à-vis, dus à l'agence Pli Architecture, constituent les seuils d'accès au mail Manin-Jaurès.

★ ***La ZAC Manin-Jaurès*** : coordonné par l'architecte Alain Sarfati, l'aménagement de la ZAC Manin-Jaurès, le long d'un long mail planté piétonnier (l'allée Darius-Milhaud) reliant le Parc de La Villette aux Buttes-Chaumont, s'est étalé de 1989 à 1994. Intéressantes constructions. Signalons en particulier la mise en valeur originale du vieux cimetière de La Villette dans le site *(plan, **9**)*, grâce à son mur ouvert laissant entrevoir ses tombes, mais aussi ses quelques arbres.

★ Après le cimetière, empruntons la ***rue d'Hautpoul*** sur la droite. Au ***n° 56-58***, un bâtiment appartenant à l'***Ordre de Malte,*** conçu par A. Ghuilamila *(plan, **10**)*. Revenant sur nos pas, en retraversant le mail, au ***n° 44*** *(plan, **11**)*, ensemble de logements sociaux et de locaux d'activités conçu par Claude Vasconi (1989), où le revêtement de céramique blanche reflète la lumière du ciel parisien...

★ ***Le collège Georges-Brassens :*** 51-55, rue d'Hautpoul, mais donnant en fait sur l'allée Darius-Milhaud *(plan, **12**)*, l'intéressant bâtiment, conçu par Manolo Nunez-Yanowsky (1994), vient s'insérer harmonieusement dans l'ensemble consitué par la promenade et la place Francis-Poulenc attenante. La poutre métallique qui couronne le bâtiment s'éclaire la nuit : « Il faut donner aux enfants des éléments pour rêver », a déclaré l'architecte. Brassens aurait sûrement été d'accord...

★ Sur la ***place Francis-Poulenc*** *(plan, **13**)*, venant conclure la promenade plantée, l'immeuble courbe conçu par Renaud Bardon et Pierre Colboc (1991) abrite logements sociaux et ateliers d'artistes.

★ Empruntons maintenant les marches (en pensant à nous retourner pour mieux voir le collège, décidément pas si mal...). On aperçoit un coin des Buttes-Chaumont, mais, pour l'heure, nous remontons la rue Manin sur notre gauche et prenons la rue David-d'Angers sur la droite. Pente raide. Villas anciennes, constructions récentes se succèdent, dans une harmonie plutôt heureuse. Sur la gauche, impressionnant ensemble du ***lycée technique Diderot.*** Prenons le boulevard Sérurier en jetant un œil au 58-62, rue de Mouzaïa *(plan, **14**)*, qui abrite la ***Direction régionale des affaires sanitaires et sociales d'Ile-de-France***. Dû à Claude Parent, construit en 1974, le bâtiment, clairement « daté », mérite la discussion... Qui est pour? Qui est contre? Écrivez-nous...

★ ***L'hôpital Robert-Debré :*** 48, bd Sérurier *(plan, **15**)*. Continuons le long du boulevard Sérurier, où bientôt sur la gauche, derrière l'église Notre-Dame-de-Fatima-Marie-médiatrice (c'est vraiment son nom!), on aperçoit le remarquable hôpital pédiatrique Robert-Debré. Dû à Pierre Riboulet (1988), sa conception en terrasses épouse les flancs d'une colline, en tournant le dos au bruit du périphérique. Prolongement de la ville en son sein, une galerie publique dessert les différents services, une bibliothèque, une cafétéria, et surtout un très réussi jardin d'hiver. À la pointe de la technique médicale pour le traitement de ses jeunes pensionnaires, il accueille leurs familles et leurs visiteurs dans un cadre vivant et rassurant où l'art contemporain a su trouver sa place (sculpture de Dubuffet sur la terrasse – avec vue sur La Villette –, toiles de Ben et d'Olivier Debré dans la galerie au-dessus du jardin d'hiver). Les parties publiques peuvent se visiter (principalement celles ci-dessus énumérées).

★ ***Les Archives de Paris :*** 18, bd Sérurier *(plan,* ***16****).* Dernière étape de notre balade, quelques dizaines de mètres plus loin, après une grande étendue gazonnée (qui n'abrite pas les archives, enterrées dans des conteneurs en béton, de la Mairie de Paris, hmm !, mais tout simplement les réservoirs des Lilas), nous apercevons le Centre des archives de Paris, dû à Henri Gaudin (1989). Bâtiment très travaillé, ses volumes à la symétrie délibérément imparfaite renferment des silos de conservation, des locaux de travail et une salle de lecture. L'utilisation de différents matériaux et le jeu avec la lumière révèlent une grande maîtrise. Bravo ! En dehors du hall, l'accès est limité aux personnes effectuant des recherches.

Fin de la balade

Ici s'achève notre périple. Retour par le ***métro Porte-des-Lilas***, tout proche.

À TRAVERS L'ARCHITECTURE CONTEMPORAINE (BELLEVILLE-MÉNILMONTANT

BALADE N° 21 : 7 km – 4 h.

Belleville et Ménilmontant, ça n'est plus ce que c'était! Et pourtant, malgré les démolitions, qu'elles soient justifiées par l'état de vétusté de certains bâtiments ou qu'elles précèdent de juteuses opérations immobilières, le côté populaire de l'arrondissement n'a pas changé. Les constructions récentes voisinent tant bien que mal avec les anciennes; les habitants, eux, continuent de se mélanger. La rénovation ne signifie pas forcément la ségrégation. Tant mieux, non?
Quant à cette promenade, puisse-t-elle éveiller la curiosité, contribuer à aiguiser le sens critique des routards urbains par les comparaisons qu'elle permet. Si la laideur en la matière saute aux yeux et la beauté – sans qu'on perde de vue la fonctionnalité – s'impose, l'entre-deux relève davantage de la subjectivité. Mais rien ne vaut, pour se faire une idée, d'aller y voir...

Départ

Départ au ***métro Saint-Fargeau***. Compter 6 à 7 km et au moins 4 h de balade.

À voir

★ ***La caserne de pompiers de Ménilmontant*** : 43-49, rue Saint-Fargeau, 41-59, rue Haxo *(plan, **1**)*. Dû à Vincent Brossy, cet exceptionnel ensemble (livré en 2000) qui intègre l'ancienne caserne de 1904, les nouveaux bâtiments et des logements fait l'unanimité. Difficile de ne pas être séduit par l'élégance des formes et des matériaux, la légèreté apparente du corps de bâtiment, comme suspendu, la fonctionnalité évidente

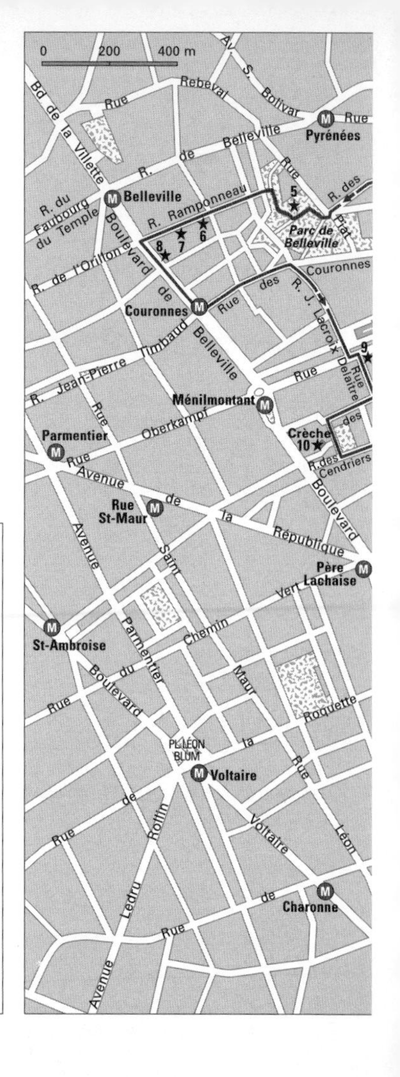

★ À voir

1. Caserne de pompiers
2. 12, passage Gambetta
3. 15, rue des Pavillons
4. 61, rue Olivier-Métra
5. Parc de Belleville
6. 30, rue Ramponneau
7. 24, rue Ramponneau
8. 100, boulevard de Belleville
9. 44, rue de Ménilmontant
10. Crèche
11. 9-17, rue Duris
12. 5, rue des Pruniers
13. Théâtre national de la Colline
14. 5, chemin du Parc-de-Charonne
15. 1, chemin du Parc-de-Charonne
16. Collège
17. Logements pour postiers
18. 69, rue de Bagnolet
19. 11-21, rue de Fontarabie
20. École Vitruve

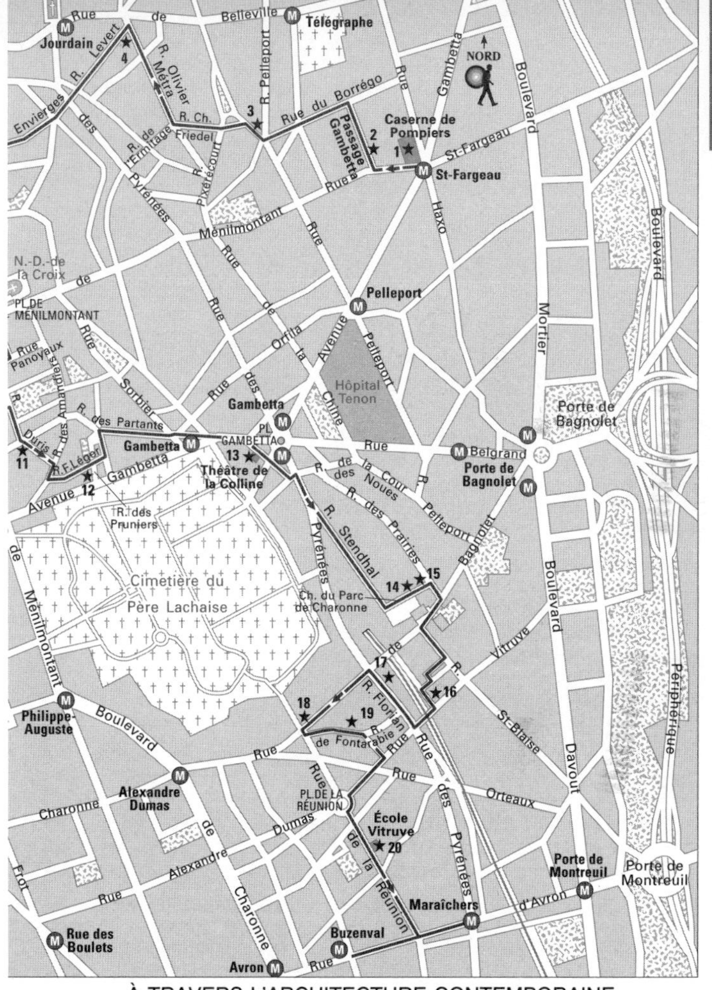

À TRAVERS L'ARCHITECTURE CONTEMPORAINE
(BELLEVILLE-MÉNILMONTANT)

de la caserne. Dotée d'un « espace vert intérieur protégé » visible depuis les logements (appartements de fonction ou chambres collectives), cette réussite exemplaire, les sympathiques soldats du feu l'ont bien méritée, non ?

★ Empruntons la rue Saint-Fargeau sur le trottoir de la caserne et tournons dans le délicieux ***passage Gambetta***. Plusieurs constructions intéressantes, notamment au ***n° 12*** *(plan, **2**)* celle due à Catherine Furet (1988), qui conjugue assez bien échelle domestique et échelle urbaine.

★ ***N° 15, rue des Pavillons :*** tournons à gauche dans la rue du Borrégo, jusqu'à l'angle de la rue Pelleport et de la ***rue des Pavillons***. Au ***n° 15*** *(plan, **3**)* – mais comment le manquer –, un immeuble « déconstruit » de dix logements, dû à Frédéric Borel, qui a su tirer parti d'un petit espace au sol pour cette création à nulle autre pareille, tout en verticalité, jouant, le jour, de ses couleurs vives mais discrètement utilisées, et, la nuit, d'un éclairage théâtral.

★ Suivons la rue des Pavillons sur la gauche, la rue Charles-Friedel, et tournons à droite dans la ***rue Olivier-Métra***. Sur la gauche, au ***n° 61*** *(plan, **4**),* l'immeuble conçu par Alex de Wiesengrun (livré en 1982) présente une façade lisse de carreaux blancs, que vient dynamiser un escalier hélicoïdal apparent. Intéressant, quoique un peu austère, peut-être...

★ ***Le parc de Belleville :*** tournons à gauche dans la rue Levert, descendons les quelques marches qui nous emmènent rue des Envierges, sur les hauteurs du parc de Belleville *(plan, **5**)*. Superbe vue, n'est-ce pas, sur Paris et la tour Eiffel... Amorçons notre descente par la droite, à travers les massifs et bosquets qui servirent de décor à un épisode d'un film d'Erich Rohmer, pour arriver, sortis du jardin, au coin du passage de Pékin. Élégant petit immeuble d'habitation. À droite, dans la rue Jouye-Rouve, puis à gauche ***rue Ramponneau***, en face des marches.

★ Au ***n° 30*** *(plan, **6**),* dû à Frédéric Borel, un immeuble de logements sociaux (livrés en 1989), dont les ouvertures tantôt horizontales, tantôt verticales viennent rythmer la façade et jouent avec le dénivelé. Au ***n° 24*** *(plan, **7**),* une autre proposition, de Fernando Montes (1990), tranche par le recours spectaculaire à un enduit vénitien, surprenant ici – moins néanmoins que la pierre de revêtement des premiers niveaux. Bon...

★ ***N° 100, boulevard de Belleville :*** tournons à gauche dans le boulevard de Belleville. Au n° 100 *(plan, **8**),* une nouvelle et fort brillante illustration du talent de Frédéric Borel, qui a pensé son bâtiment en fonction de ses habitants, de la circulation et des échanges avec le cosmopolite boulevard de Belleville, qui pénètrent jusque dans la cour-rue. La façade – les trois façades, plus exactement – se remarque bien et un de ses éléments n'est pas sans évoquer une coiffure à l'iroquoise. Comment, il n'y a plus de punks ?

★ Prenons maintenant un peu plus loin la rue des Couronnes sur la gauche et la rue Julien-Lacroix sur la droite, pour arriver, après l'église Notre-Dame-de-la-Croix, ***rue de Ménilmontant***, où l'on peut voir, légèrement sur la gauche, au ***n° 44*** *(plan, **9**)*, un immeuble de logements sociaux dû à Henri Gaudin, intéressant par ses propositions, précisément parce qu'il s'intègre dans un ensemble traditionnel, dans une rue passante et étroite.

★ ***Crèche, au n° 7, passage Monplaisir :*** empruntons donc la rue Delaitre, tournons à droite rue des Panoyaux, à gauche rue Louis-Delgrès, pour arriver – enfin, si on ne s'est pas perdu – passage Monplaisir. Au n° 7 *(plan, **10**)*, due à Xavier Gonzalez (1995), une bien belle crèche, dont le soubassement abrite un atelier. Matériaux, formes, couleurs : certains bébés ont bien de la chance...

★ Après être retournés sur nos pas, continuons dans la rue Louis-Delgrès, à gauche rue des Cendriers et à droite ***rue Duris***. Nombreuses constructions récentes, qui permettent de comparer les solutions retenues par les architectes, principalement pour des logements sociaux. Et là, le moins mauvais ne côtoie pas forcément le pire... Pour le bâtiment du ***n° 9-17***, livré en 1984 *(plan, **11**)*, par exemple, Ionel Schein a principalement essayé de jouer sur les volumes. Y aurait-il réussi ?

★ Continuons maintenant la rue Duris, à droite la rue des Amandiers, puis à gauche la rue Fernand-Léger, jusqu'à la ***rue des Pruniers***. Au ***n° 5***, faisant l'angle *(plan, **12**)*, des ateliers d'artistes, dans une construction plus si récente (1975) due à Michel Mosser, qui a tiré le maximum de luminosité possible, grâce, entre autres, aux baies vitrées traitées comme des volumes.

★ Reprenons notre chemin (ça monte un peu, non?) par la rue des Mûriers, à gauche, et la rue des Partants, à droite. Nombreuses constructions récentes, certaines très intéressantes (voir en particulier celles qui se font face rue Désirée). Poursuivons dans la direction de la place Gambetta (et de la mairie) et tournons à droite, juste avant, dans la rue Malte-Brun.

★ ***Le Théâtre national de la Colline*** : 15, rue Malte-Brun *(plan, **13**)*. La façade largement vitrée de ce théâtre, qui participe de l'animation du quartier, est une invitation à en franchir le seuil. De l'extérieur, en effet, la transparence permet d'embrasser les différents niveaux du hall ainsi que le foyer. Difficile de résister, non ? Cette réussite (achevée en 1987), c'est à Valentin Fabre et Alberto Cattani qu'on la doit. Et la programmation ? Excellente !

★ On reprend la rue Malte-Brun et, dans son prolongement, la rue des Rondonneaux, la rue Stendhal, jusqu'au ***chemin du Parc-de-Charonne*** (oui, oui, il existe vraiment!). Au ***nº 5***, sur la gauche *(plan, **14**),* dû à Michel Bourdeau, un ensemble de logements sociaux (1989). Plus loin, au ***nº 1*** *(plan, **15**),* due à Yann Brunel et Sinikka Ropponen (1982), l'une des rares constructions contemporaines en bois à Paris, directement inspirée des maisons finlandaises.

★ Prenons à droite la rue des Prairies, à droite encore la rue de Bagnolet, à gauche la rue Saint-Blaise. On empruntera la rue Galleron sur la droite, jusqu'à la rue Vitruve, par la rue Florian. Au ***nº 2, rue Galleron*** et au ***nº 39, rue Vitruve*** *(plan, **16**)*, un important ***collège***, dû à Jacques Bardet (1982), qui n'écrase pas trop son environnement, en raison notamment de son fractionnement en petits bâtiments.

★ À droite ***rue des Pyrénées***, au ***nº 132*** *(plan, **17**)*, un bureau de poste et des logements pour postiers dus à Michel Bourdeau (1994). À gauche, dans la ***rue de Bagnolet***, au ***nº 69*** *(plan, **18**)*, un immeuble d'habitation dû à André Bruyère (1992).

★ Prenons la ***rue de Fontarabie***, sur la gauche. Au ***nº 11-21*** *(plan, **19**)*, un ensemble de logements sociaux dû à Georges Maurios (1985) au porche monumental. Un peu trop monumental, peut-être... Bon, on prend en face le passage Fréquel, à droite la rue Vitruve et à gauche la rue de la Réunion, après la place du même nom, où on construit beaucoup. Au nº 44 de la rue de la Réunion, ***l'école Vitruve*** *(plan, **20**),* intéressante construction due à Frank Hammoutène (1992), qui réussit à bien intégrer ce bâtiment dans son environnement. Là encore, bravo.

Fin de la balade

Notre balade étant terminée – et toutes les bonnes choses ayant une fin –, acheminons-nous vers le ***métro Buzenval*** ou ***Maraîchers***, dans la rue d'Avron.

LE PARIS ASIATIQUE – LE « CHINATOWN » DU XIIIe

BALADE N° 22 : moins de 1 km – environ 1 h (plus si vous en profitez pour effectuer vos courses).

La promenade que nous allons faire, peu étendue géographiquement, va néanmoins nous faire éprouver un dépaysement certain. Bien sûr, nulle muraille de Chine, point de Cité interdite ou de temple du Ciel à l'horizon. En guise de « monuments », juste les peu gracieuses tours des Olympiades... Et pourtant, en arpentant les rues du triangle constitué par les avenues de Choisy et d'Ivry et le boulevard Masséna, l'intense activité commerçante, avec sa succession de restaurants aux devantures colorées et d'échoppes innombrables, la foule, particulièrement le samedi, aux abords des supermarchés, principalement constituée d'Asiatiques, donnent la sensation – fort agréable – d'être « ailleurs ».

Un peu d'histoire

Oui, mais pourquoi dans cette partie du XIIIe ? Au début était un quartier en mauvais état, à l'habitat déglingué, constitué de maisons, petits immeubles, entrepôts et ateliers plus ou moins en déshérence, notamment les anciennes usines *Panhard*. Les promoteurs, pas vraiment philanthropes, achetèrent à bas prix, bétonnèrent à tout va... et restèrent avec leurs appartements sur les bras. Trop cher, excentré, pas folichon, pas d'infrastructures, un air de banlieue : le quartier n'avait rien pour plaire. Alors vinrent les Asiatiques : réfugiés des guerres d'Indochine, originaires du Vietnam, du Laos ou du Cambodge, Chinois fuyant les « pogroms » dont ils étaient victimes dans certains pays d'Asie, émigrants économiques ou rescapés des « boat people » ayant fuit le Vietnam après la chute de Saïgon vinrent occuper en surnombre les appartements inoccupés. Reconstituant des structures familiales, intégrant au fur et à mesure de nouvelles strates d'immigration et les nouvelles générations, nées en France, cohabitant dans une apparente harmonie, malgré ces origines fort disparates, la communauté asiatique du XIIIe a laissé libre cours à un étonnant dynamisme économique et commercial. Celui-ci a transfiguré le quartier, le rendant plus habitable, coloré et chaleureux, au point qu'on y déambule aujourd'hui à plaisir, et ce en dépit de sa laideur originelle. Nous allons voir tout à l'heure...

Départ

Point de départ : la ***place d'Italie***, son centre commercial – digne de l'architecture qui ravage actuellement Pékin, détruisant son habitat traditionnel multiséculaire, mais c'est une autre promenade... – et sa station de métro (sortie boulevard Vincent-Auriol).

À voir

★ Empruntons l'***avenue de Choisy***, sur la droite. Déjà, entre les restaurants, chinois ou vietnamiens, on dénombre une officine d'avocats, un comptoir « électric » *(sic)* ou un coiffeur qui arborent une plaque ou une enseigne comportant des idéogrammes. Avançons jusqu'au carrefour avec la rue de Tolbiac, où la densité des établissements asiatiques est très forte, quelques pas dans cette dernière, sur la droite, rue de la Maison-Blanche, et reprenons l'avenue de Choisy, sur le trottoir de gauche. Au ***n° 62***, bonne pâtisserie vietnamienne. Plus loin, commerces divers. À la hauteur de l'église Saint-Hippolyte, retraversons, après avoir jeté un œil à la grande fresque murale qui décore le coin de l'avenue, du côté droit, avec l'inscription toute de circonstance : « De tous pays viendront tes enfants. » Au ***n° 29***, siège de l'association *Rencontre et culture franco-asiatique.* Celle-ci organise, dans le quartier, de nombreuses activités, dont des cours de français, de mandarin et de vietnamien, de kung-fu, de gymnastique chinoise *(tai chi quan)* ou de calligraphie. Elle participe activement à l'organisation des festivités qui marquent le nouvel an chinois dans les rues du quartier : défilé en musique, spectaculaire dragon animé... Les pétards sont en plus ! Une occasion à ne pas manquer. Au fait, à l'année du Serpent succédera, le 12 février 2002, l'année du Cheval ; le 1er février 2003, l'année de la Chèvre ; le 22 janvier 2004, celle du Singe, etc. Chaque année étant assortie d'un élément (métal, eau, bois, terre, etc.), la combinaison du même signe et du même élément se répète seulement tous les soixante ans.
À côté, point de repère, « Saint-Hippo » est à la fois un important lieu de rencontres et une église assidûment fréquentée par les fidèles, français et chinois d'origine. Un peu plus loin, au ***n° 15***, le Kiosque de Choisy (restaurants, alimentation, etc.).

★ Re-traversons l'avenue de Choisy (encore une fois !), pour pénétrer dans le ***centre commercial Géant***, à côté du « Chine Masséna », à

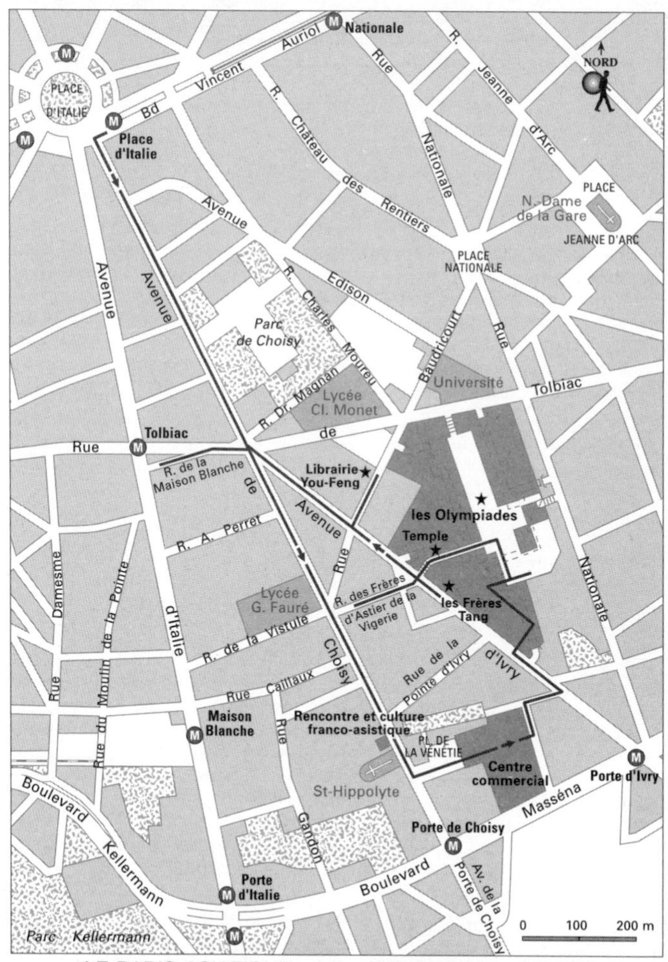

LE PARIS ASIATIQUE – LE « CHINATOWN » DU XIIIe

l'entrée gardée par deux débonnaires dragons de pierre. (Le cognac, dont les bouteilles sont en vitrine dans l'entrée du restaurant, est particulièrement apprécié, dans les grandes occasions, par les Chinois, qui le consomment tout au long du repas...). Dans la galerie, mélange d'échoppes asiatiques et de magasins bon marché, supermarché traditionnel. Dehors, ***avenue d'Ivry***, avec la proximité des tours, il y a un petit côté Hong-Kong : l'Asia Finance Compagnie (sic) affiche le cours quotidien du dollar; un peu plus loin sur la gauche, une kitschissime boutique de décoration expose des maquettes de bateaux ou d'improbables Vénus de Milo en pure imitation plastique... Traversons l'avenue d'Ivry.

★ Marquée par deux dragons (fabrication en série ?...), l'entrée du supermarché « ***Paris Store*** ». Au rez-de-chaussée, alimentation exotique, produits rares ou inconnus, fruits étonnants, épices de toutes sortes. Au 1er étage, véritable caverne de Marco-Polo (celle d'Ali-Baba, c'est un autre circuit) : objets « décoratifs », ustensiles de cuisine, bâtonnets d'encens – il y en a pour tous les goûts. Sortir par les caisses, au 1er étage, ou emprunter l'escalator, depuis l'avenue.

★ Après la pharmacie, on pénètre dans les ***galeries marchandes des Olympiades***. Et là, c'est le dépaysement assuré (n'était la *BNP* – « Votre argent m'intéresse », c'était elle !). Prendre à droite, jusqu'au bout de la galerie, et revenir. Succession d'étonnantes boutiques de CD, vidéos, derniers imports DVD, karaokés, librairie asiatique, vêtements élégants pour femmes, tissus chinois et vietnamiens, et même des machines à coudre (y aurait-il des ateliers clandestins dans les tours ?...). Revenir sur ses pas, dépasser la banque, prendre la galerie à droite (le magasin qui fait l'angle n'est pas sans évoquer les boutiques « de luxe » des aéroports chinois : griffes célèbres, modèles un peu désuets, poussière...). Tout au fond, après un relieur d'art, sortir à gauche.

★ À l'extérieur, deux vasques aux sculptures dorées où brûlent les traditionnels bâtonnets d'encens : nous sommes devant le siège de ***l'Amicale des Teochew*** (prononcer « chao chou ») de France. Originaires de Canton, correspondant avec des associations homologues dans le monde entier, ses membres animent des activités sportives (tournois de ping-pong ou d'échecs chinois, par exemple) ou pour les femmes ou les personnes âgées. Des événements familiaux ou communautaires sont célébrés dans la salle des fêtes, au sous-sol. On peut aussi se recueillir dans le petit temple bouddhiste (quelques marches à droite, on enlève ses chaussures).

★ Sur la dalle, le dos à la galerie marchande (entrée Oslo), on voit les toits en pagode des boutiques et restaurants. Eh bien, ceux-ci, curieuse prémonition, ont été conçus bien avant l'arrivée des premiers Chinois ! À gauche, sur la dalle, la première galerie, à forte odeur de piscine, nous mène (à côté du *PMU*, très fréquenté : les Chinois adorent les paris) au siège de ***l'Association des résidents en France d'origine indochinoise***. Lanternes rouges, autel, tables de lecture, cours. Au sous-sol, musique certains jours, jeux, atmosphère enfumée : une vraie ambiance. Poursuivons dans la galerie, et sortons à gauche, sur l'avenue d'Ivry. Dans le parking attenant, large banderolle portant l'inscription « Autel du culte de Bouddha », signalant donc la présence d'un temple bouddhiste. Accueil chaleureux. Ne pas hésiter à laisser une obole.

★ ***Les frères Tang :*** remontons à gauche jusqu'au supermarché des frères Tang. Boutique traiteur animée en permanence à l'entrée. Supermarché de produits alimentaires littéralement extraordinaires : pâtes, formes diverses de riz, légumes inconnus des tables européennes, fruits aux noms évocateurs (rambutans, lychees, longans, mangoustans, durians...), gâteaux de lune, conserves de coquillages, sauces exotiques... Ne pas hésiter à s'y attarder : justifie à lui seul la balade. À la sortie, Tang Frères nous remercient de notre visite en chinois, laotien, vietnamien et cambodgien.

★ Traversons l'avenue d'Ivry et remontons-là vers la droite. Pâtisseries étonnantes, boutiques de vêtements et d'objets de décoration. Également dans la rue piétonne des Frères-d'Astier-de-la-Vigerie. Un peu plus loin, mais de l'autre côté de l'avenue, n° 66, rue Baudricourt, la ***librairie You-Feng***, bien fournie en ouvrages en français et en chinois, qui diffuse également les deux quotidiens européens de langue chinoise, dont « Europe Journal » (qui a son siège pas loin, au n° 8, rue Charles-Fourier).

★ Il est temps de regagner la place d'Italie, par le côté droit de l'***avenue de Choisy***, où les commerces alimentaires (annexes de Tang Frères et autres), de bimbeloterie et les restaurants sino-vietnamiens ne manquent pas.

Fin de la balade

Avant de reprendre le ***métro*** à ***Porte d'Ivry*** (ou votre vélo *Flying Pigeon*), laissez-nous, parmi d'innombrables félicités, vous souhaiter mille ans de prospérité et de bonheur...

MAI 68 AU QUARTIER LATIN

BALADE N° 23 : 2,5 km – 1 h 30 à 2 h.

Tiens donc, un itinéraire Mai 68 ! Mais qu'est-ce qu'il leur prend au *Routard* de jouer aux anciens combattants au moment du triomphe d'internet, du retour de l'individualisme et du repli sur soi ! Et puis, comment peuvent-ils espérer retrouver des vestiges, voire des signes de cette époque ? Des plaques commémoratives sur les murs peut-être ? Et puis, à quoi bon ressasser toutes ces vieilleries, au risque de se faire traiter de ringard, soixante-huitard attardé et autres gentillesses... Mais au fond, si on partait du principe que beaucoup de jeunes d'aujourd'hui ne connaissent guère, à part les grandes lignes, ce qui se passa à l'époque. Et si on leur concoctait un parcours, en quelque sorte initiatique, des grands moments de Mai 68, sur le mode de l'humour, teintée d'une joyeuse et saine dérision ? En respectant bien entendu la qualité de l'info, la vérité des événements et des personnages, l'exactitude des lieux, des dates et des heures (enfin presque). Histoire de tirer une larme ou un sourire aux « anciens », histoire d'intéresser, voire d'amuser ceux qui à l'époque suçaient encore leur pouce ou n'étaient tout simplement pas encore nés ! Allez, embarquez avec nous dans cette croisière, à bord du bateau « Jouir sans entraves, vivre sans temps morts »...

Départ

Premiers affrontements au ***métro Cluny***, ***Odéon*** ou ***Luxembourg***. Durée : 1 h 30 à 2 h. Compter 2,5 km. Songer aux harassantes manifs étudiantes de l'époque, c'est pas ça qui va vous épuiser !

★ **À voir**

1 La Sorbonne
2 Angle bd Saint-Michel-bd Saint-Germain
3 Place Edmond-Rostand
4 Rue Gay-Lussac
5 Impasse Royer-Collard
6 Normale Sup
7 Le théâtre de l'Odéon
8 École des Beaux-Arts

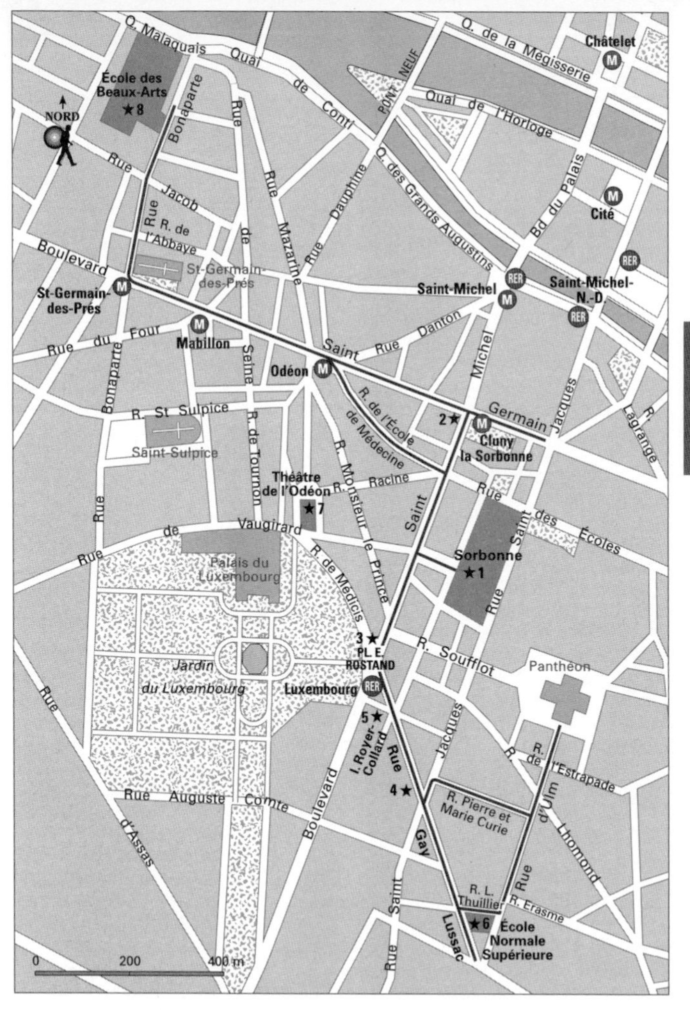

MAI 68 AU QUARTIER LATIN

Un peu d'histoire

Difficile de résumer en un paragraphe l'histoire de Mai 68, bon, on va essayer quand même. Les événements ne surgirent pas comme ça d'un coup, vous l'aviez compris. La France est à l'époque un cocktail explosif fait d'archaïsme et de modernité. *Modernité* par l'effort considérable consenti par l'État pour démocratiser l'école : en 1950, 800 000 lycéens et 125 000 étudiants. En 1968, 3,7 millions de lycéens et 600 000 étudiants (il s'est pratiquement ouvert une école par jour). Archaïque, car la société française l'est indéniablement dans ses rouages et composantes : pouvoir patriarcal dans la famille, machiste dans le couple, bureaucratique dans l'administration, autoritaire dans les entreprises, mandarinal à l'université. Cette dernière n'est pas adaptée aux temps modernes. Grande insatisfaction des étudiants donc par rapport à l'organisation de l'université : la centralisation excessive, le mandarinat, l'élitisme, les pesanteurs hiérarchiques, le contenu des cours, les règlements intérieurs obsolètes, etc. C'est ainsi que François Missoffe, ministre de la jeunesse, en visite à Nanterre, se fait interpeller par un étudiant, genre ludion aux cheveux roux et à la verve ironique. C'est ***Daniel Cohn-Bendit*** protestant contre un règlement vieillot et puritain interdisant aux garçons de rendre visite aux filles dans les résidences universitaires passé 22 h. ***Nanterre*** est l'archétype de la fac nouvelle en plein tumulte : architecture de béton, mal-être du milieu, inadaptation aux aspirations des étudiants, agitation politique importante. La nuit du 22 mars 1968, occupation de la fac par une centaine d'étudiants radicaux. Y sont particulièrement actifs, les militants de la ***JCR*** (Jeunesse communiste révolutionnaire d'Alain Krivine et Daniel Bensaïd), les militants du PSU (Parti Socialiste unifié), les anarchistes, les situationnistes qui influencent fortement le milieu étudiant, de nombreux inorganisés et... Cohn-Bendit. Création du ***mouvement du 22 mars*** à la suite d'une nuit de discussions et de confrontations vives et fébriles, nouveau fer de lance unifié de la contestation sur Nanterre. Et pendant ce temps le pays semble ronronner, insensible à cette agitation primesautière. Le pays tourne bien économiquement (nous sommes encore dans les « Trente Glorieuses », l'époque prospère d'après-guerre), l'État-providence garantit encore la majorité des droits sociaux, le taux de chômage est encore faible et angoisse peu de monde, les salariés se sentent protégés par des syndicats forts... Pierre Vianson-Ponté se fend même en avril 1968 d'un édito devenu célèbre « La France s'ennuie ! ». Personne, à part une avant-garde de la jeunesse et des étudiants, n'a vu le coup venir !

Et bien voilà que cette jeunesse veut montrer que la « France de papa » (de Gaulle, symbole typique du père-patrie) et que ses représentations (autorité et hiérarchie familiales, université pépère, société de consommation bien huilée, etc.), et bien tout cela, elle n'en veut plus. Le monde bouge, les nouveaux héros qui s'affirment à la jeunesse sont Che Guevara, Ho Chi Minh, Angela Davis et les peuples qui se libèrent. Pour résumer, l'histoire antérieure, ce sont les pères qui l'ont faite (la Résistance, la reconstruction de la France, la décolonisation, le bien-être social, etc.). La jeunesse de 1968 veut écrire sa propre histoire, en finir avec le père... Ça passe donc nécessairement par prendre en main son propre destin, mettre l'imagination au pouvoir, élaborer de nouvelles utopies, construire de nouvelles solidarités. En particulier, sur les questions internationales : guerre du Vietnam, soutien aux luttes anti-impérialistes et à la révolution cubaine, au mouvement des Black Panthers aux USA, etc., à travers notamment des structures comme le *Comité Vietnam national* (animé par les trotskistes) et les *comités Vietnam de base* (dirigés par les maoistes). Justement, fin avril 1968, des militants de la JCR, en solidarité avec le peuple vietnamien, attaque la boutique de l'*American Express* à l'Opéra. Un militant, Xavier Langlade, est arrêté. Agitation pour réclamer sa libération. *Meeting* de solidarité à la ***Sorbonne*** qui sera l'étincelle qui mettra le feu. Le grisou est déjà dans la galerie, les conditions de l'explosion sont réunies...

À voir

★ ***La Sorbonne*** *(plan, 1)* **:** rue de la Sorbonne (ah, bon!). C'est là que le 3 mai tout commença au Quartier latin. Un *meeting* de protestation s'y tient dans l'après-midi pour réclamer la libération d'étudiants arrêtés lors de manifestations. Intervention de la police à l'intérieur de la Sorbonne. C'est un fait rarissime. En principe, il existe des franchises universitaires et la police est très rarement intervenue dans le milieu. En tout cas, à la Sorbonne, c'est la première fois. Sa fermeture est ordonnée par Alain Peyrefitte, ministre de l'éducation nationale. La réaction des étudiants se révèle bien sûr à la mesure de cette incroyable violation des libertés. Une grosse manif se met en route et se trouve rapidement en confrontation avec la police sur le boulevard Saint-Germain. Jets de poubelles, de chaises de bistrots, de pierres enfin, bref tout ce qui traîne à portée de main. Premiers blessés chez les flics, premières charges policières, premiers matraquages, premières bavures, c'est parti!
Le week-end du 11-12 mai, après le nuit des barricades, le Premier ministre Pompidou annonce que la Sorbonne est rouverte, les étudiants libérés. La police quitte le Quartier latin. La Commune étudiante a fait reculer le pouvoir. L'université va donc devenir ce foyer d'agitation permanente, cet extraordinaire lieu de parole que des milliers de gens de tous âges, de nombreux travailleurs vont pénétrer et découvrir pour la

première fois. La Sorbonne accueille également des marginaux de tout poil venus soutenir le combat des étudiants. Leur *look* guerrier fait bien entendu les choux gras de la presse de droite qui utilise de spectaculaires clichés pour manipuler l'opinion et tenter de déconsidérer le mouvement. On les appela les « Katangais », en référence à cette lointaine province sécessionniste du Congo. Longtemps, les étudiants eurent un comportement de complicité et de tolérance vis-à-vis de ces révoltés qui trouvaient une identité dans leur combat. À la fin, des tensions apparurent cependant à cause de certains excès et de violences qui donnaient une mauvaise image du mouvement étudiant.

★ ***Angle des boulevards Saint-Germain et Saint-Michel*** *(plan,* ***2****)* **:** le 6 mai, nouvelle manif étudiante, nouveaux sévères affrontements. Les pavés volent à nouveau. Plusieurs centaines de blessés, c'est le « Lundi rouge ». Le ministre de l'éducation, Alain Peyrefitte, est entouré d'un *staff* totalement hors du coup. LE sociologue de son cabinet, un certain M. Bourricault (ça ne s'invente pas!), lui livre cette brillante analyse : « Les enragés ne sont qu'une poignée de trublions qu'un bon matraquage ramènera à la raison. À quelques jours des examens, ils ne seront pas suivis! ». Ce lundi donc, le ministre persiste et déclare : « Si la police est intervenue, c'est pour protéger la grande masse des étudiants contre une poignée d'agitateurs »... Au même moment, 20 000 étudiants défilent aux cris de « Nous sommes tous des groupuscules ».

★ ***Place Edmond-Rostand*** *(plan,* ***3****)* **:** les étudiants ont quasi manifesté toute la semaine (« Lundi rouge » le 6 mai, manif de 30 000 personnes le mardi 7 aux Champs-Élysées et *Internationale* chantée sous l'arc de Triomphe, etc.). Le pouvoir ne prend nullement conscience de la mobilisation qui s'amplifie de façon incroyable. Nouvelle manif appelée ce vendredi 10 mai à Denfert-Rochereau sur les mêmes revendications : libération des étudiants emprisonnés, amnistie des peines, réouverture de la Sorbonne. L'impatience gronde, une majorité de manifestants veut passer à un stade supérieur de la mobilisation. La manif est canalisée par la police vers le Quartier latin. Celle-ci préfère fixer la contestation dans le ghetto naturel des étudiants. Des rumeurs circulent que les négociations piétinent. La colère monte contre l'intransigeance du pouvoir. Place Edmond-Rostand, on déterre les premiers pavés avec un outil vieux comme la classe ouvrière : la grille d'arbre. Des milliers d'étudiants, dans une extraordinaire fièvre et euphorie font alors d'immenses chaînes pour se passer les pavés et édifier les premières barricades dans les rues alentour. De nombreuses voitures sont également utilisées comme matériau de base. Sentiments de force, d'unité et de solidarité dans l'action (et qui se révèlent toujours les signes d'un profond mouvement de masse). C'est là que se situe un gag : le recteur Roche accepte à 22 h de recevoir une délégation de trois étudiants de l'UNEF. L'oreille rivée à un transistor (c'est à ce moment qu'on mesura, ce jour-là, le rôle capital des radios périphériques dans les événements), Peyrefitte avec fureur apprend que Cohn-Bendit figure dans la délégation. Il appelle aussitôt le recteur au téléphone et s'instaure alors ce dialogue surréaliste : « Monsieur le recteur, il y a Cohn-Bendit avec vous? – Je ne pense pas monsieur le ministre – N'y a-t-il pas devant vous un étudiant roux au visage rond? – Heu... oui!... ». Le ministre donne l'ordre de cesser la négociation. Il est 1 h du matin. Autour de la place Edmond-Rostand, soixante barricades de 2 m de haut couvrent le Quartier latin. En bas du boulevard Saint-Michel, la tension monte chez les CRS pressés d'en découdre et attendant les ordres... Une anecdote marrante : dans le même temps, le Quai d'Orsay proteste qu'on lui sabote les négociations sur le Vietnam (qui viennent de commencer à Paris) et les services de la Voirie rappellent que « les rues doivent être rendues à la circulation demain sans faute! ».

★ ***Les barricades de la rue Gay-Lussac*** *(plan,* ***4****)* **:** l'épicentre de la mobilisation étudiante et... la preuve éclatante que ce ne sont pas des spécialistes de la guerrilla urbaine qui les construisirent. Beaucoup de militants d'extrême-gauche ou radicaux (jeunesse communiste révolutionnaire, mouvement du 22 Mars, maoïstes et anarchistes de diverses obédiences, etc.) participent, certes au mouvement, mais ça n'en fait pas des spécialistes. Aucun stratège de la guerrilla n'aurait élevé de barricades rue Gay-Lussac. Beaucoup trop large, rue haussmanienne typique, percée précisément à l'époque pour permettre les mouvements de troupes (et éventuellement tirer au canon!). En outre, barricades trop rapprochées, véritables nasses pour les manifestants (et quelle gâchis de matériaux!). La barricade la plus stupide, tenue par la JCR (Jeunesse communiste révolutionnaire), se situait à l'entrée de l'impasse Royer-Collard *(plan,* ***5****)*. Lors de l'attaque des CRS, il fallut l'abandonner rapidement, aucune possibilité de fuite n'existant bien sûr par l'arrière! Pourtant, costaude et édifiée avec amour. L'auteur des ces misérables lignes en sait quelque chose, il en était!

Enfin, à 2 h 15, le pouvoir donne l'ordre de l'assaut. Les consignes avaient été claires : le moins possible de corps à corps, balayage maximum avec les gaz lacrymogènes. C'est ainsi que plus de 5 000 grenades tombèrent en trois heures. Il y eut des scènes étonnantes. Pour fixer les gaz à terre, nécessité de projeter de l'eau dessus. Les honorables familles bourgeoises de la rue Gay-Lussac passèrent donc le restant de leur nuit à balancer de leur balcon des bassines d'eau dans la rue et... à se faire engueuler quand ça n'allait pas assez vite! Quant aux voitures brûlées qui frappèrent tant les imaginations, si certaines furent incendiées intentionnellement pour ralentir la progression des CRS, la plupart le furent à cause de l'essence répandue par terre et mise à feu par l'explosion des grenades. La résistance des étudiants fut âpre, d'autant plus qu'ils reçurent les renforts de jeunes ouvriers des quartiers populaires (type XXe, XIXe, XIIIe arrondissements) et banlieusards important leurs propres méthodes de combat, comme les lance-pierres utilisant des roulements à bille (sacrément efficaces !). Les barricades des rues Le Goff, Lhomond, de l'Estrapade, Mouffetard édifiées dans des ruelles étroites furent plus longues à tomber. On y trouvait d'ailleurs pas mal de jeunes prolos (du bâtiment notamment, sondage sur le terrain). Une des plus grandes surprises pour les forces de l'ordre furent aussi les volées de projectiles qui tombèrent des toits. Des centaines d'étudiants s'y étaient réfugiés pour mieux canarder. À signaler qu'un des éléments importants qui donna du *peps* aux étudiants, fut la rumeur, littéralement amplifiée et fantasmée, que 10 000 ouvriers se battaient à la porte Saint-Denis pour rejoindre le Quartier latin. Il n'en était rien, bien sûr, mais le courage se puise souvent dans ces sortes de fantasmes générateurs d'énergie... À la suite de cette nuit fantastique, le pouvoir reculait, les étudiants étaient libérés, la Sorbonne réouverte. Les syndicats appelaient pour le lundi 13 mai à la grève générale, le 14, la première usine se mettait en grève... mais là, c'est déjà une autre histoire !

★ ***Normale Sup, dernier refuge*** *(plan,* ***6****)* **:** à 6 h du matin, la plupart des barricades ont été prises ou achèvent de brûler. S'engage alors une impitoyable chasse aux manifestants. Tout le Quartier latin est bouclé, les stations de métro périphériques filtrées. Certaines scènes rappellent la fin de la commune de Paris (les 30 000 morts en moins, quand même !). Lorsqu'un jeune au *look* étudiant défait se fait interpeller, on lui demande « fais voir tes mains ». Mains sales, vêtements maculés... il est alors embarqué sans ménagement. Lors de la semaine sanglante de la Commune de Paris, les communards étaient immédiatement identifiés à leur mains noires de poudre et fusillés sur le champ. Les Versaillais d'aujourd'hui ne pouvaient pas décemment faire subir le même sort à leurs enfants ! Coincés dans le dédale des ruelles au petit matin, des milliers d'étudiants trouvèrent refuge à la fondation Curie, à l'école Supérieure de Chimie et surtout à Normale Sup, rue d'Ulm. Le pouvoir n'osa pas faire investir ces prestigieux établissements, d'autant plus que l'immense majorité des profs étaient sympathisants, voire acteurs du mouvement. Il y eut de grands moment de fraternisation, d'entre-aide, de solidarité et de belles histoires. Une jeune fille terrorisée trouva cette nuit-là refuge chez Hélène Langevin, femme du grand savant et professeur. Quelques années plus tard, elle devint sa fille adoptive...

★ ***Le théâtre de l'Odéon*** *(plan,* ***7****)* **:** place de l'Odéon. N'échappa pas bien sûr à la contestation ambiante. Le théâtre fut occupé et transformé en forum permanent sur ce qu'était un théâtre vraiment populaire, sur la place de l'acteur dans la société de consommation, du théâtre dans la révolution, de la création par rapport aux puissances de l'argent et toutes

ces sortes de choses. Jean-Louis Barrault et maints autres monuments du théâtre furent chahutés sans ménagement par les jeunes loups de la profession. Un gag, la découverte des réserves de costumes apporta des couleurs supplémentaires à ce monstrueux happening culturel. On retrouva même des gens dans les manifs affublés de casques romains, vêtus de tenues excentriques...

★ ***L'école des Beaux-Arts*** *(plan, **8**)* **:** rue Bonaparte. L'école des Beaux-Arts fut également, bien entendu, l'un des piliers de la contestation au quartier Latin. Même type de débats fiévreux qu'au théâtre de l'Odéon : art et révolution, artistes au service du peuple, architecture populaire ou de classe... Surtout, siège de l'*atelier populaire* d'où sortirent des milliers d'affiches, véritables baromètres du mouvement, collant à l'actualité politique au jour le jour, au service de tous les fronts en lutte. Slogans, graphismes, illustrations et toutes idées nouvelles étaient discutés collectivement. Il est arrivé que certaines propositions soient refusées pour radicalisme exacerbé, provocation outrancière, diffamation, etc. Certaines affiches, pourtant acceptées en comité de lecture, ne sortirent pas après impression. Une nouvelle réflexion collective remettant en cause les choix antérieurs. Concernant le général de Gaulle, si la célèbre affiche « La chienlit, c'est lui ! » (suite à un discours où il traita le désordre des manifs de chienlit »), fit l'unanimité, en revanche, l'affiche qui le présentait avec un masque de Hitler ne fut quasiment pas diffusée pour outrance politique ! À l'époque, si la plupart des militants collèrent scrupuleusement toutes leurs affiches, des petits malins spéculaient déjà sur leur valeur artistique. Ils s'en mirent quelques-unes de côté, subodorant qu'elles prendraient quelque valeur dans le futur. Ces intuitifs avaient raison puisqu'on retrouva nombre de ces affiches mythiques dans les galeries (jusqu'à Londres, New York et Tokyo !) à des prix souvent élevés. Rançon du succès et de la spéculation, à l'occasion des différents anniversaires de 68 (les dix ans, les vingt ans, les...), on assista même à la mise en circulation de faux, pourtant estampillés du fameux cachet « Atelier des Beaux-Arts » qui les validait à l'époque !

Fin de la balade

Fin de l'itinéraire, vous pouvez reprendre votre ***métro*** à ***Saint-Germain-des-Prés*** ou, si vous êtes encore en jambes, entamer l'excellent itinéraire « Littérature à Saint-Germain ». À propos, regardez sous vos petons. Fini les pavés. Après les révolutions de 1830, 1848, 1871 et 1968, ral'bol ! Le pouvoir a exorcisé définitivement ses frayeurs en noyant les pavés du Quartier latin sous 2 cm de bitume. Pourtant, pourtant, il nous a bien semblé que, deci-delà, le goudron semblait s'user par endroit...

INDEX DES LIEUX ET DES PERSONNES

INDEX

INDEX

– O-P –

– R-S –

– T –

– V –

INDEX

OÙ TROUVER LES CARTES ET LES PLANS ?

les **Routards** *parlent aux* **Routards**

Faites-nous part de vos expériences, de vos découvertes, de vos tuyaux pour que d'autres routards ne tombent pas dans les mêmes erreurs.
Indiquez-nous les renseignements périmés. Aidez-nous à remettre l'ouvrage à jour. Faites profiter les autres de vos adresses nouvelles, combines géniales... On adresse un exemplaire gratuit de la prochaine édition à ceux qui nous envoient les lettres les meilleures, pour la qualité et la pertinence des informations. Quelques conseils cependant :

– Envoyez-nous votre courrier le plus tôt possible afin que l'on puisse insérer vos tuyaux sur la prochaine édition.
– N'oubliez pas de préciser sur votre lettre l'ouvrage que vous désirez recevoir.
– Vérifiez que vos remarques concernent l'édition en cours et notez les pages du guide concernées par vos observations.
– Quand vous indiquez des hôtels ou des restaurants, pensez à signaler leur adresse précise et, pour les grandes villes, les moyens de transport pour y aller. Si vous le pouvez, joignez la carte de visite de l'hôtel ou du resto décrit.
– À la demande de nos lecteurs, nous indiquons désormais les prix. Merci de les rajouter.
– N'écrivez si possible que d'un côté de la lettre (et non recto verso).
– Bien sûr, on s'arrache moins les yeux sur les lettres dactylographiées ou correctement écrites !

Le Guide du routard : 5, rue de l'Arrivée, 92190 Meudon

E-mail : routard@club-internet.fr

Imprimé en France par Hérissey n° 89867
Dépôt légal n° 12474-5/2001
Collection n° 13 - Édition n° 02
24/3426/4
I.S.B.N. 2.01.243426-6
I.S.S.N. 0768.2034